# ショア
# あるいは
# 破滅のリズム

## 現代思想の視角

—エポック……2—
deuxième époque

山下尚一 著
Shoichi YAMASHITA

ナカニシヤ出版

ショアあるいは破滅のリズム
——現代思想の視角——
（エポック２）

＊

目次

【前巻エポック1・目次】

# ショアあるいは破滅のリズム

——現代思想の視角——　（エポック2）

# 14 絶滅収容所の歌

## 1　映画のリズム

今回から映画の後半、つまりエポック2に入ります。『ショア』という映画の長さについて、ある映画評論家は次のように書いています。

**引用1**　もっと重要なのは、『ショア』の遅い、ほとんどけだるそうなリズム、詳細がたえず増大していくことで築かれるリズム（*Shoah*'s slow, almost languorous rhythms, rhythms based on this steady accretion of detail）が、記念碑的な嘆きをつくり上げていくやり方である。ランズマンは反復されるイメージ、反復される場所、細部は同一ではないが特性としてはそれぞれ非常に近い事実のたえざる流れをつかう。それによって反復や反復に近いもの、そしてイメージの積み重ねにやはりもとづいているあの大いなる悲嘆を思い起こさせる。それぞれ同じテーマの変奏である多数のイメージをとおして、悲しみと喪失がやはり何度もちがったやり方で詠唱される『エレミヤの哀歌』を思い起こさせるのだ。*1

この引用では、『ショア』の特徴としてけだるいリズム、ゆったりとしたリズムがあって、同じような内容のインタビュー、同じような風景の映像が積み重ねられているといわれています。たしかにさまざまな証言者の立場はちがうし、その話し方や表情もいろいろです。風景もいろいろな場所が出てきます。だけどそれらのイメージが表現しているのはホロコーストというただひとつのことであって、ランズマンはそのテーマについて、何度も何度もちがった仕方でたどり直そうとします。これらのイメージの積み重ねは、ショアというひとつのテーマの多数の変奏であり、この変奏こそが映画独特のリズムをなしているということです。とはいえ講義では少しずつ区切って見ているので、ちょっとちがった印象を受けるかもしれませんね。

第1回でこの講義では二つのリズムを見ていくとお話ししました。

ⓐ歴史的出来事であるショアのリズム
ⓑ映画『ショア』のリズム

ⓐ歴史的出来事であるショアのリズムは、ⓑ映画『ショア』のリズムとして表現されます。先ほどの**引用1**によると、ⓑのリズムは「けだるそうである」「何度も反復している」といわれていました。それを踏まえると、ⓐのショアのリズムは、ⓑの『ショア』のゆっくりしたリズムのなかにあらわされる、しかも似たようなイメージの反復において少しずつあらわされるということです。

これだけ長い映画になると、観客である私たちの生活リズムにも影響してくるのではないか、そんなふうに**引用1**の著者はつづけます。

**引用2**　標準的な二時間の映画構成というものは私たちにとってまったく習慣的になっているのであって、二時間映画は自分自身をひとつの対象として囲い込んだりカプセル化したりする傾向があり、その持続する時間について私たちは日常生活のリズムの一部として受け入れるのに慣れている。しかしとても長い映画は、四時間や五時間くらいであっても（『ショア』はたいてい二部にわけて上映される、私としては二つの部をいっしょに、順番に、同じ日に見るのを好むのだが）、人々の時間的領域からかなりの場を切りとることになる。私たちは長い映画に対してはちがったふうに応じているわけである。長い映画というのは私たちの思考や生活に直接的に侵入してくるのであり、侵入こそ『ショア』の主題にまったくもって適切なものである。[*2]

ここには三つ目のリズムが出てきます。

ⓒ私たちの生活のリズム

これら三つのリズムの関係はというと、ⓐ歴史的出来事であるショアのリズムと、ⓑ映画『ショア』のリズムが、ⓒ私たちの生活のリズムに侵入するということです。一般的な長さの映画であれば、私たちはそれに慣れているということもあって、私たちの生活のリズムはそれほど影響を受けません。しかし『ショア』の場合、だいたい五時間弱のものを二日間鑑賞します。もし**引用2**の著者のように同じ日に見るとなれば、九時間半のものを一日で鑑賞することになります。そうなると映画は生活に深く入り込んできます。このとき私は、映画の時間にそったかたちでしか生活できません。映画のリズムのほうこそが優先になって、食べたり飲んだり、話をしたり寝たりという私の生活のリズムを方向づけることになります。

この講義では、一回につき二〇分前後の映像を紹介しています。その場合生活のリズムはほとんど影響を受けません。つまりⓐ歴史的出来事のショアのリズムと、ⓑ映画『ショア』のリズムは、ⓒ私たちの生活のリズムに侵入しないということになります。となると、同じ映画を見ているとしても、**引用2**を書いた人と私たちとでは受けとるものがちがう可能性があります。どちらがよいとか悪いとかではなくて、ちがったふうに知覚しているということであり、もっと正確にいうと、ちがったリズム的体験をしているということです。

## 2 『ショア』を見る

それではエポック2のはじめを見てみましょう。

🎥 映像1　クロード・ランズマン『ショア』一九八五年、DVD 2-1、ポニーキャニオン、0:00-17:18（ch. 1）

フランツ・ズーホメルさんは、エポック1でも登場しました。トレブリンカの絶滅収容所でSS（親衛隊）として勤務していた男性です。隠し撮りで、鮮明とはいえない映像です。ズーホメルさんは収容所の歌を歌っていました。新しいユダヤ人特別労働班員が入ると、この歌を覚える必要があったといわれていました。ランズマンにうながされて、二回歌っていましたね。そのあと、どんなふうにユダヤ人たちがガス室へと追い立てたのかを話していました。ユダヤ人たちが「チューブ」と呼ばれるところにせかされるときは裸のままで、とくに冬は寒くて、マイナス二〇度にもなったといいます。

## 3　絶滅収容所の歌を歌う

この映画全体のなかで、歌は重要な位置を占めています。というのも、エポック1のはじまりにはユダヤ人生還者であるスレブニクさんの歌があって、エポック2のはじまりにはズーホメルさんの歌があるからです。これらの歌は映画のリズムを特徴づけています。実際ランズマンは、エポック2のはじまりが歌であるということは、エポック1のはじまりが歌であることを反復している、こうした構造を自分は意識的に計画していたんだと述べています[*3]。いいかえるとランズマンは、特徴的なリズムをもってきて映画の全体的な構造をつくり出そうとするわけです。ここでも『ショア』はドキュメンタリーというよりも、監督の美的な感覚にもとづく芸術作品だということがわかります。

それでは**映像1**の内容を見てみます。ズーホメルさんが一回目の歌を終えたとき、こんなやりとりがありました。

**引用3**　〘ランズマン：〙もう一度初めから、歌ってください。もっと大きな声を出して！〘フランツ・ズーホメル（ドイツ人男性、トレブリンカ収容所の元SS伍長、ドイツ語）：〙うん。あなたも笑っているが、とても悲しい歌なんだ！『ランズマン：』だれも、笑ってなんかいませんよ。『ズーホメル：』怒らないでくれたまえ。あなたは、歴史を知りたいと言うし、私は歴史を語ってるんだからね。[*4]

そのあとズーホメルさんは二回目を歌います。映画でつかわれなかったアウトテークを見ると、実は一回目の歌と二回目の歌の順番が逆になっているようです。つまりランズマンは、もともと二回目の歌を編集で先にして、一回目の歌をあとにしたということです。[*5] その後ズーホメルさんは次のように述べています。

**引用4**　『ズーホメル：』ご満足かね？　これは〃オリジナル〃だからね。[*6] 知ってるユダヤ人は、もう一人もいないんだ！

この場面について、少なくない人がズーホメルさんのうちになんらかの変化を見ています。たとえばある人は、ズーホメルさんは歌ううちに目が輝いてきているといいます。[*7] また別の人は、ズーホメルさんの歌い方は熱心で陽気であり、そこには虐殺者のぞっとさせるような良心が感じられるといっています。[*8] 監督のランズマンはというと、**引用5**のように感じています。

**引用5**　その時彼『ズーホメル』の眼に突然現われた硬質の光は、彼がこの瞬間に親衛隊伍長の過去に、生死の決定権を握っていた頃の冷酷な男の過去に完全に立ちもどったことを感じさせた。それは恐怖と消耗の一日だった。[*9]

ランズマンによると、ズーホメルさんは当時の収容所の歌を歌うことで過去に戻ったといいます。このとき過去は、現在から思い起こすものではなく、現在と含み合ったものです。ズーホメルさんはその歌を歌ったころを現在において生き直しているわけです。しかしこれは彼が自発的におこなったことではありません。ランズマンはうまくたくらみ、親密になったふりをして、ズーホメルさんの緊張をほぐしています。[*10] そうしたランズマンのひそかな方向づけがあるからこそ、ズーホメルさんは同じ歌をつづけて歌い、そのころの体験を歌のリズムにのせることができたわけです。[*11] このようにズーホメルさんが当時の歌を歌うことでひとつの時間性が成立します。それは現在でもあり過去でもあるような時間です。歌というのは、それをとおして別の時間性がそこに立ち上がってくる、そういうものなのかもしれません。

ズーホメルさんが歌うことで気分がよくなっているかどうかは、私にはわかりません。別の資料を読むと、戦争が終わったあとにユダヤ人の強制収容とショアがあったことをなつかしむ、そういう人もいたみたいです。プリーモ・レーヴィはある本でクライネ・キエプラという少年について記していますが、この少年はまさにそういう人でした。クライネ・キエプラは、アウシュヴィッツ収容所の囚人でしたが、囚人でありながらも囚人の長として看守を助けるという地位、つまりカポーという地位にいました。その少年は権威をかさに着ていてたっぷりと食べていた、いい服を着て、陰口やら密告やらで暗躍していたといわれています。収容所が解放されると、クライネ・キエプラはカポーの地位を奪われます。ほかの囚人たちと同じ境遇になるわけです。そのころの彼の様子について、レーヴィは**引用6**のように書いています。

**引用6**　クライネ・キエプラはまるで夢を見ているかのように、独り言を言い始めた。それは出世した夢、カポーになった夢だった。それが頭がおかしくなったためか、子供っぽい嫌がらせなのか、分からなかった。彼は天井近くに位置する寝台の高みから、ブナ〘ブナ＝アウシュヴィッツ強制収容所〙の行進曲を絶え間なく歌い、口笛を吹いた。それは毎朝、毎晩、私たちの疲れた足にリズムを刻ませた、恐ろしい音楽だった。そして彼はもはや存在しない奴隷の群に、威張りくさった命令の言葉を、ドイツ語でわめき散らした。／「起きろ、豚どもめ、分かったか？ ベッドを作り直せ、すぐにだ。靴を磨け。〘略〙」〘略〙私たちは強引に彼のうわごとをやめさせようとしたが、無駄だった。[*12]

クライネ・キエプラという少年は収容所の行進曲をみずから歌い、そのリズムを思い出して楽しんでいます。そしてそのころの生き方をなつかしんでいるようです。ここでわかるのは、歌のリズムには過去をよみがえらせる力があるということです。つまり、収容所の歌のリズムは収容所の生き方に結びついていて、歌のリズムを思い起こすということは、その歌を歌っていたころの生き方を現在にもちきたらすということです。実際に、少年の歌を聞いたレーヴィは、かつての収容所の生活を思い出しておそろしくなり、歌をやめさせようとします。それに対して少年は、過去を生きるしかない。カポーとしてほかの囚人を攻撃し、ののしり、行進のリズムを押しつけることしかできないわけです。それはまるで、収容所の歌のリズムをとおして、収容所の生活のリズムを体験し直しているかのようです。ちなみにレーヴィによると、数日後にはクライネ・キエプラは姿を消してしまったといいます。もちろん『ショア』のズーホメルさんの場合、この少年みたいになつかしむというのではないし、ランズマンにうながされたあとに歌っています。その一方で、ズーホメルさんがどんな気もちで歌うにしても、そのリズムのなかには収容所での体験が含まれているのだろうと思います。

　**映像1**のなかで、ズーホメルさんの態度を特徴的に示しているところを見てみましょう。

**引用7**　《ランズマン：》トレブリンカで、ピークの時期に、一日に一万八〇〇〇もの人間を〈処理〉……、《ズーホメル：》一万八〇〇〇とは、多すぎるよ。《ランズマン：》ああ、裁判の記録で読んだのですがね……。《ズーホメル：》そうか。《ランズマン：》一万八〇〇〇もの人間を〈処理〉する……、つまり、一万八〇〇〇の人間を抹殺することが……。《ズーホメル：》ランズマンさん、その数字は誇張だ。私の言うことに間違いはないよ。《ランズマン：》じゃあ、何人です？《ズーホメル：》一万二〇〇〇から一万五〇〇〇までだね。でも、そういう時は、真夜中までかかったもんだ。一月には、移送列車は、よく朝の六時に着いたな。*13

　ズーホメルさんは一日に殺害した人数を訂正しています。殺害の規模が過大にいわれると、急いで訂正するわけです。私たちからすると、ある施設で一日に一〇〇〇人殺されたとしても、あるいは一〇〇人殺されたとしても、きわめて残虐であるように思えます。しかしズーホメルさんからすると、まったくちがう。一日一万人を殺すためには、かなりのスピードで処理しなければならない。それについて以下の二つの発言を見てみます。

**引用8**　《ズーホメル：》ランプ《積み降ろし場》では、各車両の前に、青の特別労働班［青い腕章をつけたユダヤ人特別労働班］のユダヤ人が二名ずつ、万事がすばやく運ぶよう、身構えて立っていた。「外へ出ろ、外へ、速く、速く、もっと速く！」、こう言う役割だった。[*14]

**引用9**　《ランズマン：》死まで、すべてが二時間で完了したんですか？《ズーホメル：》二時間か、二時間半か、三時間だね。《ランズマン：》一列車全部でですか？《ズーホメル：》全部でさ。《ランズマン：》するとと、列車の一部だけ、たとえば一〇両だと、どのくらいの時間です？《ズーホメル：》計算は、できないね。切り離された車両が相次いで入ってくるし、人が絶えず流れ込んでくるからだ、いいかね？[*15]

列車は満杯の人たちを連れてくる。その人たちを追い立てる。またすぐに列車が到着し、ガス室に追いやる。非常に速いテンポでおこなわれる。急いでいるから、殺害のプロセスにどれくらいの時間がかかったのか、ズーホメルさんにもわからない。ものすごいスピードで殺されていったわけです。それを聞いてランズマンは、その場面をイメージしようとします。

**引用10**　《ランズマン：》想い浮かべようとしているんですが、今、彼らは、〈チューブ〉の中に足を踏み入れました……。すると、次に、どうなるんですか？《ズーホメル：》全裸のままですよね？《ズーホメル：》全裸のままさ。この地点に、ウクライナ兵の看守が二人、配置されていた。《ランズマン：》うん。《ズーホメル：》とくに、男を見張るためだよ、いいかね？　男はね、歩くのを嫌がると、殴られたんだ。鞭でね。鞭でだよ。それから、ここでも。また、すでに、この地点でも。《ランズマン：》なるほど。《ズーホメル：》男には有無を言わせなかった。女には違う。《ランズマン：》女には違う？《ズーホメル：》そう、女は殴らなかった。《ランズマン：》なぜ、そんな人間的な扱い（Menschlichkeit）

を？〘ズーホメル：〙この私は、目にしていない。〘ランズマン：〙そうですか。〘ズーホメル：〙私は目にしたことがない。ひょっとしたら、やはり、殴ったかもしれんが。〘ランズマン：〙まさか？　殴らないはずがあるものですか？　どっちみち、死ぬんでしょ、殴ったに決まってるじゃないですか。〘ズーホメル：〙ガス室の入り口では、殴った、それは確かだ。[*16]

男性とはちがって女性はなぐらなかったと聞いて、ランズマンは、なぜ女性には「人間的な扱い」をするのかといいます。ここでつかわれているドイツ語はMenschlichkeitという言葉です。これと関連するドイツ語としてはMenschという語があって、「人間」「人」のことを指します。Menschlichkeitというのは、「人間性」「人間らしさ」のこと、「人間的心情」「同情」「親切」のことを示します。さらに「礼儀」という意味もあります。ランズマンは、なぜそんな人間的なことをするのかと聞く。だってナチス・ドイツ全体が、「ユダヤ人という理由で殺害する」といった非人間的なことを大規模に進めていて、その非人間的なプロジェクトの最たるものが絶滅収容所です。なのに、絶滅収容所での殺害の段階において、「女性にはなぐらないように配慮する」といったこと、そういう人間的なことがあったというのは、なんともばかげています。収容所全体がそもそも非人間的なのだから、こまかい部分でも非人間的に決まっている、容赦なくなぐったに決まっている、そのようにランズマンはいいます。こう見てくると、では「人間的である」とはどういうことか、「人間性」とは何かということがあらためて問われます。

## 4　人間性を理解しないようにすること

第8回の講義で、収容所での人間性について取り上げました。人間というものは何か新しいことを開始したり、自分をめぐる状況についてあらためて考えたりする、そういう存在です。しかし収容所ではそうしたことはできません。被害者にしても加害者にしても、新しいことをはじめたり、思考したりすることはできない、つまり、だれにせよ人間でいることはできないわけです。収容所とは人間を無用にするシステムであり、そこには人間的ではないような人間がいるということです。

エリック・マルティによると、ズーホメルさんはおろかな顔と冷酷な顔という二つの顔をもっているといわれています。つまり一方で、**引用3**でのように、ズーホメルさんが「あなたも笑っているが、とても悲しい歌なんだ！」といったあと、ランズマンに「だれも、笑ってなんかいませんよ」といわれているとき、ズーホメルさんはおろかで、こっけいで、軽率な感じがします。だけど他方で、二回目の歌を終えたあと、**引用4**にあったように、「知ってるユダヤ人は、もう一人もいないんだ！」というとき、ズーホメルさんはへつらうのでも共謀するのでもない、むしろ暴力的で冷酷な感じです。このように歌い終えたあとに「何かが変わる」[17]、そしてズーホメルさんの二重の顔があらわれてくる、そういうふうにマルティはいいます。この二重の顔にこそ、「大量虐殺の歴史的可能性を認めるような人間的現実」というものがあらわになっているんだといいます[18]。おろかな顔と暴力に満ちた顔がどちらもあること、この二重性がショアの人間的現実だということです[19]。

そのようにズーホメルさんのうちに、ナチスやSSに特有の人間性を見てとることができるかもしれません。とりわけ当時の収容所の歌を歌うとき、ズーホメルさんは過去を生き直し、そのころのズーホメルさん、いいかえると人間ではなかったころのズーホメルさんがあらわになるということかもしれません。そこには人間性を奪われた人間、人間ではない人間というものが見えてくるかもしれない。

興味深いことにランズマンは、ズーホメルさんの人間性には関心をもっていません。つまりランズマンは人間を理解しようとしていないということです。実をいいますと、ズーホメルさんの人間性の理解については、ギッタ・セレニーというジャーナリストがおこなっています。たとえばセレニーはズーホメルさんにインタビューをして、収容所におけるユダヤ人特別労働班のパン職人について別々の機会に聞いたところ、一回目は「パンはユダヤ人にはまったく与えられなかった」といい、二回目は「パンはユダヤ人のために焼かれていた」と答えたといいます。セレニーはそこにグロテスクなものを感じています[20]。しかも、ズーホメルさんはわざと記憶を改変したわけではなく、むしろものごとをありのままに見ようとしていたとセレニーは述べています。そこからセレニーはズーホメルさんの人間性について、あるいは人間性一般というものについて理解しようとしています。たとえば、人間がホロコーストをどんなふうに見ているのか、わざとではないにしてもどのように都合よく見ているのか、そういうことに注目します。[21] しかしランズマンの場合、人間を理解したいという考えはありません。むしろランズマンは人間を理解しないようにしています。

**引用11**　セレニーのテーマは死であったが、そのアプローチは私には純心理学的なものに思えた。彼女は悪について考察し、家庭を持つ一人の父親がいかにして平然と大量虐殺をおこなうようになったのかを解き明かそうとした。歴史的、文学的な、事後からの常套的アプローチである。私の場合は反対だった。調査の最初から、露わな驚きにとらわれたあまり、私はむきになって理解することを拒否しようとした。[22]

ランズマンは、自分は理解しないようにしたといっています。ランズマンが加害者たちをインタビューする目的というのは、「加害者たちを人間（human being）として浮かび上がらせるためではなく、加害者としての外面（persona）を現在において再現するように彼らをうながし、それによって戦後の見せかけの裏で存続した悪の核をあぶりだすため」である、そういうふうにいえます。[23] ランズマンはセレニーとちがって、ズーホメルさんのような加害者の人間性を理解しないようにしているわけです。そのためなのか、ランズマンはズーホメルさんに対して、そして別の加害者たちに対しても、人間的な敬意を払っていないように思えます。ランズマンは彼らをだまして隠し撮りし、それを断りなく公開します。この行為には、人間的尊重が欠如しているように思えます。[24] ランズマンはズーホメルさんを同じ人間だと考えていない、だからこそ親切なふりをして食事をおごり、報酬を支払うこともできるし、その一方で平気でうそをついて隠し撮りできるわけです。

　少し注意すべきなのは、ランズマンは編集作業によって、ズーホメルさんがまるで人間ではないかのように見せているということです。興味深いことにアウトテークでは、映画本編におけるのとはちがったズーホメルさんの態度を見ることができます。たとえば、今回の**映像1**の最後のところ、**引用10**の最後の部分ですが、ズーホメルさんは、「ガス室の入り口では、殴った、それは確かだ」といっていた。そこで映像は終わりましたが、実はそのあともインタビューはつづいて、ズーホメルさんは次のようにいっています。

**引用12**　《ズーホメル：》つまり、ランズマンさん、私は口には出さなくても、よく恥ずかしくなるんです(oft shäme ich mich)。《ランズマン：》（少しのあいだズーホメルにふれて）なんですって？《ズーホメル：》恥ずかしいんです、たびたびね。でもあなたが想像しうるあらゆることは起きたんです。[*25]

男も女もなぐりつけてガス室に追い込んでいた、想像できるかぎりの暴力的なことが実際におこなわれていた、それを思うと恥ずかしいといわれています。この**引用12**でのズーホメルさんは、**映像1**で見たのとはちがって、「恥ずかしい」ということを何度もいっています。これは注目すべきことです。ズーホメルさんがこんなふうに発言するとはランズマンも想定していなかったのか、「なんですって？」と聞き返しています。さらにズーホメルさんは、トレブリンカでの自分の役割について罪悪感と羞恥心が消えないことをインタビューのいたるところで繰り返し、ある場面では泣き出しているということです。[*26] このようにズーホメルさんは恥や罪について語っている、それをランズマンは編集で切りとっています。

おそらくランズマンとしては、加害者が過去のことを恥じているということを見せたくない、または見せるべきではないと考えていたのだと思います。恥というのはズーホメルさんのイメージ、あるいはより広くいうと加害者一般のイメージには似つかわしくない、だからこそズーホメルさんが恥じている部分を削除したのだろうと思います。いいかえると、ランズマンは迫害者たちに人間的なものを認めていないということです。つまり、迫害者たちが両義的で矛盾したものをそなえていることを認めないということです。[*27]

**引用13**　彼《ランズマン》はズーホメルの心的空間に

入り込むことを全力で避けている。そのような行為は結果的に、ランズマンが否定したいと願う両面的な人間性（ambivalent humanity）をズーホメルに与えることになってしまうからだ。[*28]

このようにランズマンは、ズーホメルさんに人間性を与えないように注意を払っています。ランズマンにとって迫害者は、ユダヤ人を虐殺してそれを恥じるなんてことはない、そんな矛盾は迫害者にはないということです。

私たちはこの節のはじめにおいて、収容所では人間は無用とされるのであり、そこには人間的ではないような人間がいるということを確認しました。しかしランズマンの編集のことを考えると、ズーホメルさんは人間性のない人間であるというよりも、ランズマンによって人間性のない人間にさせられているということもできます。なぜならランズマンは、ズーホメルさんの矛盾や両義性をあえて削除しているからです。それは結局、ズーホメルさんを人間として理解しないようにするということです。こうしたランズマンの描き方は、客観的なものとはいえません。ランズマンは「特定の文化的・イデオロギー的枠組み」にしたがっているということであり、結局は、ランズマンの映画はたしかに傑作かもしれないけれど、そこにはやはり特定の意図や特定の方法がつかわれているわけで、それならば私たちは適切に懐疑の目を向けなければならないということになります。[*29]

## 5　考えることの人間性

ナチス・ドイツがしたのは、人間を虐殺し、人間が人間であることを不可能にする、そういった犯罪です。だからこそ戦後のナチス裁判において、それまでにはなかった犯罪の概念、「人道＝人間性に対する罪（crime against humanity）」という犯罪の概念が新しくできました。ランズマンによれば、「人道＝人間性に対する罪」は「まったく新しい形而上学的－法的概念」であるといわれています。[*30]

ランズマンはこの人道＝人間性に対する罪をめぐって、非常に長い映画作品をつくり上げたわけです。ランズマンはゆっくりしたリズムで、その罪について何度も立ち返っています。つまり、人間が人間ではなかったときのこと、人間が人間としては生きられなかったときのことについて、繰り返し問い直している。ここで問題となっているのはまさしく人間性です。

ここで哲学者のハンナ・アーレントの議論を見てみたいと思います。アーレントは、思考について次のようにいいます。

**引用14** 〈思考〉は、同じような性格の行為である〈省察〉とは違って、実際には活動であり、この活動から道徳的な成果が生まれるのです。思考する人間は、思考することで誰かに、何らかの人物または人格になるからです。[*31]

ここでは「思考」と「省察」はちがうといわれています。アーレントのいう「思考」というのは、自分と話し合うということです。そして自分のまわりの状況について、自分とともに考えるということです。たとえばナチス・ドイツの影響のもとで暮らす場合、そうしたまわりの雰囲気について自分自身とあらためて話し合うということです。そしてアーレントによれば、自分と話し合い、自分とともに考えた人たちというのは、道徳的な罪をおこなうことはなかったといいます。まわりの人たちはユダヤ人たちを殺している、あるいは殺さずとも追いつめている。この流れに巻き込まれて私もそのようにするとしたら、今後私はそういった自分自身とともに生きていくことになる。「はたしてそれができるだろうか？ 私は人を殺したり、あるいは少なくとも追いつめたりした、そういった自分自身とともにすごすことができるだろうか？」このように私は自分自身と話し合い、自分自身について思考するわけです。このとき、周囲の人々がナチスの雰囲気にどんどん流されていくのに対して、思考する人というのは、「私にはそんなことはできない」というふうに考えて、道徳的な罪に手をそめることなくすごすことができた。[*32]

私はこのことを、リズムという言葉で表現できるように思えます。思考するということは、自分との話し合いによって、まわりのリズムに流されないようにすることです。この場合まわりのリズムは巨大で、とても強い。その大きなリズムに巻き込まれながらもそれに押し流されずにいる、これが思考するということではないかと思います。これはつまり、「静止する」「とどまる」ということです。ちなみにリズムという語はもともと、「流れ」や「運動」を意味するのではなく、むしろ「停止すること」とか「運動を制限づけること」を意味していたといわれています。[*33] となると、思考するというのは、まわりの巨大なリズムのなかで立ち止まり、みずから自身のリズムを確立するということです。いわば思考は、思考する人のリズムを成立させるわけです。

ナチス時代のドイツにおいて思考した人はごく少数だった、そんなふうにアーレントは述べています。[*34] 大多数の人々はまわりに同調した。たしかにナチスのやり方がおかしいと思っていたかもしれないけど、結局は「まあいいだろう」と納得し、自分と話し合う必要を感じなかった。つまり、「本当に自分はそれでよいのか」というふうに、自分自身について考えることはなかったわけです。ナチスにそれほど賛成しているわけじゃないけど、しかしナチスがはびこるのをそのままにしてしまった、そこにこそ道徳的な問題があらわれてきます。アーレントによれば、「忘れてはならないのは、真の道徳的な問題が発生したのはナチス党員の行動によってではないということです。いかなる信念もなく、ただ当時の体制に「同調した」だけの人々の行動によって、真の道徳的な問題が発生したことを見逃すべきではないのです」。[*35] 問題になるのは犯罪者ではなく、ごく普通の人々だということです。

このことは、ズーホメルさんにとりわけよくあてはまると思います。彼は絶滅収容所で勤務していたわけですが、それはすなわち、「自分はこれでよいのか」とか、「こんな自分を私は認められるのか」といった問いをもたなかったということです。だけど、『ショア』のアウトテークにおいては、ズーホメルさんは恥を感じていましたよね。このときズーホメルさんは自分自身について考えている、つまり、「そんなことをしていた自分を、本当に私は認めることができるのか」と考えているわけです。こんなふうに自分について考えるとき、自分自身のなかに矛盾や両義性が起こってきます。ズーホメルさんが過去を恥じているということは、彼のなかに両義性があるということです。

ここで重要なのは、アーレントのいうように、自分のなかに二人の人間がいるということです。この「ひとりのなかの二人」という理論は、ホロコーストに立ち会う人間を考えていくために大事なものです。実をいうとこの理論は、古代ギリシアの哲学者であるソクラテスとプラトンの議論から引き出されています。そこでは、自分自身のそなえる矛盾や両義性という問題が問われています。アーレントは次のようにいいます。

**引用15** わたしは一人なのですが、たんに一人なのではなく、わたしには自己というものがあり、この自己はわたしの自己として、わたしにかかわりがあるということです。この自己は幻想などではありません。この自己はわたしに語りかけてきて、みずからの意見を語るのです。わたしは自分自身と語りあうのであり、自分自身をたんに意識しているだけではないのです。この意味ではわたしは一人ですが、わたしという一人のうちに二人の人がいるのです。そしてわたしはこの自己と調和したり、調和しなかったりするのです。もしわたしが他の人々と意見を異にするならば、相手との議論をやめて歩み去ることができます。でもわたしは自分と議論をやめて歩み去ることはできないのです。《略》悪しきことを行うと、わたしは自分のうちに悪しきことを行った者をかかえこんでしまい、この者と耐えられないほどの親しい間柄で一生を過ごすことを強いられるのです。この者を追い出すことは絶対にできないのです。[*36]

もし私が悪いことをすれば、私はその私を追い出すことができない、そうなるとアウトテークでのズーホメルさんのように恥じ入ったり、罪を感じたりします。ですから、道徳的なことについて私が何かを感じる基準となるのは私自身だということです。私が恥ずかしく思うのは、だれか別の人に対して申し訳ないからというよりも、私自身に対して顔向けができないからです。収容所でのズーホメルさんは、自分のなかに複数の人間がいることはなく、まさにひとりだけだったのだと思います。だからこそ収容所について疑問をもたず、そのリズムに流されることができたわけです。しかしアウトテークでのズーホメルさんは、自分のなかに二人の人間がいて、自分と一致しないことにかんして道徳的に苦しんでいる。

これはつまり、自分との話し合いをしているわけです。アーレントによると、思考することから根が生まれ、個人や人格というものが生まれるといいます。「ある人をたんなる人間ではなく、誰でもない者でもなく、個人や人格と呼ぶものは、現実にはこの思考という〈根〉をもつプロセスから生まれるのです[*37]」。

私としては、この「根」というものを「リズム」といいかえることができるのではないかなと思います。自分に問いかけ、自分について思考するということは、自分の独自のリズムを立ち上げるということです。逆にナチスに加担した人たちというのは自分について考えることはなかったし、そのために自分の根、自分のリズムをもつことはなかった。それは結局、矛盾も両義性もない人間、自分について問いかけることのない人間だったということです。だからこそ彼らはナチスの運動に押し流されていったわけです。そして、戦後の裁判において彼らは、「自分は命令されたことをやっただけだ」「自分は意図してやっていない」というふうに繰り返すことになります。たしかにそのとおりです。だって彼らは、自分の根、自分のリズムというものがなかったからです。いわれたことにしたがうだけで、自分が自分であることを放棄していたわけです。これについてアーレントは次のように述べています。

**引用16** 言い換えると、犯された最大の悪は、誰でもない人によって、すなわち人格であることを拒んだ人によって実行されたことになります。これらの問題を考察する概念の枠組みにおいては、自分が何をしているかをみずから思考することを拒んだ悪人、後になって自分のなしたことを回顧することを拒み、過去に立ち返って自分のしたことを思い出すこと（これがヘブライ語の teshuvah、悔悛です）を拒む悪人は、自分を〈誰か〉として構築することに失敗したのです[*38]。

ここにいるのは、自分を確立することのできなかった人間です。それはだれでもないような人間ですし、逆にいえば、だれでもよいような人間です。おそらくズーホメルさんは収容所にいたとき、だれでもない人間だったのだと思います。ズーホメルさんはインタビューのときに「自分の名前を出さないでほしい」といったわけですが、それはまさに、隠れることによりだれでもない人間になろうとしていたということです。この意味で『ショア』におけるズーホメルさんのシーンというのは、だれでもない人間、だれでもよい人間とはどういうものなのかについて考えさせてくれます。それは結局、まわりのリズムに流されるままであり、自分のリズムを生み出すことのできない人間だということです。このように思考というのは、人間性の問題と深く結びついています。

最後に、思考することの欠点をあげておきます。それは、思考は否定的なもの、ネガティヴなものでしかないということです。残念ながら、自分と話し合うことで何か積極的な方針が出されるということはありません。むしろ反対に、「そんなことはできない、そんなことをするなら何もしないほうがよい」というふうに、たんに否定的なことをいうだけなんです。こういって何もしない人というのは、まわりからすると無責任な人に見えるし、無能力な人にも思えます。[*39] それはそうですよね。何もしないんですから。実際、戦後のナチス裁判で被告となった人たちは、「何もしなかった人たちは無責任に逃げ出したんだ」と非難しています。そして、「そうした人に比べて自分は責任をもって仕事をつづけた、しかもそれによってさらに悪い事態にならないように自分は努力した。だから自分には罪はないのだ」と主張しています。[*40]

たしかに思考というのは無責任に見えるし、無能力にも見えます。思考というのは日常生活においては「何の役にも立たない」ものです。[*41] 普段の生活で求められるのは何かをおこなうこと、何かを進めることです。だけど思考というのは、止めるということです。まわりが一生懸命進めていることに対して疑問を抱き、自分にはそれができないと主張することです。ですから思考する人というのは、周囲からすればまったく役に立たない。ですが、ナチス・ドイツのように異様な状況においては、そうした思考こそが重要な意味をもつことになります。[*42] 思考することによって、なんらかのリズムを生み出すことができる。すなわち、ユダヤ人殺戮《さつりく》という巨大な流れをなくすことはできないものの、でもきわめて小さいながら、流れに逆らうような渦をたしかに発生させることができるわけです。そしてその渦だけがユダヤ人を結果的に救うことになります。[*43] こう見てくると、思考は一般的な状況ではまったく役に立たないけれど、国家が殺戮を進めるような特殊な状況においては、これ以上なく役に立つものなのではないかと思えます。思考とは役に立たないものであるがもっとも役に立つ、そういったものなのかもしれません。

## 6　まとめ

①ショアのリズムと『ショア』のリズムは私たちの生活のリズムに侵入する。
②ランズマンは加害者の人間性を理解しないようにしている。
③とりわけ編集作業によって加害者の人間性を削除している。
④思考するとは自分と話し合うことであり、それにより人間になることができる。
⑤ナチスに加担したのは、自分について考えようとしないだれでもない人間である。

＊1　Fred Camper, « *Shoah*'s Absence »（1987）, in *Claude Lanzmann's* Shoah, Edited by Stuart Liebman, Oxford University Press, 2007, p. 104.
＊2　*Ibid.*, p. 104.
＊3　Erin McGlothlin, « In search of Suchomel in *Shoah*: Examining Claude Lanzmann's Postproduction Editing Practice », in *The Construction of Testimony*, Edited by Erin McGlothlin, Brad Prager, and Markus Zisselsberger, Wayne State University Press, 2020, pp. 271-272, n. 52.
＊4　クロード・ランズマン『ショアー』（1985）、高橋武智訳、作品社、一九九五年、二四〇頁。
＊5　McGlothlin, « In search of Suchomel in *Shoah* », *op. cit.*, p. 257.
＊6　ランズマン『ショアー』前掲、二四一頁。
＊7　シモーヌ・ド・ボーヴォアール「恐怖の記憶」、ランズマン『ショア』所収、前掲、一七頁。
＊8　Anny Dayan-Rosenman, « *Shoah*: l'écho du silence », in *Au sujet de* Shoah（1990）, Belin, 2011, p. 259.
＊9　クロード・ランズマン『パタゴニアの野兎（下）』（2009）、中原毅志訳、人文書院、二〇一六年、二一八頁。
＊10　Jean-Charles Szurek, « *Shoah*: de la question juive

à la question polonaise », in *Au sujet de* Shoah, *op. cit.*, p. 363. たとえばランズマンは、ズーホメルさんだけでなくその妻も昼食に招待した。ズーホメル夫妻はカモ料理とホイップクリームをむさぼるように食べていたという。また第8回で述べたように、ランズマンはズーホメルさんの証言に対して少なくない謝礼を払った。そうしたランズマンの親切な態度を見て、『ショア』のチーフ・カメラマンはのちに激怒したという。そのカメラマンの父親はアウシュヴィッツでガス殺されたからである。ランズマンによれば、「しかし、自分に課したこの鉄則がなければ、私の映画には一人の旧ナチも登場しえなかっただろう。私の沈着冷静は、だましの仕掛けの必須要件なのである」。ランズマン『パタゴニアの野兎（下）』前掲、二一九頁。

＊11　ランズマンは歌のもつなんらかの力に気づいている。『ショア』編集前のヴァージョンを見ると、ランズマンがズーホメルにドイツ語で「そうです。もう一度」といったあと、となりのスタッフに向けて、フランス語で「なぜならこれははじまりだからだ。そうなるだろう。まさにそうだ」といっている。ランズマンはこのとき、自分が目にしていることの深さを認識しており、映画の構成的、あるいは起源的でさえあるような瞬間を見抜いている。McGlothlin, « In search of Suchomel in *Shoah* », *op. cit.*, pp. 257-258.

＊12　プリーモ・レーヴィ『休戦』（1963）、竹山博英訳、岩波文庫、二〇一〇年、四一－四二頁。

＊13　ランズマン『ショアー』前掲、二四二頁。

＊14　前掲、二四四頁。

＊15　前掲、二四六頁。

＊16　前掲、二五一頁。Claude Lanzmann, *Shoah*, Aus dem Französischen von Nina Börnsen und Anna Kamp, Rowohlt Taschenbuch Verlag, 2011, p. 157.

＊17　Eric Marty, *Sur* Shoah *de Claude Lanzmann*, Editions Manucius, 2016, p. 15.

＊18　*Ibid.*, p. 17.

＊19　第6回の**引用13**においても、SSがユダヤ人を出迎えるとき、きわめて暴力的なときもあれば、逆に上機嫌にユーモアをふりまいたときもあったといわれており、やはり二面性が見てとれる。

＊20　ギッタ・セレニー『人間の暗闇』（1974）、小俣和一郎訳、岩波書店、二〇〇五年、一九〇－一九一頁。

＊21　前掲、一九五頁。

＊22　ランズマン『パタゴニアの野兎（下）』前掲、一八〇頁。ランズマンはそのすぐあとで、「彼女〔セレ

ニー』はすべてを理解していた。理解しすぎたというべきだろう」と述べている。

＊23　McGlothlin, « In search of Suchomel in *Shoah* », *op. cit.*, p. 236.

＊24　ドミニク・ラカプラ「ランズマンの『ショアー』」（1997）、高橋明史訳、『現代思想』二五巻一〇号、一九九七年九月、二五二頁。

＊25　McGlothlin, « In search of Suchomel in *Shoah* », *op. cit.*, p. 259.

＊26　*Ibid.*, p. 256.

＊27　*Ibid.*, p. 264.

＊28　*Ibid.*, p. 261.

＊29　*Ibid.*, p. 265.

＊30　Claude Lanzmann, « De l'Holocauste à *Holocauste* ou comment s'en débarrasser » (1979), in *Au sujet de* Shoah, *op. cit.*, p. 427.

＊31　ハンナ・アレント「道徳哲学のいくつかの問題」（1965-1966）、『責任と判断』（2003）、ジェローム・コーン編、中山元訳、ちくま学芸文庫、二〇一六年、一七四頁。

＊32　前掲、一三〇頁。

＊33　リズムとは「流れること（Fließen）ではなくて停止すること（Halt）であり、運動を安定するように制限づけること」である。Werner Jaeger, *Paideia*, Band 1 (1933), W. de Gruyter, 1973, p. 175.

＊34　アレント「道徳哲学のいくつかの問題」前掲、一二九頁。

＊35　前掲、九一頁。

＊36　前掲、一四九頁。

＊37　前掲、一六七頁。

＊38　前掲、一八四頁。

＊39　前掲、一三〇－一三一頁。

＊40　ハンナ・アレント「独裁体制のもとでの個人の責任」（1964）、『責任と判断』前掲、五九頁。またアーレントは、「無責任だ」というこの非難に対してうまく反論することはできないと述べている。ハンナ・アレント「集団責任」（1968）、『責任と判断』前掲、二八七頁。

＊41　ハンナ・アレント「思考と道徳の問題」（1971）、『責任と判断』前掲、三〇六頁。

＊42　こうしたことは「例外的な状況だけで重要な意味をもつ」といえる。アレント「道徳哲学のいくつかの問題」前掲、一七三頁。

＊43　だからこそナチス・ドイツは、だれかが思考しはじめることがないように注意を払っており、何よりもま

ず論理を強制し、歴史もしくは自然の巨大な運動のなかに人間を押し込めようとする。ハナ・アーレント『全体主義の起原（3）』(1951)、大久保和郎・大島かおり訳、みすず書房、一九八一年、三一七頁。

# 15 証言と沈黙

## 1　証言者を役者に変える

　これまで見てきたとおり、『ショア』はフィクション映画ではありません。だからといってドキュメンタリー映画だというわけでもありません。監督のランズマンは『ショア』について、「現実的なもののフィクション」というい方をしています[*1]。たしかに実際の人々の証言から映画をつくるという意味では、現実だしリアルなものだといえます。その一方で、たとえば第4回の講義では、戦争当時には機関士だったけど今は退職しているという人に、過去と同じように汽車を運転させるという演出をしていました。となると、やはりフィクションも入っているわけです。そういうわけでランズマンは自分の映画のことを、「現実的なもののフィクション」といっています。

　この言葉を受けてある人は次のように述べています。「「現実的なもののフィクション」としての『ショアー』を論じることのひとつの困難さは、そこでは生存者が演じていると同時に自身そのものでもあるということだ[*2]」。たしかに『ショア』に登場する人物たちは不思議な位置にいます。登場人物はランズマンの演出にしたがっているし、話す内容もある程度はランズマンが求めるものにそっている。だけどだからといって、別の人の立場を演じているわけではないし、ランズマンがセリフを決めているわけでもない。登場する人々は自分自身が体験したことを話している。ですから登場人物は演じているようでもあり、同時に自分自身でもある、そういう二重の立場にいます。このことはユダヤ人生還者だけにあてはまるだけではなく、まわりで見ていたポーランド人にも、ナチスにいた人にもあてはまると思います。だけどそれが一番あてはまるのはだれかというと、やっぱりユダヤ人生存者であるように思います。ランズマンはあるインタビューで次のように述べます。

**引用1** 〘ランズマン：〙そうですね、再構成の登場人物ではありません。この映画は再構成の映画ではなくて、ある意味では、あの人たちを役者に変えなければならなかったのですから。彼らが語るのは、彼ら自身の物語ですし。とは言っても、それを語るだけでは十分ではなかったのです。彼らにはそれを演じることが必要でした。言い換えるならば、非現実化することが必要でした。〘略〙彼らをある魂の配置のなかに置いてやるだけでなく、ある物理的な配置のなかに置いてやる必要がありました。彼らに話をさせるためにではなく、その話がふと伝達可能なものになり、話がそれ自体で別の次元を担うようになるためです。[*3]

ここでランズマンは、証言者を役者にしなければならないというふうにいっています。普通、証言者は演じることはありませんよね。演じるのではなく、実際に自分自身に起きたことをそのまま話すわけです。だけどランズマンの映画の場合には演じなければならない。では何を演じるのか？ ほかの人を演じるわけではありません。自分自身を演じるんです。それも、戦争のころの自分自身を演じるということです。その意味で、**引用1**の真ん中あたりにあるように、「非現実化することが必要だ」というわけです。

そのためにランズマンは、登場人物たちをある状況におきます。たとえばユダヤ人生還者を収容所近くに連れていって村人たちと話をさせたり、収容所跡地に連れていって歩かせたりします。今あるがままにその人を撮影するのではなく、その人のためにひとつの特別な状況を準備し、その人を特別な配置のなかにおく。それにより その人は、戦争のころの状況をもう一度体験するように仕向けられます。自分自身のことを演じるわけです。いや、演じるというよりも、もう一度生きる、自分自身を生き直すということです。実際あるインタビューでランズマンは、「生き直す」「もう一度生きる」という言葉に注意しています。次の**引用2**ですが、「もう一度」「再び」をあらわすreという言葉に注目して読みましょう。

**引用2**　《ガントレ：》あなたは犯罪の場所に「もう一度くる（revenir）」……。あなたはすぐに、それを「もう一度生きる（revivre）」とおっしゃいました。まるであなたが生きたことがあるかのようですし、まるであなたがそこにきたことがあるかのようです。《ランズマン：》そうです……。たしかにそうなんです……。人はもう一度わかる（reconnaître）ことだけをわかる（connaître）のです。《ガントレ：》そこであなたは何をもう一度わかったのでしょうか、何をもう一度生きたのでしょうか？《ランズマン：》知りません……、知りません……。もう一度生きるのは私だけじゃないのです！　それは映画の登場人物なのです。[*4]

登場人物は過去の自分自身を演じる、それはつまり、犯罪の場所にもう一度くることであり、もう一度生きることである。興味深いことに、そうやって「もう一度生きる」、「生き直す」ことは、その登場人物だけにかかわるのではない。**引用2**では、インタビュアーが「まるであなたが生きたことがあるかのようです」というと、ランズマンは「そうです」と認めています。つまり登場人物が生き直すだけじゃなくて、ランズマンもまた生き直すということです。このことをさらに広げるなら、画面をとおして登場人物を見ている私たちもまた、同じように生き直しているのではないかと考えることができます。

ランズマンのねらいは、証言する人が自分自身を生き直すことです。しかしそうなると、ユダヤ人生存者が証言する場合にはつらい体験になります。だってその人は証言することによって、収容所での体験を生き直さなければならなくなるからです。証言することがつらい、たえられない、そういうことも出てくる。

## 2　『ショア』を見る

以前も登場したユダヤ人男性のアブラハム・ボンバさんへのインタビューです。トレブリンカ絶滅収容所を生き延びた人で、理髪師としてはたらかされていました。ボンバさんは、理髪店でお客さんの髪を切りながらインタビューを受けています。収容所にいたときと同じ身ぶりをしているわけです。

映像1　『ショア』DVD 2-1、17:18-36:15 (ch. 2)

最後のほうで、長い沈黙がありました。ボンバさんは二分間くらい黙ったままでした。あるとき感情がきわまって、話せなくなる。黙ったまま口が動く。タオルで顔をふく、口をふく。唇をなめる。ランズマンが「話してくれ」といっても首を振る。思い出すとたえられなくなって話すことができない。話したいけど話せない。そういう感じでした。

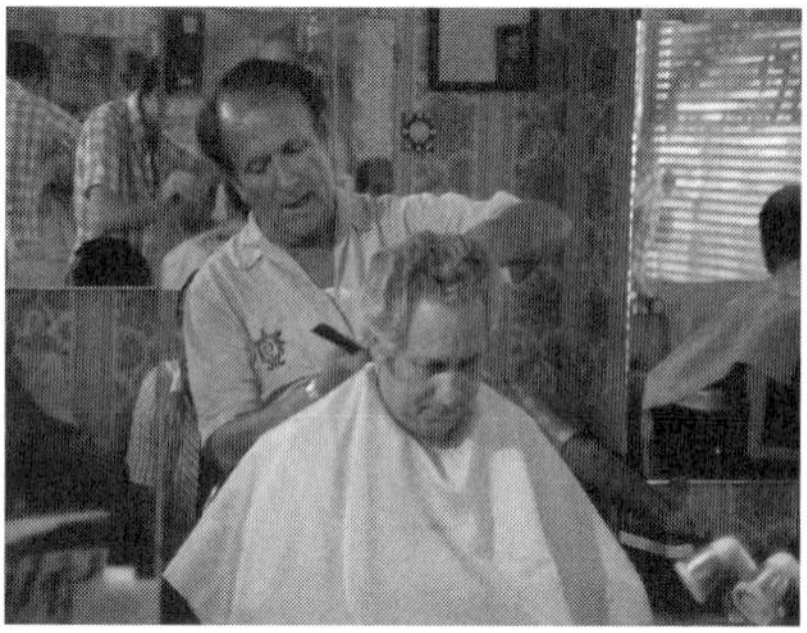

アブラハム・ボンバ（鏡像）(DVD2-1, 0:20:20)

このシーンの撮影には多くの演出がなされています。たとえば衣装です（**写真**）[*5]。ボンバさんは床屋のかっこうをして髪を切っていますが、現実には床屋をやめていたといいます[*6]。まさに「現実的なもののフィクション」です。過去の体験を繰り返すわけですが、現実のままに繰り返すのではなく、現実とはちがった仕方で繰り返す[*7]。ちなみにランズマンはこんなふうにいっています。「私が彼に与えた指示は「客の髪の毛を切っているみたいにやってほしい」だけであったにもかかわらず、アブラハムは自ら俳優に変身し、本当に整髪をしている雰囲気をかもしだすのに成功した[*8]」。ボンバさんは過去の自分自身を演じたわけです。

## 3　証言のなかで沈黙する

ボンバさんたち理髪師はガス室のなかで女性の髪を切ったといいます。それは女性たちをだますためです。この部屋で髪を切ったあとにシャワーを浴びて出られる、そういうふうに女性たちに思い込ませるため、ボンバさんたちは髪を切るように命令されたわけです。

**引用3**　《ランズマン：》裸の女性たちが入ってくるのを、初めて見た時、どんな感じがしましたか？

《アブラハム・ボンバ（ユダヤ人男性、トレブリンカ収容所からの生還者、英語）：》私が感じたのは……。ですから、命令どおりに、髪を切ってました。ご婦人に素敵なカットをしてあげる、普通の床屋のように見せなければならなかったんです。だけど、同時に、できるだけ大量に、髪を刈らなければならなかった。連中は、ドイツへ送る、女の髪が必要だったからです[*9]。

どんな感じがしたのかと聞かれて、ボンバさんは答えるのにためらいます。そして、そのときの状況だけを答えています。自分がどう感じたのかについて思い出すのがつらかったのかもしれません。

ちなみにここで、髪の毛を「ドイツへ送る」といわれています。どうやらナチスはユダヤ人の髪の毛をドイツの企業に売っていたらしく、企業は髪の毛をつかって工業製品をつくったといいます。糸のようなものとして使用したみたいです。とくに女性の髪はくしでといてから切るとさらに価値があったとのことで、靴下、ロープ、マットレスの詰めもの、爆弾の点火装置に使用されたといわれています[*10]。ユダヤ人の財産をすべて奪いとり、殺し、さらにそのあとに残された髪の毛をも売り払う。ボンバさんは女性を安心させると同時にその髪を集めるために、髪を切る役割をさせられていたわけです。

このあとランズマンは、「道具は何を？　はさみはありましたか？」とか、「鏡はありましたか？」とか、こまかいことを聞いていきます[*11]。それに対してボンバさんは、「はさみとくしはあった、鏡はなかった、ベンチだけだった」と答えます。

**引用4**　〘ランズマン：〙その時の刈り方を真似してもらえます？　どんなふうにしていたんですか？〘ボンバ：〙そうですね……。できるだけ手早く、というのがコツです。われわれは、みんな、プロでしたからね。やり方といえば……、こんなふうに、ここをカットする……。こっちと……、それから、こっちと……。こっち側……、それから、こっち側へ移り……、はい、これで出来あがり。*12

文字で見るとわからないのですが、このときボンバさんは体を動かしています。椅子に座っているお客さんの上の髪、左の髪、右の髪、というふうに大ざっぱにつかみます。ここで重要なのは身体をとおして思い出しているということです。髪をつかむ身ぶり、髪を切る身ぶり、これが過去と現在をつないでいるわけです。過去と同じボンバさんの身ぶりにおいて、過去と現在が重なってあらわれてくる。それからランズマンは、次の**引用5**のように聞きます。

**引用5**　〘ランズマン：〙でも、さきほどの質問に、まだ答えてもらっていませんね。〝裸の女性たちが、子供を連れて入ってくるのを、初めて見た時、どんな感じがしましたか？〟〘ボンバ：〙ご存じでしょう、あそこでは、何かを〝感じる〟ってこと……、〝感情をもつ〟ってことは、とても難しいのです。想像してくださいよ。昼となく夜となく、男女を問わず、死者の間、死体の間で働いているうちに、感情は消え去ってしまうのですから。感情が徐々に、死んでいく。いや、およそ、感情などもてなくなっているのですよ。*13

ボンバさんが答えなかった質問を、ランズマンはもう一度聞きます。するとやっと答えてくれる。感じるとか、感情をもつということができなくなってしまうんだといいます。死体とともに生きるとなれば、自分も死んでいないと生きていけないということかもしれません。ボンバさんは昔と同じ身ぶりをしながら話をつづけます。だんだんそのころを思い出して興奮してきたのか、声が大きくなり、顔も赤くなってきます。

**引用6**　《ボンバ：》ある出来事を、お話ししましょう。ガス室で、一日中散髪をしていた時期のこと、私の故郷、チェンストホヴァ《ポーランド南部の都市》発の移送列車で運ばれてきた、女たちが入ってきました。《略》何人かは、親しい友人でした。私に気付くと、みんな、抱きついてきました。「エイブ、ここで何をしているのよ？　私たちは、どうなるのかしら？」こう、口々に尋ねます。彼女らに、何を言えます？　何が言えたでしょう？　ガス室でいっしょに働いていた床屋の中に、友人が一人いました。彼もまた、故郷の町では、腕のいい床屋だったんです。その奥さんと妹が、ガス室に入ってきた時……、［長い沈黙］《顔が紅潮している》《ランズマン：》話をつづけて、エイブ。つづけてほしい。ぜひとも、頼みますよ。《ボンバ：》ひどすぎる……。《ランズマン：》お願いしますよ。ぼくらは、そうしなければならないんです。わかってるでしょう。《ボンバ：》どうにも無理だ。《ランズマン：》頑張ってほしい。どんなに、つらいかは、わかります。申しわけないとは思うけど……。《ボンバ：》これ以上は、勘弁してくれ……。《ランズマン：》お願いします。何とかつづけてください。《ボンバ：》言ったとおりだ。やはり、今日は、つらい日になった。連中は、髪を袋に詰めて……。ドイツに送っていた……。《小声でぶつぶつと話す、少しの沈黙》[*14]

すごくつらそうです。引用のうしろのほう、「これ以上は、勘弁してくれ……」という言葉は、涙目になっていました。座っているお客さんのまわりを何度もまわって、その髪を見つめていました。

**引用6**の最後に、ボンバさんが小声でぶつぶつと話していたところがありました。ある研究者によると、あの言葉はイディッシュ語だということです。その内容は、「私はもう壊れてしまいそうだ。ドイツに戻ったかのようだ」ということらしいです。これは独り言のようにも見えますが、そうではなくて椅子にいるお客さんに話しかけているという可能性もあります。映像ではボンバさんの顔がズームインで映されていたので、お客さんに話しかけているかどうかはわかりません。しかし映画でつかわれなかったアウトテークでは、ボンバさんがお客さんとリラックスしてイディッシュ語で話しているシーンがあるようで、それと同じように、この引用6のシーンでもお客さんに話しかけていると考えることもできます[*15]。もしお客さんに話しかけているのだとしたら、それは興味深いと私は思います。というのも、ここでボンバさんは過去のことに押しつぶされて話すことができなくなっているわけですが、落ち着きを取り戻そうとするときに、監督に話しかけるのではなくてむしろお客さんに、つまり、小道具のようにそこにあるだけのお客さんに話しかけているからです。つまり、映画とは関係のない他人に頼ることで、自分を立て直そうとしているということです。ランズマンが「話をつづけてほしい」と頼む、だけどそれに答えるのではなく、そこに居合わせただけの人に話しかける[*16]。もしかするとボンバさんは、ランズマンのねらいをそらしたいと思ったのかもしれません。

ランズマンはボンバさんが話したくないのにもかかわらず無理に話をさせようとしていますが、このランズマンのやり方を批判している人がいます。ここではドミニク・ラカプラという人の意見を見てみましょう。ボンバさんはたしかに自分の物語を語るのに同意したかもしれない。だが語っていくうちに、自分が過去を生き直していること、トラウマをこうむっていることに気づく。ボンバさんがひどく取り乱して苦痛を感じているにもかかわらず、ランズマンは話をつづけるように強制し、さらなる苦痛へと差し向けようとしている。これはとても問題である。ラカプラによると、「犠牲者である生存者は、それが映画のためであれ、映画作家のためであれ、観客のためであれ、困難な状況に置かれるべきではない、つまり過去を生き直すように仕向けられるべきではないのである」[*17]。ランズマンはボンバさんがトラウマを生き直すように仕向けているが、それはよくないという意見です。この意見は十分に理解できますよね。話したくないといっているのに、がんばって話せというのはひどいことなのでしょうか？　それとも、戦争のことを深く理解するためには、それも仕方がないのでしょうか？　むずかしい問題です。

ボンバさんはユダヤ人に起きた悲劇を語るうちに、言葉にすることができなくなり、黙ってしまう。その沈黙は、悲劇があまりにむごいものだったことを伝えています。ユダヤ人は何も抵抗できずに殺されつづけた、そういう印象が残ります。だけどその一方で、アウトテークを見てみると、ボンバさんがユダヤ人の勇気を語っているところがあるといわれています。

**引用7**　《ボンバ：》ユダヤ人……は強い民族です。もしあんなことがほかの民族に起こっていたとしたら、だれも生き残れなかったでしょう。ポーランド人、フランス人、そのほかの人々もそうでしょう。彼らはハエのように壊れてしまうでしょう。しかし、ユダヤ人には生きる意志があります。つまり、苦しみのなかであっても生きようとするのです……。ほかのどの人たちも、ドイツに対する革命、ドイツに対する反乱を引き起こすことなんてできませんでした。ユダヤ人だけができたんです。[*18]

ユダヤ人はおとなしく殺されたわけではない、むしろ反乱を起こした、もしほかの民族であればそんなことはできなかっただろうといわれています。これは、今回の映像とはまったく反対の内容です。**映像1**では、大量のユダヤ人が何もできずに殺されていったことが語られているからです。ランズマンは、ユダヤ人が無残に殺されていったという証言を映画のなかでつかっていますが、この**引用7**のようにユダヤ人の勇気を示すところはつかいません。ランズマンとしては、ユダヤ人はドイツに抵抗したことよりも、なすすべなく次々と殺されていったことを伝えたかったように思えます。[*19]

## 4　身体をとおして生き直す

今日の映像を見ると、過去を思い出し、過去を生き直すときに身体が重要な役割をもつことがわかります。ボンバさんは、身体をとおして過去を生き直しています。ランズマンはそのことをよくわかっていた。だからこそボンバさんに床屋の衣装を着てもらい、髪を切る身ぶりをしてもらったわけです。このランズマンの方法はまさに「身体性に裏打ちされたインタビュー」だということができます。[*20]

撮影時は戦後三〇年たっていますから、ボンバさんは普段忘れている。だけど過去におこなっていた身ぶり、はさみで髪を切るという身ぶりをするうちにだんだん思い出す。あるいはむしろ、少しずつそのころの自分自身になっていくのかもしれません。その身ぶりをしていくうちに、現在の自分の身体が過去の自分を生き直す。ですから、ボンバさんが手にしているはさみは非常に大事な役割をもっており、ボンバさんの現在の身体と過去の身体を結びつけているわけです[*21]。

以前と同じ動作をすることによってそのころの自分になったような気分になる。こういうことはときどきありますよね。たとえば昔スポーツの部活に入っていたとする。ひさしぶりにそのスポーツをすると、その部活に入っていたころのことが思い出されて、過去を生き直すようになる。「何かを思い出す」というとき、普通は頭のなかで思い出すというふうに考えますが、そうではなく体をとおして、身体をとおして思い出すという場合があるわけです。

身体の動き、つまり身ぶりにかんして注意すべきことがあります。それは、ボンバさんの身ぶりは過去と同じものであるが、しかし過去とちがうものでもあるということです。ランズマンの文章を見てみましょう。

**引用8**　《撮影場所が》なぜ理髪店なのか？　私は同じ動作が彼の感情を支える杖になってくれるのではないかと考えたのである。カメラの前で表現すべき言葉と動作をやりやすくしてくれるのではないかとも。もちろんあれは同じ動作ではなかった。理髪店の店先はガス室ではない[*22]。

たしかに髪を切るという点についていえば、ボンバさんは過去と同じ動作をしています。同じだからこそ過去を生き直すことができるわけです。しかし撮影場所は理髪店であり、ガス室ではありません。また、そこはイスラエルであって、ポーランドのトレブリンカではありません。髪を切っている時間も一〇分以上であり、ガス室でのように一、二分というわけではありません。もっともちがうのは、切っている対象が男性であって、あのときのように女性ではないということです。つまり、同じ身ぶりであるにもかかわらず、ちがうところがいくつもあるわけです。

ここで重要なのは、ちがうところがあるからこそ同じ身ぶりができるということです。ランズマンとボンバさんは撮影のために理髪店を探そうとしたとき、二人の共通認識として、店は絶対に女性の美容院であってはならないと考えていた、その場合には、おぞましくたえがたいものになってしまうだろうと考えていたといいます。それは「倫理的な問題」であったとランズマンは述べています。[*23] いいかえると、ボンバさんは過去と同じように髪を切る身ぶりをするのですが、過去とちがって女性ではなく男性の客だからこそ、過去と同じ身ぶりができるわけです。過去と同じ動作をするためには、ちがうところがなくてはならない。こうしてボンバさんは、過去と同じ動作をするとともに、過去と異なった動作をすることになります。そのときにこそボンバさんは過去をもう一度生きるわけです。ランズマンによると、そうした瞬間において真理がたちあらわれてくる、真理が受肉するといいます。

**引用9**『ランズマン：』はじめのうち、彼が語るのは一種の中性的で平板な言説です。彼は事の次第を伝えるわけですが、ただそれはうまく伝わらない。その理由は、何よりもそうすることが彼には苦痛だからであり、彼が知識しか伝えないからです。彼は私の質問をかわすわけです。「最初にその裸の女性たちや子供たちが到着したのを見たとき、あなたの第一印象はどんなでしたか」と彼にたずねると、彼は返答を避けて答えを返しません。これが興味深くなるのは、インタビューの第二部のなかで彼を再び登場させ、「あなたは何をしていたのですか。あなたがやったことを繰り返して見せてください」と言うと、彼がその同じしぐさを繰り返すところ、ただし、違ったふうに繰り返すところです。彼は客の髪の毛を手でつかむ（床屋がほんとにこの客の髪を切っていたなら、ずいぶんながいこと散髪していたことになっていたでしょう。だって、そのシーンは二〇分も続くんですからね）。と、まさにその瞬間から真理が受肉し（s'incarner）、彼はそのう場面を生き直す（revivre）。不意に知識が受肉するようになるんですね。これは実際、受肉（incarnation）についての映画なのです。[*24]

この引用の真ん中より少しうしろあたりに、「彼が同じしぐさを繰り返すところ、ただし、違ったふうに繰り返すところ」といわれています。ボンバさんは同じしぐさをちがった仕方、ちがった状況でおこなう。いいかえると、ボンバさんの身体はある状況におかれることで、同じであるが異なった身ぶりをするということです。そこに真理が見えてくる。

引用の最後には、「真理が受肉する」という表現があります。この「受肉」というのは、incarnationという言葉です。第6回でも出てきました。この言葉には「肉」を意味するcarnという部分があります。このincarnationという言葉は、もともとはキリスト教において、神様が人間の姿であらわれることを意味したようです。そこから、抽象的なものが具体的にあらわれること、たとえば、だれだれは悪の「化身」だとか、悪の「権化」だとか、そういうふうにつかわれることがあります。ですからこの引用でいわれているのは、普段隠されているはずの真理がかたちをそなえて見えるようになってくる、そういったことだと思います。ボンバさんが沈黙するとき、何か本当のことがたちあらわれ、目に見えるようになるということです。

そんなふうに真理が見えるようになるためには、撮影する側としては入念な準備が必要です。準備があるからこそ、ボンバさんは過去と同じでありつつもちがった身ぶりをすることができるし、過去を生き直すことができる、そしてそこに真理がきらめき出す。[*25]

その準備の例をひとつあげておきます。それは床屋の鏡です。ある研究者によれば、ランズマンは、ボンバさんとお客さんの前にある鏡を有効につかって撮影しているといいます。[*26] 先ほど見た**映像1**のはじめにカメラが映しているのは、ボンバさんの鏡の像です。このシーンは鏡の領域からはじまる、つまり、うその領域からはじまるわけです。そしてそのあとに本人が映され、現実の領域に入っていく。画面のなかに継ぎ目が出てくるので、私たちは、ボンバさんが鏡の像であったことがわかります。やがてボンバさんは、**引用5**のように、「感情が徐々に、死んでいく。いや、およそ、感情などもてなくなっているのですよ」と話しますが、このあたりまでに、ボンバさんは少しずつ興奮してきているように見えます。このときカメラはボンバさんの鏡像を映していたのですが、鏡から離れて現実の空間に移行して現実のボンバさんの姿をとらえます。カメラはまるで、ボンバさんの物語が表面的なところを離れて本当の部分にせまっているのと同様に動きます。カメラがボンバさんの鏡像から本人にズームインする、それと同時に、証言のなかに真理がたちあらわれてくる。ボンバさんの鏡像と本当の姿という装置をつかうことで真理が見えてくる、受肉してくるということです。[*27] こうして鏡は真理の受肉を可能にするわけです。

そうした撮影前の準備は、撮影される人の身体に作用します。鏡という装置はボンバさんの考えや精神に影響するというよりも、ボンバさんの身体と身ぶりに影響するわけです。ボンバさんは髪の毛を切るという同じ身ぶりをする、だけどガス室には存在していなかった鏡の前で身ぶりをします。同じ身ぶりとちがう身ぶりのあいだにはさまれながら、ボンバさんの身体に過去のことがせまり、ボンバさんはそれ以上話すことができなくなる。その瞬間、まさにその受肉の瞬間をランズマンはとらえようとします。第6回の注10でも引用した言葉ですが、「本当の問題は受肉なのです。情報を伝えることではなく、受肉させることです[*28]」。

## 5 沈黙と受肉

ランズマンにとって重要なのは、知識を伝えることではなく真理を受肉させるということです。では受肉が起きるのはいつなのか？ それは、ボンバさんが話すことができなくなり、沈黙するときです。ボンバさんは話しつづけることができずに「もうやめよう」という、ランズマンは「つづけてほしい」と頼む。ボンバさんは黙る。これについてランズマンは次のように書いています。

**引用10** カメラは回りつづけた。アブラハムの涙は真実のしるしとして、受肉そのものとして、血と同じくらいに私には貴重なものとなった。この難しいシーンに私のサディズム——どんな種類かは知らないが——を指摘する人もいたが、私は逆にこれを哀れみの枠組みととらえている。痛みを前にしてそっと後ずさりするのではなく、真実の探求と伝達の絶対的使命に従順なパラダイムである。[*29]

ボンバさんは涙をこらえつつ沈黙している、その姿は受肉そのもの、真実そのものだったといわれています。ここでもう一度**引用9**を思い出してください。そこでランズマンは「知識」について指摘していました。すなわち、はじめのころボンバさんは「知識しか伝えていない」、しかし身ぶりをつづけることで最後には「真理が受肉する」、さらに「知識が受肉するようになる」といわれていました。

この「真実」とか「知識」というのはどういう意味なのか考えてみましょう。私たちはユダヤ人の虐殺についてなんらかの知識をもっています。たとえば「ヒトラーが数百万人のユダヤ人を組織的に殺害した」といった教科書的な知識です。そのことを『ショア』を見るよりも前に知っていた。だけど、『ショア』でボンバさんが沈黙してしまう姿を見ると、「知っていた」ということがどうもあやしくなってくる。つまり「自分が知っていたことは、本当の意味での知識ではなかったんだ」とか、「本当に知るということは、数字やら概要を知ることではなく、ボンバさんのように語れなくなってしまうことを知ることだったんだ」、そんなふうに思えてくる。いいかえると私たちは『ショア』をとおして、すでに知っていたことを、本当の意味において知るようになるということです。『ショア』という映画は、何か新しい知識をもたらしてくれるのではありません。そうではなくて、すでに知っていると思っていたことを本当の意味においてあらわにしてくれるものです。[*30] このように『ショア』は、「知る」とはどういうことなのかをあらためて考えさせてくれます。

こうして「真実」とか、「知る」「知識」といったことが問題になる、別の言葉でいうと、認識とは何かという問題、つまり認識論的な問題があらわれてくるわけです。[*31] 認識についての問いというのは、哲学にかかわる問題です。この「知る」ことの問題は、こまかいことを聞くということランズマンの姿勢に結びついています。今回の映像でも「はさみはあったのか」「鏡はあったのか」といったこまかいことを聞き出していました。これについてランズマンの発言を見てみましょう。第6回の**引用6**でも取り上げた発言です。

**引用11** 『ランズマン：』ではなぜこんなにこまかいことについていうのでしょうか？　こまかいことは何をもたらすのでしょうか？　実際私は、こまかいことこそが重要だと思っています。それこそが事物を生気づけ、事物を見たり感じとったりするように与えるのであって、私にとって映画の全体は、まさしく抽象的なものから具体的なものへの移行なのです。それは私にとって、哲学的な歩みそのものです。[*32]

こまかいことを聞くことで、私たちの知識は抽象的なものではなく具体的なものになっていく。ガス室で髪を切るときはさみがあったのかバリカンがあったのかということは、虐殺の歴史を知るうえでそんなに重要ではないように思えますよね。だけど、はさみがつかわれていたこと、そしてボンバさんがまさにはさみを手にして証言していること、これらを理解するとき、ボンバさんのしぐさは過去の状況をはっきり見せてくれるものになります。このように抽象的なものから具体的なものに移っていくこと、これこそがランズマンにとって哲学的なことだということです。

一般的に哲学というと、なんとなく、具体的なものから抽象的なものへと進んでいくように思えますよね。だけどランズマンによると、哲学というのは逆のことであり、抽象的なものから解放され、抽象的なものから回復することだといいます。[*33]ランズマンのねらいも、ショアという出来事を抽象的にとらえることではなく、ショアがはっきりと見てとれるようにすることです。ショアがあらわれてくるところ、それはまさにボンバさんの身ぶりです。興奮しながら話していたと思うと、ある時点で感情があふれて、ふと黙り込んでしまう、黙ったままタオルで顔をふく、そういうボンバさんの身ぶりです。ここで真実や知識は言葉としてではなく、沈黙した身ぶりとしてあらわれています。

ボンバさんが語ることができなくなったとき、ランズマンは「話さなくちゃいけない、つらいけど話してほしい」といっていました。無理やりしゃべらせようというその態度を見ると、ちょっとひどいようにも思える。だけどボンバさんはもともと、ホロコーストについて話すということに賛成して出演してくれた。[*34]だからボンバさんは自分の身に起こったことをカメラに伝えなきゃならないと感じているし、伝えたいとも思っている。なので語りたい、だけど語れない。この二つがせめぎ合い、混じり合っているわけです。話したいけれど話せない。あるいは逆で、話せないけれど話したい。

ホロコーストのような出来事というのは、語ろうとするのに語れない、そういうことがあります。過去について語りたい、語らなくちゃいけない、でも語ることができない。それがボンバさんの沈黙です。これと対照的なのが、第13回で見たポーランドの人々の態度です。彼らはホロコーストについて、神話という枠組みのなかで安易に理解し、語っていました。それに対してボンバさんは、語らなければならないのに語ることのできないものとして伝えています。ひるがえって私自身のことを考えてみても、つらい体験を思い出して語るとき、話したい、だけど話せない、また逆に、話せない、だけど話したい、そういうときがあるように思えます。[*35] そう考えるとボンバさんの沈黙というのは、私たち自身の沈黙でもありうるわけです。

## 6　他人の真理に立ち会う

ボンバさんの沈黙はとても痛々しい。なぜなら、話したいけれど話せない、話せないけれど話したいというボンバさんのどちらともつかない状態について、見ている私たちが理解できるからです。

**引用12**　《ボンバのシーンの》これらの瞬間は――そのほかの瞬間もあるが――、どうしてこんなにも胸が痛むのだろうか。それは、このときたんに心があふれ出すのではないからだ。《略》もし《ボンバが思い出すことにより》事態が明らかになるのにつれて、あるいは最終的に、友愛のような何ものかがはじまるのだとすれば、――それがこれらの瞬間の力をなしているわけだが――それは感情の恣意的な吐露ではなく、むしろひとつの真理、他人の真理、その何ものかが私たちに明らかにしていたような真理に関与している、このことを私たちは知っているわけである。[*36]

ボンバさんのシーンを見て気もちが揺さぶられるのは、これまで知らなかった知識を教えてくれるからではありません。そうではなく真理のあらわれ、真理の受肉というものに私たちが立ち会っているからです。その真理は客観的な事実というのではなく、ボンバさんの真理、彼の個人的な真理です。ボンバさんが沈黙するときに彼個人の真理があらわれる、その瞬間に私たちは立ち会っている、だからこそ私たちは心を動かされるわけです。

次のことに注意しましょう。つまり、ここでの真理がボンバさんの個人的なものであるとはいえ、それがたちあらわれるためには、ボンバさんひとりの力だけでは十分ではないということです。真理が見えてくるためには他人がいなければならない。たとえばここではランズマンの質問があります。髪を切られているお客さんがいます。自分の姿を映す鏡もあります。ボンバさんはこうしたさまざまな人やもののあいだにいる。それらの人やものがボンバさんに関与し、ボンバさんはそれに応答し、最後には沈黙する、そしてそのときこそ自分の真理を輝かせることになります。その意味でボンバさんは自分を取り囲む世界にしたがって、話したり身ぶりをしたりするわけです。そう考えると、ボンバさんは自分のまわりの世界を映し出している、まわりの世界を表現しているということになります。

そうなるとボンバさんの主観性について考え直す必要が出てきます。ボンバさんが話している内容は、彼が強い意図をもって話そうと決めたことではないし、秩序の整った論理的な説明だというわけでもありません。ボンバさんはランズマンに質問され、鏡に映し出され、散髪の身ぶりを要請されるうちに、自分では思いもよらなかった仕方で話している。自分では気づかないうちに、自分自身の統御ができなくなり、黙り込んでしまうわけです。つまりボンバさんは、確固とした自我として話すわけではない。むしろまわりの人やものにそった仕方で自分を表現しているということです。ボンバさんは鏡のなかに自分自身の姿を見ている。それと同じように、周囲の人々や事物にうながされて、それらに合わせるようにして自分自身の話をします。いわばボンバさんはまわりのものを反射しているわけです。

こういう主観性についての考え方は、ゴットフリート・ライプニッツという哲学者の議論につながります。ライプニッツは一七世紀から一八世紀にかけて生きたドイツの哲学者です。彼は「モナド」という概念、日本語でいうと「単子」という概念を提唱しました。実をいうとランズマンはライプニッツの哲学にとても関心があって、ソルボンヌ大学での彼の論文のテーマはライプニッツとモナド論だったといいます。ランズマンの言葉によると、「一つひとつのモナドはそれのみで全世界であり、しかもそれは窓もドアもない自閉した世界であるというモナド論の深淵な真理[*37]」、こういった考え方にひきつけられたそうです。モナドは自分自身に閉じられていて、それがそのままで世界の全体であるという考え方です。いいかえると、自分とは世界を映し出す鏡であるということです。

**引用13** 世界に開かれた空虚な主観性、または結局のところ、いわば完全に世界を含んでいる閉じたモナド、これらは結局同じことである。つまりどちらの場合も、隠れていたり、根拠や統一のもとになる実体という意味での自我があるわけではない。モナドは、表面ともいえるようなひとつの主体、ひとつの観点、ひとつの視野、ひとつの反射鏡であり、そこでは世界のいくつもの差異がさらに増えていく。モナドたちは、それぞれのモナドにおいてちがった仕方でもう一度作用する可能性をこの世界に与えるためにこそ閉じている。[*38]

モナドは「ひとつの主体、ひとつの観点、ひとつの視野、ひとつの反射鏡」だとされています。この「反射鏡」という言葉は、フランス語原文では réflecteur という単語です。この言葉は、光や電磁波などを反射させるもののことを意味します。つまりモナドとは、統一的な自己をもった実体ではなく、自分を取り囲んでいる世界のすべてを反射させるものだということです。

モナドという考え方は、ボンバさんの状況をよくあらわしているように思えます。ボンバさんは自分ひとりの力で思い出して語るのではなく、まわりに応答するようにして話している。つまりランズマンの質問に答え、鏡に映し出され、座っているお客さんの髪を切る、こうして周囲のそのつどの状況にそって話すわけです。ボンバさんは自分自身の体験を語るのですが、それがそのままで彼のまわりの世界を映し出している。さらにいうならば、ボンバさんはボンバさんというかけがえのない存在としてそこにいるというよりも、むしろまわりの状況としてそこにいる、いわば無のようなものとしてそこにいるということかもしれません。この考え方は、「人間は存在というよりも無である」ということであり、それはサルトルの『存在と無』という本に依拠しているといわれています。*39

そのようにボンバさんは、まわりの人やものをそのまま反射しているわけですから、ボンバさんはひとりの主体、ひとつの主観というよりも、まわりとともにある相互的な主体、相互的な主観だということができます。そうであるとすれば、ボンバさんを見る観客、つまり私たちだって、ボンバさんと彼のまわりの人やものといっしょにいることになります。私たちもボンバさんと同じように相互的な主体、相互的な主観だということです。だから私たちは、ボンバさんの沈黙の重みを理解できるわけです。

それにしてもこの沈黙は、いったいどういうものなのでしょうか？　もちろん語りではありません。だからといって何も語っていないのかというと、そういうわけでもありません。だって私たちはそこになんらかの意味を見出しているんですから。この沈黙は語っていないのではなくて、語ることができないという仕方で語っているわけです。それは、何か新しいものを語ろうとすること、これまで表現されたことのないものを語ろうとすることなのではないかと思います。その場合は日常的な仕方で話すとか、決まった仕方で話すということはできない。そうではなくてはじめての仕方で話す、はじめて言葉を話すときのような仕方で話すということなのではないかと思います。はじめてのように話すということについては、フランスの哲学者であるモーリス・メルロ＝ポンティという人が考察しています。

**引用14**　日常生活のなかで働いているような、構成された言葉というものは、表現の決定的な一歩がすでに完了してしまっていることを、あきらかに想定しているのだ。したがって、その根源にまで遡らないかぎり、言葉のざわめきの下にもう一度始元の沈黙を見いだして来ないかぎり、この沈黙を破る所作を記述しないかぎり、われわれの人間観は、いつまでも皮相なままにとどまるであろう。言葉とは一つの所作であり、その意味するところは一つの世界なのである。[*40]

メルロ＝ポンティが大事だと思っているのは、日常生活でつかわれる言葉の起源にさかのぼって原初的な沈黙を見つけるということです。そして、その沈黙を打ち破るような最初の身ぶり、最初のしぐさを記述するということです。

ここでいわれている沈黙は、ボンバさんが語ろうとして語れなかったときにあらわれた沈黙であると私には思えます。そのときボンバさんは、自分が語りたいことがどんなことなのかわからないし、相手に対してどんなふうに表現したらよいかもわからない。それに話したとしてもうまく伝わらないかもしれない。そこでボンバさんは黙る。黙ったまま、顔をふき、唇をなめ、お客さんのまわりをまわる。そのしぐさは、言葉としては語っていません。語っていないけれど、ショアがどのようなことだったのかということを鋭く伝えています。この沈黙は、これまでになかったはじめての言葉が生まれようとしている、そういう瞬間なのではないかと思います。このとき証言と沈黙、言葉と沈黙というのは対立するものではなくて、むしろどちらも根源的な表現であるように思えます。

最後に確認すべきなのは他人という存在です。ボンバさんの沈黙はランズマン、カメラマン、お客さん、床屋にいるほかの人、そうした他人たちのあいだで生まれてきたわけです。それはいわば社会的実践です。[*41] ボンバさんの沈黙という表現は、彼個人によっておこなわれたのではなく、彼が周囲の人々のあいだに巻き込まれながらおこなわれたということです。

## 7 まとめ

①ランズマンは証言者を役者に変え、過去を生き直すように仕向ける。
②証言者は過去を生き直すとき、語りたいのに語ることができない。
③ボンバさんは過去と同じでありつつもちがった身ぶ

りをおこなう。
④そのとき沈黙が訪れ、真理が受肉する。
⑤映画を見る私たちはボンバさんの真理の受肉に立ち会う。

＊1　クロード・ランズマン「場処と言葉」(1985)、下澤和義訳、『現代思想』二三巻七号、一九九五年七月、八九頁。
＊2　ラカプラ「ランズマンの『ショアー』」前掲、二五三頁。
＊3　ランズマン「場処と言葉」前掲、八九頁。
＊4　Claude Lanzmann, « Les non-lieux de la mémoire » (1986), in *Au sujet de* Shoah, *op. cit.*, pp. 402-403.
＊5　本書に掲載した写真はすべて、クロード・ランズマン『ショア』一九八五年、ポニーキャニオンからの引用であり、DVDの巻数と時間を示す。
＊6　ランズマン『パタゴニアの野兎（下）』前掲、一九三頁。
＊7　第4回の注9にあるように、これは「非現実化的な反復」である。
＊8　前掲、一九三頁。
＊9　ランズマン『ショアー』前掲、二五六－二五七頁。
＊10　マイケル・ベーレンバウム『ホロコースト全史』(1993)、芝健介日本語版監修、創元社、一九九六年、三一〇頁。
＊11　ランズマン『ショアー』前掲、二五七頁。
＊12　前掲、二五七－二五八頁。
＊13　前掲、二五九－二六〇頁。
＊14　前掲、二六〇－二六二頁。
＊15　Brad Prager, « The Real Abraham Bomba: Through Claude Lanzmann's Looking Glass », in *The Construction of Testimony*, *op. cit.*, p. 279.
＊16　ボンバさんの小声の言葉を聞いても客の男性は心を動かされていない様子なので、その言葉は客に向けられていないだろうという意見もある。Sue Vice, *Shoah*, Palgrave Macmillan-British Film Institute, 2011, p. 57. ちなみにランズマンによれば客の男性を選んだのはボンバさんであり、同じポーランド出身の友人なのだろうという。ランズマン『パタゴニアの野兎（下）』前掲、一九三頁。
＊17　ラカプラ「ランズマンの『ショアー』」前掲、二五三頁。
＊18　Prager, « The Real Abraham Bomba », *op. cit.*, p. 285.

＊19　別のアウトテークでは、ボンバさんは収容所から脱出したてんまつを語っている。それはユダヤ人の英雄的な側面を見せてくれるが、やはりランズマンは映画に取り入れなかった。

＊20　高橋武智「解説」、ランズマン『ショアー』前掲、四六六頁。

＊21　ランズマンは次のようにいう。「もしハサミがなかったら、このシーンはそれほどの喚起力を持つことはなく、真に迫ったものにならなかっただろう。あるいはシーンそのものがなかったかもしれない。それほどに、ハサミは彼にとり、話を具象化し、前進させ、ときに息を継ぎ、継続の力を補うのに役立ったのである」。ランズマン『パタゴニアの野兎（下）』前掲、一九四頁。

＊22　前掲、一九三－一九四頁。

＊23　前掲、一九三頁。

＊24　ランズマン「場処と言葉」前掲、八六頁。Claude Lanzmann, « Le lieu et la parole » (1985), in *Au sujet de Shoah*, *op. cit.*, pp. 413-414.

＊25　ボンバさんの撮影は理髪店だけではなく、海に面したテラスでもおこなわれている。テラスでは、ボンバさんはランズマンと近くにいて親密に話しているが、理髪店では、ランズマンと離れて公的空間において話している。ランズマンはビジネスの場でコスチュームを着るという特殊な状況を準備することで、何か深いことが起きるように仕向けていたというふうにいえる。Prager, « The Real Abraham Bomba », *op. cit.*, pp. 287-288.

＊26　*Ibid.*, pp. 291-292.

＊27　アウトテークを見ると、カメラは空間をさまざまな仕方で探し求めており、ランズマンが鏡という装置を相当に考慮しながら撮影していることがわかる。*Ibid.*, p. 290.

＊28　Lanzmann, « Les non-lieux de la mémoire », *op. cit.*, p. 390.

＊29　ランズマン『パタゴニアの野兎（下）』前掲、一九六頁。

＊30　この映画の目的は、「六〇〇万人のユダヤ人がナチスによって絶滅させられた」といったような無関心的で抽象的な知識を伝えることではなく、「私たちがすでに知っていると思っていることを実感するように、私たちを仕向ける」ことである。Patrice Maniglier, « Lanzmann philosophe », in *Claude Lanzmann, un voyant dans le siècle*, sous la direction de Juliette Simont, Gallimard, 2017, p. 61.

＊31　*Ibid.*, p. 91.

＊32　Lanzmann, « Les non-lieux de la mémoire », *op. cit.*, p. 389.
＊33　Maniglier, « Lanzmann philosophe », *op. cit.*, p. 60.
＊34　ランズマン『パタゴニアの野兎（下）』前掲、一九一頁。
＊35　それはつまり、その体験が過去のものとして過ぎ去っておらず、現在のものでありつづけているということである。一言でいうと、過去と現在が重なっているということである。だからこそ私はその体験に対してうまく距離がとれず、落ち着いて話すことができないのだろう。
＊36　Juliette Simont, « Un homme sans intériorité », in *Claude Lanzmann, un voyant dans le siècle*, *op. cit.*, p. 44.
＊37　クロード・ランズマン『パタゴニアの野兎（上）』(2009)、中原毅志訳、人文書院、二〇一六年、二二〇頁。
＊38　Simont, « Un homme sans intériorité », *op. cit.*, p. 42.
＊39　ランズマンとサルトルの思想的なつながりについては、以下を参照。*Ibid.*, pp. 31-33.
＊40　モーリス・メルロー＝ポンティ『知覚の現象学（1）』(1945)、竹内芳郎・小木貞孝訳、みすず書房、一九六七年、三〇二頁。
＊41　以下のメルロ＝ポンティ研究書を参照。佐野泰之『身体の黒魔術、言語の白魔術』ナカニシヤ出版、二〇一九年、一九六頁。

# 16 ガス室のドアを開けるとき

## 1　殺戮の手順

**図1**[*1]を見てください。この図は絶滅収容所の殺害プロセスです。どんなふうにユダヤ人をあつかうべきなのか、こまかく決まっていたことがわかります。ドイツ人管理者たちは、すべての収容所で、事実上同じパターンの手順をおこなったといわれています。[*2] **図1**を見ると、男性と女性にわけられたあとに「選別」があって、元気な人とか、あるいは前回見たように床屋としてはたらける人とか、そういう人は労働用に残される。だけど結局はさまざまな段階をへて殺されてしまう。そのプロセスはまるで工場の作業工程を示しているみたいです。

**引用1**　死に至るまでの過程は、まるで工場の簡単な操業図のようである。文字通り、絶滅収容所は死の工場だったのである。[*3]

ここでは「死の工場」といわれています。工場は機械的な流れで食品や自動車などを生産します。だけど絶滅収容所は、機械的な流れで死を生産する。これは逆説的というか、狂気的なことです。だけど「生産する」「製造する」という意味では同じだといえます。これについ

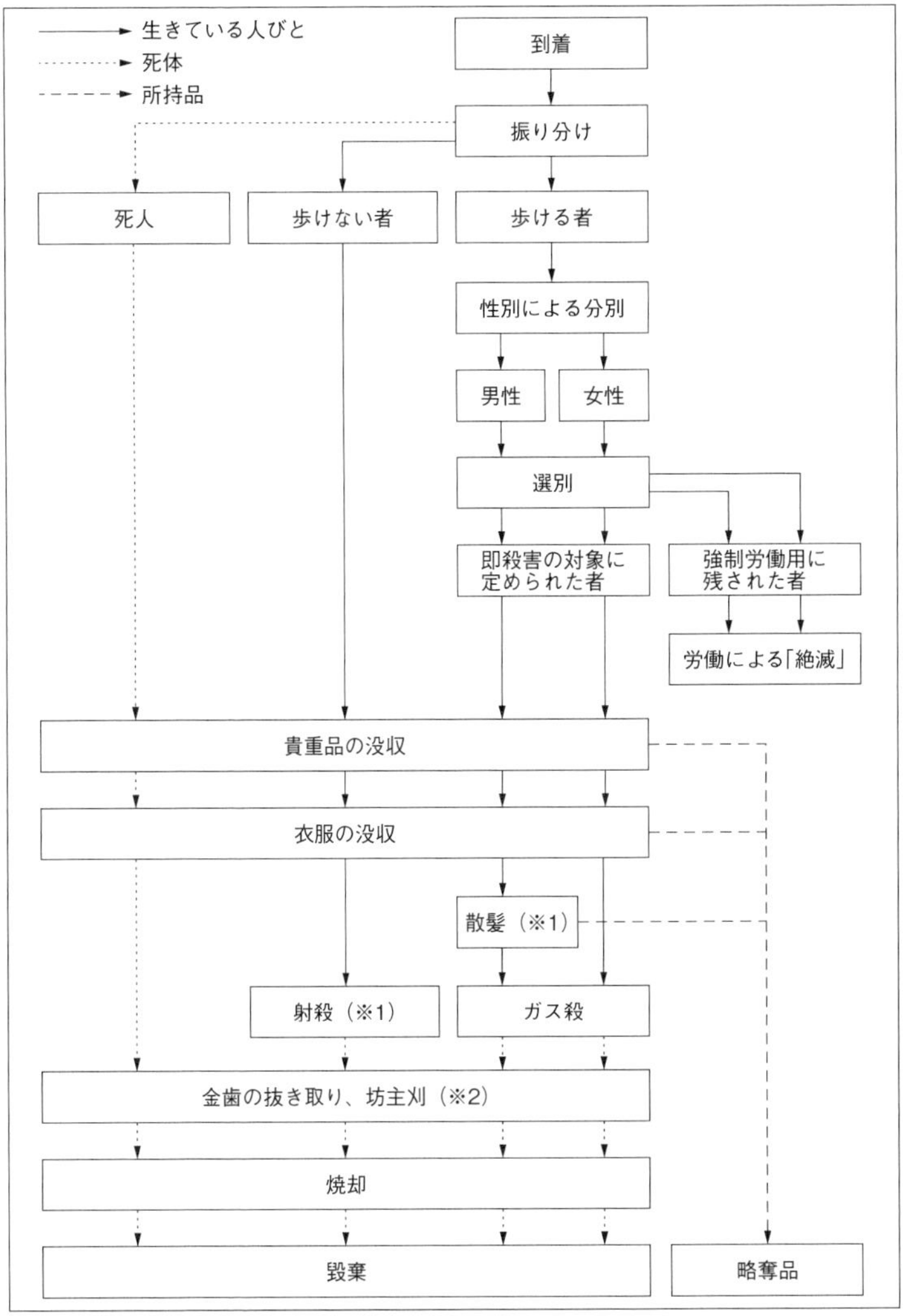


※1　ソビブル、トレブリンカ、ベウジェッツの場合。
※2　アウシュヴィッツ、マイダネクの場合（これらの絶滅収容所では、殺害後に髪を刈った）。

図１　絶滅収容所の殺害工程図

てはドイツの哲学者マルティン・ハイデガーが注意を向けていたようです。

**引用2**　《ハイデガーは一九四九年のブレーメン講演で以下のようにいう》「いまや農業は、機械化された食料産業となっており、その本質においては、ガス室や絶滅収容所における死体の製造と同じものであり、各国の封鎖や飢餓化と同じものであり、水素爆弾の製造と同じものなのである」。知があるということ、それは一方では、大地の収穫物の生産と生きている者の絶滅とのあいだにできたバランスであり、しかし言葉の詳細にまで立ち入れば、ガス室について「製造」(「死体の製造」)という語をつかった死と創造のあいだの特徴的な逆転である。[*4]

人間の知識は、機械化された食品加工の技術をもたらしてくれます。しかしそれだけではなく、機械的な死体製造の技術をも提供してしまいます。つまり、知というのは創造をもたらすだけではなく死をもたらすということです。創造と死というのでは、ポジティヴなものかネガティヴなものかという大きなちがいがありますが、しかし知識によって何かを製造するという点では同じです。人間の知識は、食品とか自動車を製造するだけというわけにはいかない。製造するからにはどうしてもネガティヴなものが生まれてしまう。「死の工場」のように、究極的にネガティヴな製造が可能になってしまうわけです。そして工場は効率よく合理的でなければなりません。

**引用3**　殺害のプロセスには根底的な合理化が必要であった。ベウジェッツ《の絶滅収容所》での実験から、到着から殺害へ、そして殺害から死体処理まで、もっとも効率的なユダヤ人の取り扱い方法が工夫されていった。収容所の基本的構造と、犠牲者が汽車から降ろされるや否や経験させられるプロセスとは、犠牲者たちが生命を失う最後の瞬間まで殺害されることを絶対に気づかせないように考え出された。犠牲者たちに彼らは労働収容所か中継収容所に送られてきたのだという印象を与えることがめざされたのである。現実を理解させないために、すべての活動はできうる限りのスピードでなされなくてはならなかった。[*5]

引用の最初には「根底的な合理化」とか、「もっとも効率的なユダヤ人の取り扱い方法」とかいわれています。また最後には「できうる限りのスピード」といわれています。以前に見たように、収容所は最初の段階ではうまくいかなかったけれど、いろいろと試行錯誤してみて、見事な殺害システムをつくり上げてしまった。そのシステムは迅速に、秩序整然とおこなうという特徴があったわけです。

　ハイデガーは絶滅収容所における大量殺戮《さつりく》について、本当の意味での死とはいえないと考えていました。ハイデガーにとって死とは、人間がその本来のものとなる、その固有なものとなる、そういった出来事のはずであって、死体が機械的につくられていくというのとはちがいます。ハイデガーの言葉を見てみましょう。

> **引用4**　何十万もの人々が大量に死んでゆく。だが、彼らは死ぬとほんとうにいえるのか。なるほど彼らは命を失う。殺されはする。だが、死ぬといえるのか。彼らは、死体製造のために徴用された物資の総量を構成する断片となる。それは、死ぬことなのか。彼らは、絶滅収容所で目立たずひっそりと粛清される。〘略〙だが、死ぬとは、死をはらんでその本質まで耐え抜くことである。〘略〙しかしながら、数え切れないほどの死のただなかでは、死の本質は立てふさがれたままである。*6

　収容所には死があるけれども、それはちゃんとした死、本当の死とはいえないのではないかと指摘されています。

## 2　『ショア』を見る（映像1）

映像1　『ショア』DVD 2-1、47:16-51:55 (ch. 5)

　アウシュヴィッツ収容所から生還したユダヤ人男性、ルドルフ・ヴルバさんです。表情は少しわらっているようで、いくらか早口で話しています。ちょっとした冗談をいっていました。映像は、撮影時のアウシュヴィッツ操車場からはじまって、ユダヤ人が列車から降ろされるところであるランプのあった場所が映されていました。どの映像も現在の様子で、過去ではありません。たしかに証言をとおして現在のなかに過去があらわれてくるわけですが、やはり私たちは現在にいて、過去と混じり合ったりはしないということです。

## 3　迅速に、秩序整然とおこなう

アウシュヴィッツではどんな殺戮のメカニズムがあったのか、**引用5**を見てみましょう。

**引用5**　《ルドルフ・ヴルバ（ユダヤ人男性、アウシュヴィッツ収容所からの生還者、英語）：》ぼくたちの最初の仕事は、貨車に乗り込み、死体や瀕死の人を降ろしては、ドイツ人の好きな表現を使うと、〈ラウフシュリット〉、つまり、〃駆け足で〃運ぶことだった。[*7]

ヴルバさんによると、すべて「駆け足で」おこなったといいます。ここでいわれているのはアウシュヴィッツのことですが、トレブリンカ絶滅収容所でも同じだったようです。[*8]場所はちがってもやり方が同じなんですね。ヴルバさんは**引用5**のように述べたあとに冗談をいって、「ドイツ人はいつも駆け足で、スポーツ好きな国民だね」、なんていっていました。ひどい体験だったのに冗談がいえることにびっくりしますが、逆にいうと、冗談のようにわらうことでしか証言できない、まじめに向き合うのが怖いということなのかもしれません。ヴルバさんは次のようにいいます。

**引用6**　《ヴルバ：》殺戮のメカニズムはすべて、ただ一つ、次の原則にもとづいていた。アウシュヴィッツに到着した人々に、〃行き着く場所も、目的が何かも悟らせない〃、という原則だ。《略》幼い子を連れた、女性の場合、パニックはとくに要注意だった。だから、ぼくたちのうち一人でも、最後の瞬間にいたるまで、パニックを引き起こすような言葉を、一言も、洩らさないこと。これがナチにとって肝要だった。《略》ひとたび、パニックが起こり、その場で、つまり、ランプの上で、殺戮を招くことにでもなれば、すべての殺人メカニズムが狂ってしまう！《略》ナチがすべての注意を集中していたのは、ただ一点、何の行き違いもなしに、すべてが秩序整然と進行することだった。時間を無駄にはしていられないのだ。[*9]

はじめに「目的が何かも悟らせない」ことが大事だといわれています。だって自分がこれから殺されるなんて知ったらパニックが起こるからです。まして自分の子どもまで殺されるとわかったら騒ぎます。そうならないように進める。引用の最後には、大事なのは「すべてが秩序整然と進行する」ことだといわれています。秩序整然と殺人を進めるなんていうのは、やはり狂気を感じます。

狂気的ではあっても、秩序にしたがって殺害しなければならない。それについてアウシュヴィッツの収容所長だったルドルフ・ヘスという人が次のように書いています。

**引用7**　虐殺ときめられたユダヤ人は、できるだけ静かに――男女別々に――火葬場にみちびかれる。脱衣所で、彼らは、そこの世話をするユダヤ人特別労働班の抑留者から、自国語で、今から体を洗い消毒をうける、衣類は消毒後自分のものがすぐわかるようにきちんとたたんで、場所をおぼえておくように、と申しわたされる。／特別労働班の抑留者は、処置が速やかに、平静に、スムースにおこなわれることに、最大の関心をはらった。[*10]

ここでも、できるだけ静かに、速やかに、スムーズにおこなわれることが大事だといわれています。そのためにはSSだけではなくユダヤ人特別労働班の協力が必要だった。ユダヤ人労働班としては、協力しなければすぐに殺されるわけですから、仕方なくナチスに協力し、到着したユダヤ人を説得します。到着したユダヤ人は、同じユダヤ人の命令には比較的従順だったのかもしれません。そうしたことを思い出しながら、収容所長のヘスは驚くべきことを書いています。

**引用8**　大体において、脱衣やガス室への導入に際して、特別労働班の抑留者たちが熱心に協力したことには、何か異様な感があった。彼らがガスで殺される者たちにたいし、その前に待ち受ける運命についてほんの一言でも洩らしたなどという例は、私自身一度も体験したことがないし、たえて耳にしたこともない。／それどころか、彼らは、犠牲者たちをあざむき、ことに不安がっている者をなだめるために、あらゆる手を尽した。[*11]

ここでヘスは、ユダヤ人特別労働班員がナチスに熱心に協力したことに「異様な」感じをもったといっています。ヘスはあたかもユダヤ人労働班が能動的に虐殺に協力したかのようにいっているし、しかもそのことについて労働班の道徳性を批判しているかのようです。これはものすごい倒錯です。だって自分たちこそがユダヤ人を大量殺害し、その殺害のメカニズムのうちにユダヤ人労働班を巻き込んでいるのに、巻き込まれたほうの道徳性を批判しているんです。こうしたさかさまの道徳は注目に値します。もしかするとこのさかさまの道徳性がなかったとしたら、大量のユダヤ人を殺しつづけるという論理も成り立たなかったのかもしれません。ちなみに**引用8**では、ユダヤ人特別労働班が秘密を守ったといわれていますが、次の**映像2**を見ると、そうでもなかったことがわかります。

## 4　『ショア』を見る（映像2）

映像2　『ショア』DVD 2-1、51:55-1:15:01 (ch. 6)

アウシュヴィッツ収容所のユダヤ人特別労働班であったフィリップ・ミュラーさんのインタビューです。ガス室の扉を開けるときの様子が話されていました。映像はアウシュヴィッツ博物館の大きな模型からはじまります。何千人もの石膏像がガス室へと追い立てられていく模型です（**写真上下**）。興味深いことにランズマンはこの模型にひとつのリズムを感じていて、そのリズムを忠実にとらえようとしたといいます。[*12] そのあと映像は、アウシュヴィッツ収容所の跡地をカメラが歩いていくシーンになる。この歩きながらの撮影も、独特のリズムが感じられます。収容所跡地を歩いているとき画面はがれきばかりで、どこが脱衣場なのか、どこがガス室なのかはっきりわかりません。がれきには雪が降りつもっていて、寒そうです。うす暗い。この廃墟の移動撮影について、ある映画監督は次のように述べています。

ガス室に追い立てられる人々の石膏像（DVD2-1, 0:52:07）

ガス室内の人々の石膏像（DVD2-1, 0:54:41）

**引用9**　雪のなか、アウシュヴィッツのガス室の廃墟

での長い移動撮影は、私が知るもっとも悲痛な映画発明のひとつである。《略》カメラは《焼却炉の》なかに思い切って入れない――つねにひとつのカットである――、カメラは方向が変わり、ランズマンとそのカメラマン、彼らにつづいて観客がつけてきた道を私たちは見る。／ここではすべてが受肉している。狂ったように受肉している。幻覚を見ているかのようだ。／肩からの移動撮影での一歩一歩は、私たちに死という幻覚を引き起こす。《略》死者はもはやひとりではなく、ランズマンがつきそっている。[*13]

第6回の**引用7**で見たように、ランズマンにとって『ショア』は観念論的な映画、形而上学的な映画ではありません。そうではなく『ショア』は場所についての映画、地形や地理についての映画です。すなわち虐殺がおこなわれた場所、その地形や地理を、自分自身の身体でもって理解しようとする、そういう映画です。

第6回の**映像1**で、ランズマンは線路をいったりきたりしながら、収容所の境界がどこにあるのかということを自分の足でたしかめていました。今回のシーンではカメラが動きます。それによって映画を見ている私たちも、自分の身体をとおしてホロコーストの場所をたしかめているかのようです。私たちはカメラが揺れながら歩くのを感じる。カメラはふと止まり、あたりを見まわす。また歩く。迷っているようでもあります。そんなふうにしているのはまるで私たち自身であるかのようです。

## 5　清潔にすること

**映像2**で話していたミュラーさんは、ゆっくりしゃべっているように思えます。時間をかけて思い出しているのか、言葉と言葉のあいだに間があります。もしかして編集によって間をつくっているのかもしれません。これは、**映像1**のヴルバさんがけっこう速い話し方だったのとは対照的です。内容の点から見ても、ヴルバさんが語っていたのは、ユダヤ人をとにかく走らせるということでしたが、ミュラーさんの話というのは、ユダヤ人が殺されてもはや動かなくなったときのことです。話すスピードも話の内容も、ヴルバさんとミュラーさんは対照的であるように思えます。

**引用10**『フィリップ・ミュラー（ユダヤ人男性、アウシュヴィッツ収容所からの生還者、ドイツ語）：』人々は、焼却棟に近づいた時、何もかも、見て取りました……。むき出しの暴力（schreckliche Gewalt）を、武装したSS隊員に、ぐるりを囲まれた敷地を、吠えたてた犬たちを、機関銃を。だれもが、疑っていました……。なかでも、ポーランド系ユダヤ人は、不吉な事態を予感していたにちがいありません。けれども、そのなかのだれ一人、三時間か四時間後に、自分が灰になっていようなどとは、思いもかけなかったことでしょう。*14

引用のはじめのところに、「むき出しの暴力」といわれています。はげしい暴力によって、考えることができないようにする、これから起こることに気づかせないようにするわけです。この方法はうまくいったようで、ユダヤ人は次々に脱衣場に連れていかれます。

**引用11**〖ミュラー：〗脱衣場までやって来た、彼らの目には、脱衣場が、まさしく、〝国際情報センター〟のように映ったのでした！〖略〗そして、この地下脱衣場の数多くの支柱には、多くの言語で、たくさんのスローガンが張り付けてありました。〝清潔こそ快適！〟〝一匹のシラミが死を招く！〟〝身体を洗え！〟〝消毒区域へ〟これらもろもろの掲示板の役割はただ一つ、すでに服を脱いだ人々を騙《だま》してガス室へと誘い入れることでした。そして、左手、脱衣場と鍵《かぎ》の手に、どっしりとした扉をそなえたガス室があったのです。[*15]

秩序整然と殺害をおこなうための工夫です。まるで「国際情報センター」のように、さまざまな言語でスローガンが書いてあったといいます。**引用7**でも、到着したユダヤ人に対して自国語で指示されるといわれていました。となると、殺戮のメカニズムにおいて言語という要素は重要だったことがわかります。この**引用11**の最後で、ミュラーさんは「どっしりとした扉」という表現をつかいますが、映像での話し方はゆっくりと重々しい様子で、本当にずっしり、がっしりとした感じがしました。

　こうしていろいろな仕組みによって、効率的な殺害を進めます。全力で走らせる、いきなり暴力をふるう、考える時間を与えない、各国語の掲示によりガス室に連れていく。人々をガス室に閉じ込めたら、青酸化合物であるチクロンという物質を投げ入れます。ミュラーさんの証言では、「チクロン・ガスは、五缶から六缶分で、およそ二〇〇〇人を殺したのです[*16]」といわれています。チクロン・ガスは、もともとは害虫を駆除するための消毒として開発されたものです[*17]。チクロンをつかえば、殺すときに身体から血が流れることもないし、その分ナチス隊員の心理的な負担も少なくなる。こうした利点に気づいたのは、先ほど出てきたアウシュヴィッツ収容所長のヘスです[*18]。ヘスはどうやらそれが自分の功績だと考えていたようで、戦後になっても、チクロンの効用に気づいたことを誇らしげに語っているといいます[*19]。そして当時の別の絶滅収容所長は、チクロンの効用を見てうらやましく思い、屈辱を感じた、彼はそれ以降ヘスに敵対的に接するようになったといわれています。殺戮のメカニズムの効率性をめぐって加害者たちのあいだで競争があったわけです。

ここで注目しておきたいのは、チクロンが害虫駆除の薬だということです。『ショア』に登場した歴史学者ヒルバーグさんによると、ユダヤ人を殺害するのに害虫駆除のガスがつかわれたのは偶然ではないといいます。というのもナチス・ドイツの宣伝においては、ユダヤ人は害虫であり、駆除されるべき寄生虫であるといわれていたからです。ナチスは、ユダヤ人すなわち害虫というイメージをつくり出した。アウシュヴィッツで害虫駆除のためのチクロンがユダヤ人を殺すためにつかわれることによって、ユダヤ人イコール害虫という思考が想像ではなく現実になってしまった、そのようにヒルバーグさんはいいます。[*20] ナチスにとってユダヤ人を殺害することは、自分と同じ人間を殺すことではない。それは害虫を駆除することであり、ドイツを清潔にすることだというわけです。

清潔というのはナチス、とりわけSSの倫理に結びつくものだったといわれています。SSの倫理は、敵を倒して社会を清潔なものにする社会的な衛生を目指すことだった。いってみればそれは全体主義的な意味での衛生だと指摘されています。

**引用12** ヒムラー『SS全国指導者』の言説はとりわけ、全体主義的な衛生というパラダイムの道徳的定式を吹聴していた。このパラダイムは不適格者、寄生虫、危険分子というさまざまな要素、なかでも第一にユダヤ人が示しているさまざまな要素を暴力的に粛清することによって、国民の身体を清潔にすることを要請していた。[*21]

ここではSSの倫理的姿勢についていわれています。ユダヤ人はドイツに害を与える虫であるから、私たちSSはそれを一掃して、ドイツ国民の身体をきれいにしなければならないということです。SSにとって大事なのは、ドイツという国の身体を清潔にすることである、すなわち害虫であるユダヤ人を殲滅《せんめつ》することである。その

じ込められてしまう。

　また二つ目の意味は何かというと、暴力はその加害者を現在に閉じ込めるということです。暴力は、それをふるう人間自身をも現在へと押し込めるように思われます。第8回の講義で見たように、収容所というのは人間を無用にするシステムであるわけですが、そのシステムに深くからめとられてしまうのは、被害者であるユダヤ人よりも加害者であるSSのほうです。暴力をふるうSSは、いつまでも収容所の現在がつづくと考えます。そして、収容所のなかった過去のこと、あるいは収容所がなくなる未来のことについてはまったく思いもよらないようです。たとえばアウシュヴィッツ収容所長のヘスは、まわりの人から収容所にかんする愚痴を聞かされたといいます。「収容所でこんなにも多くのユダヤ人が虐殺されなければならない必要があるのだろうか」、そう聞かれたヘスは、彼自身同じような疑問をもっていたそうです。しかし結局彼は次のように答えます、「総統の命令は絶対であり、ドイツを救うために手ごわいユダヤ人を虐殺しなければならないのだ」[*31]。ここからわかるのは、ヘスがむき出しの暴力と殺戮のメカニズムに巻き込まれて、それ以外のことを考えられなくなってしまったということです。このように暴力の加害者もまた、現在に閉じ込められてしまうわけです。

　ナチスがおこなったのは「むき出しの暴力」です。それはつまり、暴力そのものが目的であるような暴力のことであり、殺害そのものが目的であるような殺害のことです。ナチスの暴力は、ほかの暴力と共通するところがあるのはたしかです。しかし決定的にちがうところがあるといわれています。それは、「特にそれ自体を目的とした無益な暴力によって特徴づけられていた、《略》その暴力はただ単に苦痛を作り出すことを目的としていた」[*32]というところです。それはまさしく暴力的な暴力であり、これまで見てきたように、私たち人間を現在のうちに押し込んでいく暴力です。

　このような暴力を進めるヒトラーの考えは、見方によっては、ニーチェの思想と似ているといわれるかもしれません。というのもニーチェは「超人」という思想を打ち出していて、生まれつき卓越した力があると認めているからです。しかしニーチェとヒトラーは似ているけれどもちがう、そのようにレーヴィは書いています。

引用20　ニーチェも、ヒトラーも、ローゼンベルク〘ドイツの思想家、ナチスの対外政策全国指導者〙も、超人の神話を唱えて、自分自身や部下たちを酔わせた時は、狂ってはいなかった。超人には、その教条主義的な、生まれつきの優越性が認められて、すべてが許されることとなった。〘略〙ニーチェの箴言に私は強い違和感をおぼえる。〘略〙しかしそこには他人を苦しめたいという欲望は現れていないように思える。ほとんどすべてのページに無関心が見られる。しかし「他人の不幸を喜ぶ気持ち《シャーデンフロイデ》」は現れていないし、まして他人を用意周到に傷つける喜びなどは見られない。下層民、奇形のものたち《ウンゲシュタルテン》、高貴な生まれでないものたちの苦しみは、選ばれたものたちの王国到来のために支払われるべき代償である。これはより小さな悪であるが、悪であることには変わりない。それ自体は望ましいものではないのだ。だがヒトラーの考えと行動はこれとはまったく違っていた。[*33]

レーヴィによれば、ニーチェの文章を読むと、「強いものはその力を発揮すべきだ」といったような印象を受ける。しかしだからといって、ニーチェは「ただ他人に傷をつける」とか、「たんに他人に暴力をふるう」ということを目指しているのではない。実際にニーチェの著作を読んでみても、他人の苦痛を求めているのではないことがわかります。[*34]それに対してヒトラーは、ただ暴力だけを求めている。それは無益な暴力、暴力としかいえない暴力であり、「むき出しの暴力」です。そうした暴力は、人々を未来にも過去にも向かわせず、現在のうちに押し込みます。[*35]そして最終的には人々をガス室へと押し込んで、消し去ってしまいます。さらにいうとナチスの暴力は、その暴力を受けた人を閉じ込めるだけではなく、暴力をふるう人自身をも閉じ込めていく。いってみれば、このむき出しの暴力は、それにかかわるすべてのものを閉じ込めようとするわけです。レーヴィのいうように、ナチスの暴力はニーチェのいう力とやや異なっているように感じます。

こうした暴力があったことを考えると、「私たちはナチスの行為というものを本当に理解できるのだろうか、やはり理解できないのではないか」というふうに思えてきます。あるいは、「こうしたことはむしろ理解できないほうがよいのではないか」とも思えてくる。このようにホロコーストを理解できるのか、ホロコーストを遂行した人や支持した人を理解できるのかといった問題については第7回の講義で考察しましたが、納得できる答えがあるわけではありません。みなさんひとりひとりが少しずつ考えてくれるとうれしいです。

## 8　まとめ

①絶滅収容所は死の工場であり、殺害の合理化がなされていた。
②殺害は迅速に、秩序整然とおこなわれた。
③清潔にすることは、全体主義的な衛生というナチスの倫理につながる。
④ランズマンが見るのは、ナチスによるむき出しの暴力である。
⑤その暴力は人間を現在へと閉じ込める。

＊1　ベーレンバウム『ホロコースト全史』前掲、二七一頁より引用。
＊2　ラウル・ヒルバーグ『ヨーロッパ・ユダヤ人の絶滅（下）』(1961)、望田幸男ほか訳、柏書房、一九九七年、二二三頁。
＊3　ベーレンバウム『ホロコースト全史』前掲、二七〇頁。
＊4　Marty, *Sur Shoah de Claude Lanzmann, op. cit.*, p. 28. なおハイデガーの引用については以下を参照した。マルティン・ハイデッガー『ブレーメン講演とフライブルク講演』(1994)、森一郎／ハルトムート・ブフナー訳、創文社、二〇〇三年、三七頁。
＊5　ウォルター・ラカー編『ホロコースト大事典』(2001)、井上茂子ほか訳、柏書房、二〇〇三年、三二〇頁。
＊6　ハイデッガー『ブレーメン講演とフライブルク講演』前掲、七二－七三頁。
＊7　ランズマン『ショアー』前掲、二七一頁。
＊8　SSとしてトレブリンカで勤務していたフランツ・ズーホメルさんは、ユダヤ人を処理するこつとして、「いつも駆け足で移動させた」と述べている。前掲、二六六頁。

＊9　前掲、二七三－二七四頁。
＊10　ルドルフ・ヘス『アウシュヴィッツ収容所』(1963)、片岡啓治訳、講談社学術文庫、一九九九年、四〇七頁。
＊11　前掲、二九八頁。
＊12　「同じくビルケナウで、こんどはルプシャンスキーと彼の助手カロリーヌ・シャンペティエとともに、身に染みる寒さのなかでほとんどひと晩をかけて、死の部屋へと降りていく三千人分の石膏のフィギュアを正確無比のパンで追いつづけた。わずかな手の震えも、石膏像の進行のリズムに対するいかなる変更も許さない作業だった。画面の上では、脱衣所からガス室を分ける長く必然的な無為の時間のあと、びっしりと身体をくっつけあって上になり下になり騒然として動かない塊となった人々を見出す」。ランズマン『パタゴニアの野兎（下）』前掲、二五五頁。
＊13　Arnaud Desplechin, « Encore », in *Claude Lanzmann, un voyant dans le siècle, op. cit.*, p. 22.
＊14　ランズマン『ショアー』前掲、二七六－二七七頁。Claude Lanzmann, *Shoah*, Rowohlt Taschenbuch Verlag, *op. cit.*, p. 173.
＊15　ランズマン『ショアー』前掲、二七七－二七八頁。
＊16　前掲、二七九頁。
＊17　ラカー編『ホロコースト大事典』前掲、三四〇頁。
＊18　ヒルバーグ『ヨーロッパ・ユダヤ人の絶滅（下）』前掲、一六一頁。
＊19　前掲、一七一頁。
＊20　前掲、一六六頁。ナチス・ドイツの外務省広報局長は、「ユダヤ人問題は人間性の問題でも、宗教問題でもなく、ただ政治衛生の問題である」と述べたという。前掲、二六三頁。
＊21　André Mineau, *L'idéologie SS : les fondements théoriques de la Shoah*, Editions universitaires européennes, 2017, p. 8.
＊22　ランズマン『ショアー』前掲、二八〇－二八一頁。
＊23　前掲、二八二頁。
＊24　前掲、二八三頁。
＊25　前掲、二八三－二八四頁。
＊26　前掲、二八六－二八七頁。
＊27　クロード・ランズマン「出会うまでに十年の歳月を要した、日本の読者に」『ショアー』前掲、四－五頁。
＊28　前掲、四頁。
＊29　前掲、七頁。
＊30　プリーモ・レーヴィ『溺れるものと救われるも

の』(1986)、竹山博英訳、朝日文庫、二〇一九年、九四頁。
＊31　ヘス『アウシュヴィッツ収容所』前掲、三〇六-三〇八頁。
＊32　レーヴィ『溺れるものと救われるもの』前掲、一三六頁。
＊33　前掲、一三七-一三八頁。
＊34　「われわれがよりよく楽しむことを学びおぼえるなら、われわれは他人に苦痛を与えようとする気持などは、きれいに自分のなかから払い落としてしまうだろう。また他人の苦痛になることを考え出すようなこともなくなるだろう」。フリードリヒ・ニーチェ『ツァラトゥストラ』(1883-1885)、手塚富雄訳、中公文庫、二〇一八年、一八八頁。
＊35　ヒトラーは『わが闘争』で次のように述べているという。「だから私は今日、全能の造物主の名において行動すべき時だと考える。私はユダヤ人を抑えきる形で、主の御業のために闘う」。この文章は、書かれた当時は小さな政党の目標にすぎなかったが、一九三〇年代から四〇年代になると国全体の目標となってしまう。ある研究者によれば「ヒトラーにとって、この「今日」という言葉は、刻々現実になろうとしている自らの根本的世界観を全く夢想でないものとして正当化し、自らをいつでもどこでも闘う予言者として再生産できる一種の魔術的キーワードになっていたといってよい」という。芝健介『ヒトラー』岩波新書、二〇二一年、九四頁。私たちの視点からいいかえると、ヒトラーは国全体を自分の語る「今日」へと、つまり現在へと閉じ込めたということかもしれない。

# 17 ギリシアから移送された人々

## 1　絶滅の大きなリズム

　ここでは広い視点から見てみます。つまり、ショアに巻き込まれたひとりひとりのレベルではなく、ドイツの周囲の国々というレベルで考えてみます。するとナチスの絶滅政策が大きなリズムをなしていることがわかります。『ショア』に登場している歴史学者のヒルバーグさんによると、絶滅の進め方には固有のパターンがあったといいます。

**引用1**　散らばっている集団を効果的に抹殺する方法は一つしかない。そのような行動において必須となるのは、次の三段階である。／定義↓収容（拘束）↓抹殺／これが基本的な過程の不変の構造である。いかなる集団であっても、収容や拘束なしには、殺害されず、誰がこの集団に属しているのかを加害者が知るまでは隔離されることはありえないからである。〘略〙絶滅過程の各段階の順序は、こうして決められる。ある集団の人々に可能な限りの痛手を与えようとするならば、いかに機構が分権化していようとも、行動がいかに無計画なものであっても、官僚がこれらの段階に犠牲者を押し込むことが不可欠なのである。[*1]

絶滅をおこなうためには決まった段階があるということです。まずユダヤ人とはだれのことなのかという定義がある。この定義がないと何もはじまりません。だれを殺害すべきで、だれを殺害してはいけないのかという区別をしないといけないからです。そのあとに、ユダヤ人だとされた人々を集めてゲットーに送り込む。そして列車に乗せて絶滅収容所に運ぶ。そうすれば効率的に殺害できるわけです。絶滅のためにはこうした段階を踏む必要があった。引用の最後には、「行動がいかに無計画なものであっても、官僚がこれらの段階に犠牲者を押し込むことが不可欠なのである」とありますが、これはいいかえると、定義、収容、抹殺という進みゆきがショアの大きなリズムをなしているということです。

こうした絶滅の基本的なプロセスはどの地域でもどの国でも同じだったわけですが、その進み具合は地域や国ごとにちがっていました。たとえばドイツから見て西のほうでは、ドイツの支配力の強さによってユダヤ人被害の程度が変わります。具体的にはオランダからベルギーへ、ベルギーとルクセンブルクからフランス北部へ、フランスの北部から南部へ、そしてイタリアのドイツ支配地域へ、そんなふうに絶滅が進んでいったようです。[*2] 地図を見ると、まるで絶滅の巨大な波が北から南へと打ちよせているかのように感じられます。ナチスはこうした絶滅のリズムを休みなく稼働させようとしていました。

**引用2**　ナチスの現象はダイナミックであるのがそもそもの性格であり、固定的な状態は、いかなる長さの時間であっても受け入れることはできなかった。なぜならば、休止は急進的変化が必要であると考えた過去へ引き戻すことであり、伝統的キリスト教や自由主義、左翼イデオロギーのような前ナチ期の力や価値観の残滓が力を得るという我慢できない状態を生むと考えられたのである。[*3]

ナチスにとって重要なのは、絶滅の波を発生させつづけることです。それはつまり、ダイナミックなリズムをつくり出してそこにユダヤ人を巻き込む、さらにその他の人々に協力させてこのリズムをもっと大きくするということです。逆にいうと、そのようにダイナミックであることをやめてしまえば、自分たちの勢いは止まってしまうのではないか、そういうナチスの不安があったわけです。

いろんな地域を見ていくと、さまざまなスピード、さまざまな力強さで絶滅収容所への移送がおこなわれていたようです。たとえばイタリアは移送のテンポがあまりにもゆっくりしていたので、ドイツはいやがっていたということです。[*4]ルーマニアでの移送は、あるときはゆっくりだったのに、別のときには速すぎてむしろドイツが移送の抑制のために介入したといわれています。[*5]とはいえ全体的にいえば、ナチスは移送のテンポを維持しようとしていて、スピードが落ちるのを極端に嫌ったみたいです。[*6]

そしてナチスは攻撃のチャンスを見逃さずに絶滅作戦を進めていた。たとえばドイツはルーマニアに対して、移送の準備が十分でなかったにもかかわらず、ユダヤ人たちを早く収容所に移送するように圧力をかけたといいます。というのもそのころルーマニア政府がユダヤ人弾圧を強めようとしていたので、準備が整っていなくてもそのチャンスに乗る必要があったからです。いいかえると、「絶滅の過程では、軍事作戦と同様、たとえ兵力増強が不十分だとしても、攻撃の好機をつかむことがときに必要であった」ということです。[*7]「攻撃の好機」とは、それをつかまえれば次のリズムがさらに大きくなるような瞬間のことですし、それを逃してしまうとリズムが消えてしまうかもしれないような瞬間のことです。それは結局のところ、絶滅のリズムのかなめです。絶滅の巨大な波をつくり出すためには、リズムを構成している重要な一瞬をとらえる必要があるわけです。

## 2 『ショア』を見る

今回の映像はギリシアです。ギリシアはナチス・ドイツに支配されていて、ユダヤ人住民が収容所に連れていかれました。ギリシアは同じ時期にイタリアにも征服されていた。映像では「コルフ島」というところが出てきますが、この名前はイタリア語での呼び方で、現在は「ケルキラ島」とギリシア語で呼ばれています。

**映像1 『ショア』DVD 2-1、1:15:01-1:31:25（ch. 7-9）**

いかがでしたか？　コルフ島のさまざまな風景が映されていましたね。海や町、城塞もありました。また、いろんな住民がいました。金物をとんかちでたたく男性、刺繍《ししゅう》する女性、荷物を運ぶ男性などです。住民の腕には、番号の入れ墨が刻まれていました。おそらく収容所でつけられたのだと思います。登場するほとんどの人が腕をまくっていることから考えると、ランズマンは意図的に入れ墨を見せていると思われます。

モシェ・モルドさんというユダヤ人男性が、四匹の豚が描かれた絵の紙をもっていて、その紙を折りたたんでいくとヒトラーの顔の絵が浮かび上がる、そういう場面がありました。そのあとモルドさんは少しわらって楽しんでいるように思えます。しかし、彼がアウシュヴィッツについて話すときは印象が変わります。モルドさんは緊張するのか、悲しくなるのか、意図しないのに口がむにゃむにゃ動いてしまう、そんなふうに見えます。その表情を見ると、こちらもそわそわして落ち着かない感じになります。モルドさんに対してランズマンはイタリア語でやりとりしていました。

## 3　見る人と見られる人

映像の後半に出てきたユダヤ人男性、アルマンド・アーロンさんの話を見直してみましょう。アーロンさんは同行者三人と横にならんで町を歩いています。ある場所で止まったかと思うと、ランズマンに向かっていきなり話しはじめます。証言のはじまりとしてはちょっとおかしな状況のようにも感じます。次の**引用3**のように話しはじめます。

**引用3**　『アルマンド・アーロン（ユダヤ人男性、コルフ島のユダヤ人信徒共同体の長、フランス語）：』

一九四四年六月九日、金曜日の朝、私たち、コルフのユダヤ人共同体の、メンバー全員は、恐怖に脅えながら、集まりました。ドイツ軍の前に出頭したのです。ゲシュタポと、警察部隊が溢れるなか、この広場を、私たちは、進みました。〘略〙私たちは、ここを進んできたのです。出頭するようにと、命令を受けていたので[8]……。

これよりも八か月ほど前、一九四三年一〇月三日に、ナチスの上級親衛隊であり警察長官であった人物が、ギリシアにおけるユダヤ人全員の登録を命じていたようです[9]。この仕事は、アテネ以外の地域ではギリシアの地方役人が担当したといわれています。先ほどユダヤ人の大量殺害のためには、定義、収容あるいは拘束、抹殺というプロセスがあったことを確認しました。ユダヤ人を集めるためには、やはりその前の段階として、だれがユダヤ人なのかという定義があったわけです。

アーロンさんによると、ユダヤ人たちは抵抗することなく出頭の命令にしたがったようです。この命令はおそらく、ユダヤ人共同体をとおして伝えられたのだろうと思います[10]。ユダヤ人の共同体意識というのは強かったみたいで、次のようにいわれていました。

**引用4** 〘アーロン：〙だれ一人、逃げ出そうとか、父や、母や、兄弟を見捨てようなどという人はいなかった。私たちの間には、連帯感がありました。同じ家族、同じ宗教ですからね[11]。

ユダヤ人は抵抗しないし、逃げもしなかった[12]。集められて、機関銃をもったゲシュタポに連れていかれた。その様子をキリスト教徒が見ていたとアーロンさんはいいます。

**引用5** 〘アーロン：〙ここに、私たちが集まったあと、ゲシュタポが、機関銃を持って、背後から現われました。〘ランズマン：〙何時でした？〘アーロン：〙朝の六時です。〘ランズマン：〙天気のよい日でしたか？〘アーロン：〙ええ、よい日でした。朝の六時です。〘ランズマン：〙たいへんな人ですよね？　街頭に、一六〇〇人といえば……。〘アーロン：〙集まっていたのは、大勢でした。ユダヤ人が集められている、という話を、聞きつけて、キリスト教徒は、あの辺りに、次第に集まったのです。〘ランズマン：〙それはまた、なぜ？〘アーロン：〙見物するためですよ[13]。

ちなみに調べてみると、コルフ島では二〇〇〇人のユダヤ人が逮捕され、そのうち生きて帰ったのは二〇〇人だけだったそうです。[*14] 九割が殺されてしまったわけです。この**引用5**には、見る人と見られる人という関係があります。キリスト教徒はユダヤ人が困っているのを見る、それに対してユダヤ人は、自分が困っているのを見られる。見る人は困っていない人、苦しむことのない人です。その一方で見られる人は、苦しむ人であり、恐怖におびえる人です。ここには絶対的なちがいがあります。つまり自分が見る側なのか、見られる側なのかということは、たんに知覚するのか、知覚されるのかといった問題ではない。それは、これまでどおり生きることができるのか、それとも恐怖にさいなまれるのかといった大きなちがいだということです。もっといえば、生きることができるのか、それとも死ぬことになるのかという根本的なちがいとなります。「ユダヤ人でないことは、それ自体ひとつのステイタスになったのである。こう考えることは避けられないことであり、またユダヤ人との関係に影響を及ぼす要因でもあった。だからこそ、傍観者たちは、ポーランドであれ、ハンガリーであれ、コルフ島であれ、犠牲者が監視のもとで連れ去られるのをじっと見つめたのである」。[*15]

見る－見られるという関係は一方的なものです。見られる人は困惑し、苦しみ、恐怖におびえる。アーロンさんは**引用6**のように述べています。

**引用6** 〘ランズマン：〙怖かったですか？〘アーロン：〙恐怖心でいっぱいでした。よく見ると……、若者や、病人、幼児や、老人、それに狂人までいたのです。病院から、狂人や、病人まで、連れて来られたのを見て、本当に怖くなりました、ユダヤ人共同体全体が存続していけるかどうかと、不安をおぼえたものです。[*16]

全員を集めてこれからどうしようというのか。この島でのユダヤ人コミュニティーはどうなってしまうのか。銃で武装した部隊は何をするのか。こういった恐怖がわき上がる。そうなると人は今のことしか考えられなくなります。前回、人々が暴力によって現在に閉じ込められてしまうということをお話ししましたが、それと同じように、ユダヤ人たちは恐怖によりそのときの状況しか見なくなり、現在のなかに閉じ込められてしまうわけです。おそろしさにおびえたユダヤ人たちは、過去にも未来にも気を配ることができなくなります。彼らはとくに悪いことをしたわけではないのに、大量殺害のリズムに取り込まれてしまう。そこには絶対的な無垢、絶対的な無罪があります。

ここでランズマンへの批判を取り上げます。ドミニク・ラカプラという人は、絶対的な無垢について二点ほど批判しています。

ⓐまず、ランズマンは完全に犠牲者の側に立っていて、コルフ島のユダヤ人の絶対的な無垢を信じているということです。ランズマンはある討論会で、次のように述べたといいます。「私の考えでは、コルフ島のユダヤ人は、『ショアー』のなかで特別の機能をもっています。他の人々よりもっと無垢な人々がいる、と言ったのはそのためです。私にとって、コルフ島のユダヤ人は絶対的に無垢なのです」[*17]。コルフ島のユダヤ人は無垢の象徴であり絶対的に被害者である、このようにランズマンはいい切っています。ラカプラはそのランズマンの姿勢を批判します[*18]。もしユダヤ人が絶対的に無垢だということになると、人間の複雑さ、あるいは人間関係の複雑さのようなものが抜け落ちてしまうのではないか。第11回の講義では、ユダヤ人生還者であるレーヴィが示した「灰色の領域」という考えについて見ましたよね。戦争時には被害者と傍観者と加害者というような単純な区分ではとらえられない灰色の領域、あいまいな領域があるわけです。しかしランズマンはそれを無視しています。つまり被害者は完全に被害者であり、加害者は完全に加害者であるというふうに想定して、ひとりの人間がもつ深さのようなもの、あるいは人間と人間のあいだに生じる錯綜したもの、こういったものに気づいていないように思えます。そうした姿勢は、ホロコーストを考えるのにあたって単純すぎるように思われます。

ⓑ二つ目の批判としては、ランズマンはこの絶対的無垢を自分自身のものにしてしまっているということです。すなわち、無垢であるという性質はコルフ島のユダヤ人のものであるのに、なぜかランズマンはそのユダヤ人と自分を同一のものとみなしている。いわば、登場人物か

らランズマン自身への横すべりがあるということです[19]。第5回の**引用16**でも見ましたが、ランズマンはあるインタビューで、「映画は過去と現在のあらゆる距離の廃棄なのです。私はこの歴史を現在において生きなおしたのです[20]」といっています。ランズマンは映画をつくりながら、そこに登場する人物の歴史を自分のものとして生き直したと主張します。つまり、ゲシュタポに抵抗することなくしたがい、恐怖におびえる、広場に集められ、キリスト教徒たちに見物される、そういったユダヤ人の経験を生き直したということです。となるとランズマンはユダヤ人の性質である無垢についても生き直したことになります。たしかに『ショア』は現在と過去とのへだたりをなくそうとしています。しかしだからといって監督が登場人物の経験を生きることができるとか、自分は登場人物と同じく絶対的に無垢であるとかいった、このランズマンの意見をそのまま認めてもよいのでしょうか？　それを認めてしまうのは、あまりに安易であるように思えます。

## 4　恐怖が支配する

アーロンさんは特徴的なフランス語で話しています。しかし同行者はフランス語がわからないようで、ときどきアーロンさんに別の言語で話しかけます。

**引用7**　〘ランズマン：〙コルフには、反ユダヤ主義がありましたか？〘アーロンは顔を動かし、口を少し動かすが、はっきり答えない〙昔から、あったのですか、コルフの反ユダヤ主義は？〘アーロン：〙ありました。たしかにありましたが、あの数年は、そんなに、強くはありませんでしたね。〘ランズマン：〙なぜ？〘アーロン：〙ユダヤ人に対して……、そんなふうな、敵意は抱いてなかったからです。〘ランズマン：〙で、現在は？〘アーロン：〙現在は、ないですね。私たちは、自由ですよ。〘ランズマン：〙では、現在、キリスト教徒との関係は？〘アーロン：〙良好です、とても良好ですよ。とても良好。〘ランズマン：〙そちらの人［同行者］は、何と言ったんです？〘アーロン：〙あなたが何を質問したか、訊いたんですよ。彼自身も、キリスト教徒との関係は、うまくいっている、と言ってます。〘その後も同行者たちが何かを言う〙[*21]

アーロンさんと同行者が何語で話しているのか、残念ながら私にはわかりません。逆に同行者の男性はフランス語がわからないので、ランズマンがどんな質問をしたのか気にしているのかもしれません。アーロンさんによると、反ユダヤ主義は昔もそんなにひどくはなかったし、現在ではまったくない。引用では「今私たちは自由です」といわれています。反ユダヤ主義がそれほど強くなかったのであれば、当時もある程度は自由だったのだろうと思われます。

**引用8**　〘ランズマン：〙すべてのユダヤ人は、ゲットーに、集められていたのですか？〘アーロン：〙そう、ほとんど全員でした。〘ランズマン：〙あなた方の出発のあと、何が起こりました？〘アーロン：〙財産をすべて、取り上げられました。身につけて持っていた金《きん》も残らずです。自宅の鍵まで、取られました。何もかも、盗まれたのです。〘ランズマン：〙それは、だれが取り上げて、だれにやったのですか？〘アーロン：〙法律によれば、ギリシア国家のものになるはずでした。でも、ほんの一部しか、ギリシア国家にはいかず、残りはすべて、くすね盗られました、横取りされたのです。〘ランズマン：〙横取りって、だれにですか？〘アーロン：〙みんなにですよ、ドイツ軍にもです。[*22]

法律にしたがえば、ユダヤ人のものはギリシア国家に引きわたされるはずだったが、法は守られずに横取りされたといいます。おそらくユダヤ人の財産をめぐってさまざまな人がかかわり、彼らの関係に応じて、さらにおたがいの戦略にしたがって配分されたのだろうと思われます。ものごとが法律とは別の基準にしたがって進められたわけです。

**引用9**　〘アーロン：〙私たちのいかだにも、二、三人、監視兵が乗っていました。つまり、ドイツ兵の数は多くなかったんですが、あなたも、おわかりのとおり、恐怖こそが、最良の警備兵ですからね。〘ランズマン：〙それから、列車の旅は、どうでしたか？〘アーロン：〙最低の一語です。〘同行者の声も聞こえる〙水はないし、食べる物もなし。二〇匹の牛しか載せられない貨車、九〇両に、全員立ちっ放しです、大勢が死にました。[*23]

　その場を支配していたのは恐怖だったといわれています。アーロンさんの話では「恐怖」という言葉が何度か出てきます。恐怖というのは人と人が関係するときに起こるものであり、法律のように事前に規定されたものではありません。先ほど確認したように、殺戮《さつりく》のプロセスにおいて重要なのは法的な基準ではなく、恐怖とかおそれといった別種の基準だということです。

　このような恐怖の経験を伝えるためには、この映画に見られるように、語りとか身ぶり、あるいは証言者同士で話している様子、そういったものが重要になります。たしかに記録資料や写真によっても事実は伝わりますが、ユダヤ人がどんな気もちだったのか、まわりの人とどういう関係だったのかといった具体的な体験についてはなかなか伝わりません。それに対して『ショア』は、証言者の語りと身ぶりにもとづいてつくられていて、その語りと身ぶりによって、ユダヤ人のいだいた恐怖がどんなものだったのかを考えさせてくれるわけです。[*24]

## 5　政治的合理性と統治

　絶滅というものは合理性がないように思えます。たとえばギリシアには島がたくさんあり、すべての島のユダヤ人を移送するために大量のガソリンを消費したといいます。[*25] その後ギリシアからポーランドの絶滅収容所まで一〇日以上かけて列車で運んでいくためには石炭が必要です。そんなにエネルギーをついやしてまで殺戮を進めていくというのは、非合理であるように見えます。

　しかしここで少し大胆な仮説を出します。絶滅の巨大なリズムのうちにひとつの合理性を見ることができるのではないかということです。これによってショアについて別の視点から考察できるかもしれません。それにあたりフランスの思想家であるミシェル・フーコーという人の考えを見ようと思います。

フーコーのいう合理性は、一般的なものとしての理性ではありません。フーコーはむしろ非常に特定的な合理性に関心をもっていて、なかでも国家が生み出す政治的理性、政治的合理性とはどういうものなのかという問題を考えています[*26]。その政治的合理性が発揮される仕方を、フーコーは「統治」というふうに呼びます。「統治」という語は、フランス語では gouvernement という言葉です。それが動詞になって「統治する」というときには gouverner というフランス語になります。gouverner という語は、その語源であるラテン語としては「船を操縦する」という意味をもっていた。そこから gouverner は「指導する」「管理する」「統治する」「支配する」といった意味でつかわれるようになりました。gouvernement という文字を見ると、私たちはすぐに「政府」「政権」という意味が思い浮かぶのですが、フーコーのつかい方としては、もっと広い意味で「方向づけて統治・指導すること」ということです。フーコーはあるところで、私たちは一八世紀に発見された統治性という時代に生きていると述べています[*27]。

では、統治とはどういうことなのでしょうか? フーコーは統治するための技術のひとつとして「ポリス」をあげています。ポリスと聞くと、「警察」とか「取り締まり」といった意味かと思われますが、そうではありません。フーコーは一七、一八世紀の著作家たちがつかう言葉として「ポリス」という語を紹介します。それによるとポリスの役目は、人々の生をよりよいものにすること、それと同時に国家の力をより強いものにすることだといいます。

**引用10** 政治的権力を人々のうえに行使する合理的な介入形態としてのポリスの役割は、人々の生に小さなプラスアルファを与えることであり、そうすることによって、国家の力を少しばかり強くすることにあるわけです。また、それは、「コミュニケーション」の管理によって、つまり個々人の共同行為（労働、生産、交換、サービス）によって行われるものです[*28]。

ポリスは住民をある方向へと導いていく技術や方法で

あって、人生をよいものにしてくれる。具体的にいうと宗教にかかわる。とはいえこの場合、宗教の教義とか真理を問題にするわけではなく、道徳面で人々が豊かになるようにあんばいする。またポリスは、健康や食べものの供給にかかわります。これは直接的に人々の生活を保護するものです。そして商業、仕事場、労働者の環境に気を配り、生活が快適になるように努めます。さらには演劇や文学や見世物を管轄して、人々の生活の喜びが増えるようにします。簡単にいえば、人間がよりよく生活していくのを可能にすること、これがポリスの役割だということです[*29]。それと同時に国家の力を高めていくこともポリスの役割です。

このように見ると、ポリスという統治の技術、統治の方法はポジティヴな仕事だということがわかります。フーコーはここで重要な区別をします。一方ではポリティック、すなわち政治的なものがあり、国家内部の敵や外部の敵と戦うという任務がある。これはネガティヴな任務です。実際に敵と戦うにあたっては、法律とか軍隊といった制度をつかうことになります。他方ではポリスがある。これは敵と戦うのではなくて、人々にサービスを提供したり労働の生産力を上げたりして、国民の人生をよりよいものにし、国家の力をより強いものにするという任務をもちます。これはまさにポジティヴな任務です。このポジティヴな任務をおこなうためには、法律とか軍隊とは別のやり方で進めることになります[*30]。この別のやり方こそが統治と呼ばれるものです。ですから統治というのは、法とか軍とはちがった仕方で人々を方向づけていく、人々が生きやすいように導くものだということです[*31]。

ここまで統治という考え方を見てきましたが、じゃあこの考えは、ナチス・ドイツの絶滅作戦を理解するのに役に立つでしょうか？　一見するとあまり役立たないように思えます。というのも、ユダヤ人の大量殺害がポジティヴな任務だとはとうてい考えられないからです。逆にナチス・ドイツはユダヤ人を国家の敵とみなしているのだから、ホロコースト政策は敵と戦うというネガティヴな任務であるように見えます。

たしかにナチス・ドイツの中枢にいた人たちは、ユダヤ人を敵だと考えていた。ユダヤ人は国際的な金融をつかってドイツの経済を破綻《はたん》させ、ドイツを滅亡させようとたくらんでいる、そのようにみなされていたからです[*32]。ナチス・ドイツはユダヤ人という絶対的な敵と戦うわけですが、そのことをとおしてドイツ国民の生活をよりよくする、ドイツの国力をより高める、そういったことを目指します。そうなるとユダヤ人絶滅はネガティヴな任務であるだけでなく、人々の生活や国の力を向上させるといったポジティヴな任務でもあることになります[*33]。とはいえ、本当にホロコーストをポジティヴなものとして考えてよいのかどうか、お話ししている私自身かなり迷っているところです。

もしホロコーストがポジティヴなものであるとすれば、その統治の技術には二つの特徴があるように思えます。

ⓐひとつ目の特徴は、人口にはたらきかけるということです。この場合、人口といってもすべての人のことではなく、ユダヤ人は除外されています。この人口は、ナチスの言葉でいえば「アーリア人」のことです。ホロコーストの統治の技術はアーリア人の人口にはたらきかけ、彼らの境遇をよりよいものにします。つまり彼らの豊かさ、寿命、健康といったものを向上させるわけです[*34]。ほかの国家であれば、たとえば出生率を上げるようなキャンペーンをおこなって人口を健康にするわけですが、ナチス・ドイツの場合には、アーリア人でないとされた人々、とりわけユダヤ人を排除するというキャンペーンをおこなうことでドイツ国民を健康にしていくという戦術をとります。またユダヤ人をゲットーに押し込めることによって、ほかのドイツ国民がより豊かに生活できるようにするといった戦術をつかいます。このようにナチスの統治は人口にはたらきかけることで、人々の生活と国の力をポジティヴな状態に導いていこうとします。

ⓑ二つ目の特徴としては、治安をよくするということがあげられます。ここでの治安はたんに社会の秩序を保つということよりもむしろ、特定の人々を社会の敵とみなしてその人々を除去するということです。具体的にはアーリア人ではないとされた人たち、とくにユダヤ人を取り除くということです。前回の講義で、ユダヤ人はドイツに巣くう害虫であると思われていたことを見ましたが、ナチスのSSはそうした害虫を処分しなければならない。これはもちろん敵を倒すということです。だけど同時に、自分の社会が清潔であり健康であるように保つことでもあります。つまりSSは社会を守り、治安を守

ろうとするわけです。このようにＳＳはナチスの統治を可能にする技術的な手段であり、なかでも治安をつかさどる装置であると判断できます[*35]。ナチスの統治は、ユダヤ人がいない環境をつくることで治安をよくするという目的をもっていたわけです。

これら二つの特徴は、ナチスの統治の戦術という観点からするとポジティヴな性格のものだといえます。別のいい方をするなら、ナチス特有の政治的合理性があるということです。ナチスの政治的合理性は、人口にはたらきかけて治安をよくするという戦術としてあらわれる。その技術をとおして人々の生活をよりよいものにし、国家の力をより強いものにしようと目指しているわけです。

## 6　生の政治あるいは死の政治

引きつづきフーコーの議論にもとづいて、統治について考えてみます。国家は統治という手段をとおして、国民がよりよい仕方で生きることができるように努力します。その意味で統治は、さらなる生命をもたらす政治、生の政治だということができます。しかしながら場合によっては、生の政治が反転してしまうときがある。つまり、国家が死を押しつけるときがある。それが死の政治です。国家は統治をとおして、個人に対して、または人口集団に対して死ぬように求めることがあります。次の二つの引用を見てみましょう。

**引用11**　国家の観点からは、個人は、国家の勢いに、たとえ微細なものにしても、ポジティヴな方向であれネガティヴな方向であれ、変化をもたらしうる限りにおいて存在するものなのです。したがって国家は個人がそのような変化をもたらしうる限りにおいてのみ個人に関与すべきものとされる。そして、その限りにおいて、国家は個人に対して、ある時は、生き、働き、生産し、消費するように求めたり、別の時には、死ぬように求めたりするものなのです[*36]。

**引用12**　国家はなによりもまず人口としての人間を監視しているものなのです。国家は生ける存在に対して、生ける存在として、自らの権力を行使する。そして国家の政治は、したがって、必然的に生の政治(biopolitique)なのです。人口とはつねに国家がそれ自身の関心において面倒を見まもるものにすぎず、ですからもちろん国家は必要とあれば人口の虐殺をおこなうこともできるのです。死の政治(thanatopolitique)がしたがって生の政治の裏側なのです。[*37]

国家は人々の生をよりよいものにし、それにより国家の力を高めようとします。ですから基本的には、生の政治としての統治がおこなわれる。だけど、国家の力を増大させるために人々を殺害したほうがよいというような国家の論理が出てきた場合には、死の政治が遂行されます。統治という同じ原理にもとづきながら、生の政治はそのまま裏返されて死の政治にもなる。生の政治と死の政治はまったく異なった価値をもつのですが、実はそこでは同じひとつの理性、つまり政治的合理性がはたらいているということです。この政治的合理性の二重性についてフーコーは考えようとします。

**引用13** 政治構造の内部における、巨大な破壊のメカニズムと、個人の生を保護するための諸制度との共存というのは、理解に苦しむ事実であって、何らかの調査に値します。それは、私たちの政治的理性の中心的な二律背反《アンチノミー》のひとつであるのです。そして、私が考えてみたいのは、まさに私たちの政治的合理性のこの二律背反についてなのです。[*38]

こう見てくると、ナチス・ドイツによるホロコーストの統治というのは、生の政治が反転したものだということができます。それはまさしく死の政治です。それは、法律をとおしてユダヤ人に死を押しつけ、さらに法律とは別の仕方でも死を押しつけるということです。[*39] その二つのやり方について確認してみます。

ひとつ目のやり方は、法律にもとづいてユダヤ人の絶滅を進めることです。ナチスがホロコーストを実行するためには法律が必要でした。今回のはじめに見たように、絶滅のプロセスとしては定義、収容あるいは拘束、そして抹殺へという段階があります。そのためにはまず「ユダヤ人とはだれのことなのか」という定義をしなくてはならない。それを記した法律をつくらなければならないわけです。とはいえ法律ができてくる過程を見ると、「どのようにして法的に人種を定義すればよいのか」という問題について、ナチスはうまく解決できなかったようです。[*40] それはそうです。区別しにくい場合がいくらでもあるんですから。それでもナチスは、どうにかしてユダヤ人を定義しようと努力します。また、移送の段階でも法律が必要です。ユダヤ人が移送されたあとには財産が残ります。家具とか、家そのものです。これらをそのままにしておいたら空き巣にとられてしまう。そうならないように、ユダヤ人が残した財産はすべて国家のものになるという法律をつくるわけです。[*41] 法律に頼ることでホロコーストは実行されていったということです。

しかし他方では、ナチスはそうした法律を無視することによってユダヤ人絶滅を進めました。これが人々を死へと導く二つ目の方法です。今日見た映像でアーロンさんがいっていましたが、連れ去られたユダヤ人の財産というのは、法律によればギリシア国家のものになるはずだったけど、実際にはドイツ人やいろんな人たちが盗んでいった。法律があるにもかかわらず、現実にはそれを無視して行動するということです。実は官僚もそうだったようです。そもそも官僚は法律にもとづいて行政をおこなうはずなのですが、「やりたいことがあるのに法律の制約があるためにできない、その制約をなくしたい」という認識をもっていたようです。そのために官僚たちは、形式的な書類をつくるのをやめるようになります。はじめは国全体にかかわる法律があったのに、だんだん非公表の文書による命令になる。もっと進むと、文書ではなく口頭での命令、口頭での権限付与がなされる。最後には、指示や説明がなくても現場の役人が決定できるという体制になっていく。「結局、ユダヤ人の絶滅は法律や命令の産物というよりも、精神とか、共通理解とか、一致や同調の問題であった[*42]」ということです。ここにいわれているように、人々のあいだの「一致」「同調」、そしてユダヤ人に対する考え方の「共通理解」があり、「精神」があったということはきわめて重要です。というのは、人々に共通する精神や理解のほうを大事にして、法律や文書の命令を無視しはじめたということだからです。私としては、この二つ目のやり方こそがフーコーのいう統治の技術なのではないかと考えています。このようにホロコーストは、法律とはちがう統治というやり方にしたがって進められていくわけです。
ユダヤ人絶滅を考えるとき、制度や法律の問題を見ることはたしかに重要です。だけどそれと同時に、制度や法律とは別の問題、すなわち統治の問題を考えてみる必要もあると思います。そうすると絶滅運動とは、法律や制度とはちがって統治の技術によって生まれてきた権力関係だということになります。こうした考察のヒントとなるのはやはりフーコーの議論です。

**引用14**　この統治性という概念をとおして私は、ひとが戦略を構成し、規定し、組織し、道具とするための実践の総体を目指しています。この戦略は、諸個人がその自由において互いにたいして向けうるようなものです。自由な諸個人こそが、他者の自由をコントロールし、決定し、限定するのであり、そのために諸個人は他者を統治するための道具を使うのです。だからそれは自由に、自己の自己への関係や他者への関係に基づいています。ところが、権力を分析するために、自由や戦略や統治性からではなく、政治制度から出発してしまうと、主体を法＝権利の主体としてしか考察できません。その場合主体とは、法＝権利を付与されたり、されなかったりする主体であり、政治社会の制度によって、法＝権利を受け取ったり喪失したりする主体になってしまいます。こうして主体を法的に考察することになってしまうのです。それにたいして統治性の概念は、主体の自由や他者との関係、すなわち倫理の主題そのものを構成するものを引き立たせてくれると思います。[*43]

ここでは権力関係を考えるひとつの可能性が論じられています。つまり法律と政治制度から出発するのではなく、統治性から出発して考えるという可能性です。統治に関連する特徴として、この引用では「自由」「戦略」「倫理」という三つのことがいわれています。それではホロコーストにかんして自由、戦略、倫理を考えることができるでしょうか？
①「自由」について。ナチス・ドイツの官僚は法律を無視しはじめ、文書もつくらなくなり、最終的には現場の人たちが決定できる体制になる。今日の映像で、ユダヤ人たちが広場に集合したといわれていましたが、おそ

らくひとりひとりのゲシュタポは、反乱などの動きがあれば自由に殺してよいと考えていたはずです。そこには現場の裁量がある。形式的な書類はなくてもよい。ひとりひとりというミクロなレベルで「自由」があるということです。

②「戦略」について。映像でアーロンさんは「恐怖」という言葉を何度もつかっていました。このときドイツ兵は銃をつかい、または身ぶりをとおしてユダヤ人に恐怖を与えることで、移送を効率的に進めていた。ドイツ兵にとって大事だったのは法律や文書にしたがったやり方ではなく、現場でユダヤ人を身体的に圧倒するというやり方だということです。ここでドイツ兵は、ユダヤ人との関係において「戦略的」にものごとを進めています。

③「倫理」について。官僚やドイツ兵は、大量のユダヤ人を移送することによりヒトラーの世界観を実現しようとします。そこには彼らのあいだに共通理解があり、一致や同調があります。官僚やドイツ兵たちは、ナチスの方針にしたがって仕事をするというひとつの「倫理」を選択している。その倫理に適合するような仕方で自分自身との関係をつくり上げ、また他人との関係をつくり上げる。それは法律による強制ではなく、世界観とか共通理解による自発的な行動だといえます。

このようにホロコーストには「自由」「戦略」「倫理」があって、それらにもとづいた統治行為があるわけです。具体的には、現場のミクロなレベルでの裁量とか、恐怖をとおしての移送とか、共通理解や世界観などのような技術によって、ホロコーストの統治、ショアの統治が進められていく。これは法律とはちがいます。第10回の**引用12**では、ナチスの関連文書を調べてもユダヤ人絶滅について記してあるものはひとつもないといわれていました。何も書かれていないということは、もちろん法律にもなっていないということです。ナチスにとってもっとも重大で、もっとも強調されるべきであるショアについて、法律は規定されていないわけです。法律になっていないにもかかわらず大量殺戮はおこなわれる。あるいはむしろ法律になっていないからこそ殺戮がなされるのかもしれません。そのかわりに統治という仕方によって、すなわち現場での自由、戦略につながる関係性、共通理解という倫理、こういったものによって絶滅は進められていく。リズムという言葉をつかうなら、統治はショアのリズムをなしているといえるかもしれません。このように統治は、ショアをとらえるためのひとつの観点となります[44]。

興味深いことに『ショア』は、統治のあり方に注目しているように見えます。今日の**映像1**でランズマンが伝えているのは、ユダヤ人が移送のときにどのように集められたのか、ユダヤ人が移送についてどんな印象をもっているのかということです。アーロンさんによれば、ユダヤ人は銃をもった兵士に取り囲まれ、キリスト教徒に見物されていた、その状況にすごく恐怖を感じた。そこにはミクロなレベルで発生する恐怖の感情、見る－見られるという関係、官僚やドイツ兵の世界観が見えてきます。いいかえると、現場でのドイツ兵の自由、ユダヤ人が圧倒されるような関係の設立、ユダヤ人の移送という共通理解ということです。ランズマンが表現するのは、法的あるいは政治制度的な権力関係ではなく、統治という観点から見た権力関係なのではないか、そういうふうにも思えます。

## 7 まとめ

①ユダヤ人絶滅運動は定義、収容、抹殺というプロセスで進められた。
②ユダヤ人を絶対的な無垢として描くランズマンのやり方には批判がある。
③『ショア』は恐怖について考えさせてくれる。
④絶滅のプロセスのうちには、ポジティヴな政治的合理性があるかもしれない。
⑤ナチスの死の政治は、法律の強制よりも自由・戦略・倫理にもとづく。

＊1　ヒルバーグ『ヨーロッパ・ユダヤ人の絶滅（下）』前掲、二四一－二四二頁。
＊2　ラウル・ヒルバーグ『ヨーロッパ・ユダヤ人の絶滅（上）』（1961）、望田幸男ほか訳、柏書房、一九九七年、四三二頁。
＊3　ラカー編『ホロコースト大事典』前掲、二二五頁。

＊4　ヒルバーグ『ヨーロッパ・ユダヤ人の絶滅（上）』前掲、五〇六頁。
＊5　ヒルバーグ『ヨーロッパ・ユダヤ人の絶滅（下）』前掲、六四頁。
＊6　ヒルバーグ『ヨーロッパ・ユダヤ人の絶滅（上）』前掲、四四四頁、四七九－四八〇頁。
＊7　ヒルバーグ『ヨーロッパ・ユダヤ人の絶滅（下）』前掲、八四頁。
＊8　ランズマン『ショアー』前掲、二九〇頁。
＊9　ヒルバーグ『ヨーロッパ・ユダヤ人の絶滅（下）』前掲、二一頁。
＊10　ナチスはユダヤ人を捕捉し移送するのにあたり、ユダヤ人共同体の組織を利用した。ヒルバーグ『ヨーロッパ・ユダヤ人の絶滅（上）』前掲、三四五頁、三四七頁。
＊11　ランズマン『ショアー』前掲、二九五頁。
＊12　文献によれば、ユダヤ人の抵抗がなかったことで絶滅のプロセスがさらに進められてしまったこと、そこには加害者と犠牲者の相互作用があったことが指摘されている。ヒルバーグ『ヨーロッパ・ユダヤ人の絶滅（下）』前掲、二六九頁。
＊13　ランズマン『ショアー』前掲、二九一頁
＊14　ラカー編『ホロコースト大事典』前掲、一八三頁。
＊15　ヒルバーグ『ヨーロッパ・ユダヤ人の絶滅（下）』前掲、二八二－二八三頁。
＊16　ランズマン『ショアー』前掲、二九二頁。
＊17　ラカプラ「ランズマンの『ショアー』」前掲、二四七頁。
＊18　前掲、二四六－二四八頁。
＊19　前掲、二四八頁。
＊20　ランズマン「場処と言葉」前掲、八九頁。
＊21　ランズマン『ショアー』前掲、二九三頁。
＊22　前掲、二九四頁。
＊23　前掲、二九五－二九六頁。
＊24　ランズマン「場処と言葉」前掲、八五頁。
＊25　ヒルバーグ『ヨーロッパ・ユダヤ人の絶滅（下）』前掲、二三頁。
＊26　ミシェル・フーコー「全体的なものと個的なもの」(1979)、北山晴一訳、『フーコー・コレクション（6）』小林康夫ほか編、ちくま学芸文庫、二〇〇六年、三三五－三三六頁。
＊27　ミシェル・フーコー「統治性」(1978)、石田英敬訳、『フーコー・コレクション（6）』前掲、二七二頁。
＊28　フーコー「全体的なものと個的なもの」前掲、

三四七頁。
＊29　前掲、三五〇頁。別の箇所では、ポリスは身体としての社会集合体を管理するといわれている。たとえば食べものの量・質・値段、町や家の衛生、疫病の予防のように生活の基本を管理すること、貧乏人や乞食の監視、困った人への救助の配分のように個人の活動に介入すること、製品の税の徴収、人々の移動の監視のように人やものを流通させること、こういった役割があるという。ミシェル・フーコー「十八世紀における健康政策」(1979)、中島ひかる訳、『フーコー・コレクション（6）』前掲、二八五－二八六頁。
＊30　ミシェル・フーコー「個人の政治テクノロジー」(1982)、石田英敬訳、『フーコー・コレクション（5）』小林康夫ほか編、ちくま学芸文庫、二〇〇六年、四二八頁。
＊31　フーコーの権力論に関連づけるなら、権力はネガティヴな効果だけをもつのではなく、それゆえ従来とは別の言語で権力を考えねばならないということである。ミシェル・フーコー「自由の実践《プラティック》としての自己への配慮」(1984)、廣瀬浩司訳、『フーコー・コレクション（5）』前掲、三三〇－三三一頁。
＊32　ヒルバーグ『ヨーロッパ・ユダヤ人の絶滅（下）』前掲、二三六頁、二六一頁。
＊33　フーコーはある講義でナチス体制について述べている。ナチスの体制はほかの人種を破壊するだけではなく、自分の人種をも死の危険にさらそうとする。というのも、人口のすべてがあまねく死にさらされることによってはじめて、その危険から自分の人種が最終的に再生し、真に優越的な人種となることができるからである。この意味でナチスは、殺人国家かつ自殺国家であるといわれている。ミシェル・フーコー『社会は防衛しなければならない』(1975-1976)、石田英敬・小野正嗣訳、筑摩書房、二〇〇七年、二五八－二五九頁。
＊34　「統治＝政府《グヴェルヌマン》の目的とは何でありうるのか。統治することと自体でないのはたしかであって、諸々の人口集団の境遇を改善し、その豊かさ、寿命、健康を増大させることです」。フーコー「統治性」前掲、二六六－二六七頁。
＊35　フーコーによれば統治性とはさまざまな手つづき、分析、考察、計算、戦術などからなる全体のことであって、それらは人口を主要な標的としながら、主な技術的道具として治安装置をもつという。前掲、二七一頁。
＊36　フーコー「個人の政治テクノロジー」前掲、四一八頁。

＊37　前掲、四二九－四三〇頁。ちなみに「生の政治」は「生体政治」と訳されている。
＊38　前掲、四一〇頁。
＊39　フーコーは、生命を増大させる権力が死を求めるところに人種主義が介入すると述べる。フーコー『社会は防衛しなければならない』前掲、二五三頁。
＊40　ヒルバーグ『ヨーロッパ・ユダヤ人の絶滅（上）』前掲、五四－五五頁
＊41　前掲、三五七頁。
＊42　前掲、四三－四四頁。
＊43　フーコー「自由の実践としての自己への配慮」前掲、三三三－三三四頁。
＊44　ここまで統治という概念の可能性を考えてきたけれども、適用にあたり大きな障害もある。というのもフーコーによると、統治は「手段として暴力を前提としているわけではない」からである。フーコー「全体的なものと個的なもの」前掲、三五六頁。

# 18 絶滅収容所への列車の運行

## 1 全ヨーロッパからの移送

ナチス・ドイツはユダヤ人をポーランドの絶滅収容所に連れてきて殺していましたが、どの地域からユダヤ人が連れてこられたかというと、かなり広い範囲になります。ドイツ、ポーランドだけではない。フランス、イタリア、オランダ、さらにノルウェー、スロヴァキア、ウクライナでもユダヤ人狩りがおこなわれました。前回の講義では、ギリシアでのユダヤ人強制移送が話題になっていました。結局、ユダヤ人は全ヨーロッパ地域から連れてこられたといわれています。[*1] これほど大規模な移送をおこなうためには、当然、たくさんの関連部署が協力し合う必要がある。

**引用1** 殺害センターへの組織だった移送は一九四二年早春に始まった。それはアイヒマンの国家保安本部のユダヤ人課によって組織されていた。看守は民間警察から、移送要員は運輸省あるいは直接ドイツ鉄道システムを通して配置された。他の民政部門当局の多く——司法部、金融行政、宣伝省、地方政府を含む——も移送の準備、組織化、移送からの利益の享受に積極的な役割を果たした。町から数千人の人びとを移送するため、地域の警察の全機構が動員された。その地域の貨物列車の停車場など、輸送関連の広い場所が移管され、見張りが置かれた。税務署はユダヤ人の財産リストを作成し、没収の手はずを決めた。労働局のスタッフは労働許可証を無効にした。住宅局のスタッフは鍵を集め、空いた住居を新しい居住者に渡す手はずを整えた。ポーランドでは、通常警察の部隊とトラヴニキ訓練収容所の親衛隊の人びとがしばしば移送を実行した。[*2]

ここからたくさんの組織がユダヤ人移送にかかわっていたことがわかります。これらの部署はどれも大事なんですが、とくに注目したいのは列車による輸送です。というのも輸送は、ユダヤ人を絶滅収容所へと送り込むための直接的な手段ですから。

そのためにナチスは列車の運行システムをつくります。この鉄道のシステムこそが、ユダヤ人の絶滅作戦を可能にしていたということができます。これまで絶滅収容所の効率的なやり方がつくり上げられていったということを見ましたが、収容所のなかだけでなく、収容所までの道のりについても効率的な方法をつくる必要があったわけです。そのためにはナチスの軍隊とか親衛隊が努力するだけではだめで、その他多くの機関、なかでもドイツの国鉄が協力しなければならなかった。

**引用2**　輸送はドイツ帝国鉄道が実施した。犠牲者を出したこの運輸組織は、一九四二年にほぼ五〇万人の公務員と九〇万人の労働者を雇用しており、第三帝国〔ナチス統治時代のドイツ〕で最大の組織の一つであった。〔略〕物資の移動のためにシュペーア〔ヒトラー政権の軍需大臣〕の軍需省が頼りにするのも、部隊の輸送のために国防軍が頼りにするのも、ユダヤ人の移送のために国家保安本部が頼りにするのも、鉄道であった。これらすべての行動で、帝国鉄道は必要不可欠なものであった。[*3]

ナチス・ドイツは戦争をはじめたころかなり勢いがあって、近くの国や地域を支配していった。支配地域が広くなると、当然、管轄すべき鉄道の範囲も広くなる。だから軍の物資の移動とか部隊の輸送とかいうのも鉄道がなくちゃできない。そう考えると、ドイツの鉄道というのはナチスの戦争を支える組織だったということです。引用にあるように、ドイツの国鉄は五〇万人と九〇万人、合わせると一四〇万人、これだけ多くの人が勤めていて、その大きな組織がナチスの移送作戦に協力していたわけです。このドイツ鉄道の協力があってはじめて、ユダヤ人を移送する大きなシステムがつくられていった。そして、この巨大な移送システムによってホロコーストが可能になってしまったということです。[*4]

## 2 『ショア』を見る（映像1）

ひとつ目の映像は、ヴァルター・シュティールさんというドイツ人男性へのインタビューです。シュティールさんはドイツ国鉄に勤めていた人です。

映像1　『ショア』DVD 2-1、1:31:25-1:43:18 (ch. 10)

映像の最初と最後には汽車が走っていく様子が映されていました。シュティールさんは鉄道ダイヤの編成の仕事をしていたと話しています。自分が関係者だという自覚があるのか、撮影の許可をくれなかったみたいで、隠し撮りの映像です。隠し撮りの映像はやはり画質が悪いですが、でもそれが独特の雰囲気を出しています。カメラの向きの調整がうまくいかないのか、画面がかなり揺れているところもあります。私はドイツ語がわからないんですが、シュティールさんは速い口調の人なのかなと思います。インタビューのはじめは冷静に答えていました。しかし話題がユダヤ人移送のことになって、彼自身が絶滅について知っていたのかといったセンシティヴな話になると、シュティールさんは少し興奮した様子になります。彼は「ユダヤ人の絶滅作戦があったなんて、自分は知らなかった」と強調しています。

ちなみにここでランズマンは仮名をつかっています。映像の字幕にはないのですが、シュティールさんがランズマンに対して、「少しも驚くことはありませんよ、ソレル博士」と呼びかけているところがあります。[*5] つまりランズマンは自分の身を隠してインタビューしているわけです。そして元ナチスの人たちも自分のことを隠そうとしてカメラ撮影を拒んでいます。もちろん彼らが隠す理由とランズマンが隠す理由はちがいますが、しかし自分を隠すということは同じであるように思えます。

## 3　歴史修正主義

シュティールさんはドイツ国鉄の東部鉄道総管理局というところで、鉄道ダイヤの編成をしていた。この東部鉄道はユダヤ人絶滅において中心的な役割をはたした鉄道システムだったといわれています。[*6] シュティールさんによると列車には二つのタイプ、通常列車と特別列車があったということです。[*7] 特別列車は予約が必要な団体旅行で、団体料金だった。ユダヤ人が移送されたのはこの特別列車で、運輸省の指示があってはじめて運行されるということでした。シュティールさんは、「自分は目的地の名前は知っていた、だけどその目的地が殺戮《さつりく》の場所だとは知らなかった」といいます。長いですが見てみましょう。

**引用3**　〘ランズマン：〙たとえば、トレブリンカが絶滅収容所の意味だということは、ご存じでしたか？〘シュティール（ドイツ人男性、ドイツ国鉄の元第三三課課長、元ナチ党員、ドイツ語）：〙もちろん、知るわけないでしょう！〘ランズマン：〙ぜんぜん、ご存じなかったと？〘シュティール：〙もちろんですよ。なんてことをおっしゃるんです！　私どもが、どこから知ったとでも……？　だいたい私は、トレブリンカに足を踏み入れたことがないんですからね。クラクフや、ワルシャワにいて、デスクに釘付けだったんです。〘ランズマン：〙すると、あなたは……。〘シュティール：〙根っからの、役人だったんですよ。〘ランズマン：〙そりゃ、もちろんそうでしょう。なるほど。でも、驚きますね。〘シュティール：〙いや、何も知りませんでした。〘ランズマン：〙ダイヤ編成課で働いていた人が、〈最終解決〉のことを少しも知らなかったとは。〘シュティール：〙なにしろ、戦争だったんですからね……。〘ランズマン：〙鉄道関係者で……、知っていた人は、ほかに、いたんじゃないですか。たとえば、車掌とか……。〘シュティール：》いないですね。そりゃあ、車掌は、目にはしたでしょう、彼らはね。だからといって、あのことについて、この私が……。《ランズマン：》あなたにとって、トレブリンカとは、何でしたか？《シュティール：》ええ、ええ、ウシュヴィッツとは？　あるいは、アトレブリンカ、ベウジェッツなどは、私どもにとっては、強制収容所のことでした。《ランズマン：》列車の目的地で……《シュティール：》目的地、それだけですよ。《ランズマン：》死とは、関係なかったと。《シュティール：》そのとおりですよ……。[*8]

この引用の前半で、シュティールさんは「もちろん、知るわけないでしょう！」「もちろんですよ。なんてことをおっしゃるんです！」といっています。このときシュティールさんは緊張しているのか、椅子から少し立ち上がって、また座り直します。声も大きくなり、言葉も速くなる。ほかのところでも椅子から立ち上がったり大げさな身ぶりをしたりして、「知っているなんてありえない」という感じを伝えています。

シュティールさんは、車掌は現場にいたから知っていたかもしれない、だけど自分は知らなかった、ただデスク・ワークばかりで外のことは知らない、時刻表をつくっていただけだといいます。まあ、本当に知らなかったのかもしれません。あるいは逆に、関係者はみんなある程度知っていて、知っているからこそあらためて話にのぼらなかったということかもしれません。そこでランズマンは、じゃあ絶滅のことをはっきりと知ったのはいつだったのかと聞きます。

**引用4**　《ランズマン：》正確に知ったのは、いつでした？《シュティール：》広く知れわたった時ですよ。しかし、話は、ひそひそと、ささやかれてはいましたが、公然と話題になったことは、ありません。そいつは、絶対にない。そんなことをすれば、すぐに捕まってしまったでしょうよ！　ただ、そこここで、話の種に……。《略》そうですねえ、たしか、一九四四年の末頃だったですかね……。たぶん。[*9]

今回の**引用1**で「移送は一九四二年早春に始まった」といわれていましたが、シュティールさんが知ったのはい

「一九四四年の末頃」だと答えています。一九四四年末といえば、戦争の末期です。最後のあたりまで何も知らなかったというわけです。そういえば第7回の**引用9**においても、一般のドイツ人は戦争中にユダヤ人の移送を見ていたにもかかわらず、戦後になると、「いや、自分は何も知らなかった」と主張する、そういう事態があることを見ました。こうしたドイツ人の心理についてどのように理解したらよいのでしょうか？　ある歴史研究者によると、普通のドイツ人にとってユダヤ人の運命というのはとくに重要ではなくて、むしろ自分たちの生活のほうを大事にしていたといいます。

**引用5**　多くのドイツ人は、ユダヤ人たちはもうすでに生きていないのではないかと考えるようになったが、彼らが死んだという論理的結論を引き出したわけでは必ずしもなかったし、死んだかどうかを究明することにも関心を持たなかった。日々の生活の困難さ、戦時経済、連合軍の空襲といった状況が、そのような不快な疑問からドイツ人の考えをそらさせたし、ユダヤ人の運命に関する議論は公的に禁じられた。ドイツ人は戦争の終結時にも「最終解決」について知らなかったという多く――多分ほとんど――のドイツ人の断言は、部分的にのみ正しい。その問題はその間、意識の外に押し出されていっていたのである。[*10]

結局のところ、ユダヤ人が生きているのか死んでしまったのか、それは多くのドイツ人にとってどうでもよかった。意識しないで生活できた。ユダヤ人がどうなったかということを話すのは禁止されていたみたいですが、そもそも話そうと思う人がいなかったということです。人々はもっぱら自分の生活、たとえば経済的なこととか、町に爆弾が落とされる可能性とかについて考えていた。ですから「自分は知らなかった」というのはある意味で正しいわけです。だけど正確にいうなら、「なんとなく知っていたが知ろうとしなかった」ということであり、「知っている」と「知らない」がどちらもあるような状態です。これは第7回でも取り上げた両義的な知覚です。ランズマンはさらにシュティールさんに聞きます。

**引用6**　《ランズマン：》でも、ナチやヒトラーが、ユダヤ人を好いてなかったことぐらいは、ご存じだったでしょう？〘シュティール：〙それはもちろんです。周知のことでした。どこでも読めたし、秘密じゃなかった。でも、彼らが絶滅されるという話はね、まったくの初耳でしたよ！　今日だって、そのことに異論を唱える人々がいるじゃありませんか。「そんなにたくさん、ユダヤ人がいたはずがない」って。この言い分が正しいかどうか、私にはわかりません。ただ、そんなふうな話も出てはいます。[*11]

シュティールさんによると、ユダヤ人絶滅に異論を唱える人がいる。六〇〇万ものユダヤ人が殺されたというけど、そんなに多くのユダヤ人がいたはずがない、そう主張する人がいるといいます。たしかにそういう人がいます。そういう人たちを「歴史修正主義者」といいます。「アウシュヴィッツの残虐行為を些細なことだと言ってみたり、それは実在しなかったなどという人間は、果してたくさんいるのだろうか。答えは「イエス」である。そして、そういう人間はドイツに限らず存在する。〘略〙アウシュヴィッツを無害化し、否定し、歴史を偽造するような文献は、しばしば「修正派」とも言われる」。[*12]彼らの視点からすれば、まちがった歴史を正しいものに修正するわけです。アウシュヴィッツで虐殺はおこなわれなかった、あるいは殺害されたユダヤ人はそれほど多くなかった、そう主張して絶滅を否定したり過小評価したりする。[*13]たとえば「自分はSSとして勤務していたけれどガス室なんて見たことがない」とか、「当時の技術ではそんなガス室をつくることはできない」といったりする。この考えは、「自分たちの犯罪を認めたくない」「自分の国はそんなに悪くないはずだ」という思いからくるのかもしれません。たしかにそう思いたくなるのは理解できます。だけど歴史修正主義が問題なのは、ひとりひとりの犠牲者が生きた痕跡、生きた世界そのものを消し去ってしまうということにあります。[*14]

これまで見たようにユダヤ人虐殺というのは、ヒトラーだけがおこなったのでもないし、ナチスだけがおこなったのでもない。多くの人がかかわっていて、ドイツという国全体がやらかしたことだということがわかってきました。だけどそれを認めたくない人がたくさんいる。そうした修正主義の考え方についてシュティールさんは肯定していないし、だからといって否定もしていません。自分にはわからない、だけどそのように主張している人もいるんだといっています。このシュティールさんの姿勢はとても特徴的であるように思えます。

## 4　悪の陳腐さ

シュティールさんがいうには、自分は机で時刻表をつくっていただけだから、絶滅がおこなわれていたとは知らなかった。知ろうとしなかった。これは「なんとなく知っているけれど知ろうとしなかった」ということです。いわれるだけのことをやって、自分で考えることをしない、知ろうとしない、それが多くの人の生活だった。だからナチスの行為に疑問をもつ人、声を出す人がいなくなって、ユダヤ人絶滅が進められていった。だれもが絶滅の巨大なリズムに巻き込まれ、しかしそれについて考えないという姿勢をとることで、だれもがその絶滅のリズムを再生産していったわけです。

それに対してランズマンは次のように主張します。いや、彼らは知っていた、自分たちが悪いことをしているとちゃんとわかっていたというのです。

**引用7**　〔ランズマン：〕私はハンナ・アーレントの悪の陳腐さという説には断固として反対です。これらの人々はそれぞれ、これらの意識はそれぞれ、自分たちが何をしているかを知っていたし、自分たちが何に参加しているかを知っていました。トレブリンカの警備員〔ズーホメル〕、鉄道の官僚〔シュティール〕、ワルシャワ・ゲットーの管理者〔グラスラー〕は知っていたのです。*15

ランズマンは、シュティールさんたちは絶滅についてよく知っていたはずだといいます。そして、アーレントが提示した「悪の陳腐さ」または「悪の凡庸さ」という考え方を批判しています。英語でいうと banality of evil という言葉です。

ランズマンの説明にしたがうと、悪の陳腐さとは「小さな悪をおこなうこと」であるかのように見えます。つまりシュティールさんたちは、自分の仕事が巨大な悪につながることを知っているが、それでも実際しているのは運行の管理というデスク・ワークなんだから、自分は大して悪いことはしていない、わずかに悪いことしかしていないということです。悪の陳腐さとは、ほんの少しだけ悪いことだというわけです。

しかし、このランズマンの理解の仕方にはやや問題があるように思えます。というのもアーレントの文章を読んでみると、悪の陳腐さは、ランズマンが考えているのとはちがう意味をもっているからです。アーレントのいう悪の陳腐さとは、ほんの小さな悪ということではなくて、自分がいかなる悪に加担していてもそれについて思考しないでいられるということです。ユダヤ人移送のための中心的な機関にいた人物で、アドルフ・アイヒマンという人がいます。アーレントは戦後にアイヒマンの裁判を傍聴するのですが、とてもショックを受けます。というのも、そんなにも悪いことをした人であれば、悪についてて何か特別な動機をもつ人物なのではないか、悪魔や怪物のように、根源的なレベルで悪をそなえた人物なのではないか、そんなふうにアーレントは思っていたのに、アイヒマンがまったくそうではなかったからです。[*16]

アーレントによると、アイヒマンは凡庸な人物、陳腐な人物だった。とはいっても愚鈍というのではなくて、むしろ何も考えていない、奇妙なほどにまったく思考することができない、そういう人物だったといいます。[*17]

第14回で見たように、アーレントにしたがうなら、思考するとは自分自身と話し合うことです。たとえば自分の仕事がユダヤ人移送の手配や調整である場合、その仕事が直接的な殺害ではなくても結果的には殺人につながるというとき、自分自身に問いかけるということです。「この先私は、殺人に加担した自分とすごすことができるのか」と問いかけることです。アイヒマンは自分に問いかける必要を感じなかった。というのも彼は、自分がどんな人であっても、気にすることなくその自分とともに暮らすことができる、そういう人だったからです。アイヒマンは思考を知らず、自分と話し合うことを知らない。アーレントによると、それこそが悪の凡庸さ、悪の陳腐さです。そしてそれはきわめて危険なことだといわれています。アーレントの言葉を見てみましょう。

**引用8** 《略》可能性が高いのは、自分はどんな人とでも、〈ともに暮らす〉ことができるという人が現れることです。実はこちらの方が心配なのです。道徳的に見ても政治的に見ても、この無関心さは、きわめてありふれたものではありますが、きわめて危険なのです。／同じように危険なのは（危険性は少しは小さくなりますが）、そもそも判断することをすべて拒否するという傾向が広がっていることです。自分の手本を選択すること、ともに暮らしたい人を選択することができない場合、そもそも選択する意志がない場合、そして判断することで他者とかかわることができないか、かかわる意志がない場合には、真のつまずきの石（スカンダロン）が生まれます。《略》そこに悪の陳腐さがあるのです。[*18]

どんな自分であっても、考えることなくいっしょにやっていけてしまう、またはいっしょにやっていきたいというような自分の手本についての判断をやめてしまう。これが悪の陳腐さだということです。「私は自分の手で殺害しているわけではない。たんに上層部からいわれたことをしただけである。ユダヤ人移送のための運行表をつくっていただけである」というわけです。もちろんどの地位にいたのかといった問題はあります。だけど思考することをやめたという点については、シュティールさんもアイヒマンも同じです。どちらの場合も、自分がたとえどんなものであっても気にせずにいることができるわけです。

ここでの悪は、たしかに巨大な悪ではあるのですが、だからといってしっかり自覚された悪ではない。むしろ意識されないうちになされる悪であり、流されるかのようにしてなされる悪です。

悪についての議論としては、一八世紀ドイツの哲学者であるカントを見ておく必要があります。カントは「根源悪」という概念を提示しました。どういうことかというと、人が普遍的なものを求めるのではなく自己愛にしたがって自分の幸福を求める、そうした倒錯した心情に身をまかせるとき、それは根源悪だといいます。[*19]いってみれば悪いことをみずから選んでいるということです。だけどアーレントによれば、最大の悪というのはみずから選んでおこなうようなものではありません。最大の悪は、考えることのないままになされてしまうものだ、そのようにアーレントは述べます。

**引用9**　わたしたちが知っている最大の悪人とは、自分に直面せざるをえず、自分のしたことを忘れることができないことを呪いつづけるような人ではありません。最大の悪者とは、自分のしたことについて思考しないために、自分のしたことを記憶していることのできない人、そして記憶していないために、何をすることも妨げられない人のことなのです。／人間にとっては、過去の事柄を考えるということは、深いところに向かって進むということであり、自分の〈根〉をみいだし、自分を安定させることです。そうすることで、時代精神《ツァイトガイスト》や〈歴史〉やたんなる誘惑などの出来事によっても、押し流されないようになるのです。最大の悪は根源的《ラジカル》なものではありません。それには〈根〉がないのです。根がないために制限されることがなく、考えのないままに極端に進み、世界全体を押し流すのです。[*20]

ここで「根源的な」悪という英語は、radical な悪です。radical の語源はラテン語の radix という言葉で、これは「植物の根」「付け根」「山のふもと」といった意味をもっています。ですから radical な悪とは、根っこみたいに深いところにある悪ということです。だけどナチスの巨大な悪をなしているのは、そういう根源的な悪ではない。植物の根のように深いものではなく、むしろ根っこをもたないもの、何かあればすぐに押し流されてしまうようなものです。自分のしたことを覚えていないので、自分に問いかけることもしない。[*21] だから悪を選ぶというのではなくて、そもそも考えることをしないわけです。そのように根源的ではないからこそ、どんな方向にでも進むことができる。引用の最後にあるように、「考えのないままに極端に進み、世界全体を押し流す」というわけです。

アーレントの視点からいうと、ナチスに加担した人は考えることを知らない。彼らは、ランズマンがいうように、小さな悪をしたというわけではありません。むしろ彼らは、自分がどんな人であっても受け入れることができたということです。自分の根をもつことがない、そのためにまわりに流される、いわばその時代のリズムに流されるということです。ナチスにいた人というのは、まわりのリズムのなかで自分を問い直す必要がなかった人であり、自分のリズムを打ち立てることのなかった人だというわけです。

それでは逆に、「自分のリズムをもつ」とはどういうことなのか？　この問いに決定的な答えはないと思います。今の私の答えをいいますと、自分のリズムをもつとは、自分のうちに自分と他人を存在するようにさせることではないかと思います。そして、自分のなかの自分と他人の対話をとおして、違和感が生じたときにどちらかがストップをいえるようにする、そういうことではないかと思います。[*22] 別の言葉でいうと、自分のただなかに差異をもち込みながら、それでもひとりの自分であるようにする。自分を差異化させながら同一化する。これが自分のリズムをもつということだと思います。それは隠された本当の自分とか真の自分とかいうのではないし、まわりに流されてしまうのでも自分を捨てるのでもない。いってみれば、他人でありつつも自分自身である、そういう状態を「自分のリズムがある」というのではないかと思います。自分のリズムをもっていれば、絶滅の巨大なリズムに巻き込まれるとしてもそのリズムをみずから再生産しないで済むのではないか、絶滅の波を止めることは不可能だけれどその波に押し流されたりしないで済むのではないか、そんなふうに思います。

## 5　『ショア』を見る（映像2）

もうひとつの映像には、これまで何度か出てきた歴史学者のヒルバーグさんが登場します。彼はユダヤ人を移送する列車の運行について話します。

映像2　『ショア』DVD 2-1、1:43:18-1:57:14 (ch. 11)

場所はヒルバーグさんの自宅の書斎のようです。ヒルバーグさんは実際の運行指令書をもとに話しています。ヒルバーグさんが椅子に座って書類を見ている肩越しで、ランズマンもその書類を見ていました。とても近い距離です。ある列車がトレブリンカに何時何分に到着し、何時何分に出発するのかというこまかいことを話していました。ヒルバーグさんは、移送列車の番号が九二二八の次には九二二九、九二三〇というふうに順番どおりつけられていて、絶滅のための重大な移送なのにまったく工夫がないといいます。そのときヒルバーグさんは、この平凡な番号のやり方につい吹き出してわらっています。その一方で、運行指令書には絶滅の具体的なプロセスがあることを確認すると、少し興奮して怒るような表情にもなっていました。

## 6　移送の運行指令書

ヒルバーグさんは、運行指令書を見ながら説明します。

**引用10**《ラウル・ヒルバーグ（男性、歴史学者、英語）：》当然のことながら、一枚の指令書で済むので、二枚書く必要はなかった。収容所へ向かう列車と空《から》の列車を一枚で済ませたからだ。ここに、〈ＰＫＲ〉と書かれているのは、運行計画にしたがって、目的地へ向かう、〝死の列車〟を指す略号である。だが、この略号はまた、トレブリンカに到着した後、今度は、そこから出発する空の列車をも示している。回送列車だということは、空（レーア）の頭文字〈Ｌ〉が、ほら、ＰＫＲの前に記入されていて、わかる仕組みになっている。[23]

この書類を見れば、ユダヤ人が特定の駅にどんどん運ばれているのがわかります。行きにはたくさんの人を乗せて、[24]帰りにはだれも乗っていない。それが毎日つづく。この運行の仕方を見ればだれでもおかしいと思いますよね。「そんなにも多くの人を下車させたままで、その駅では何がおこなわれているのか」という疑問が出てきます。だけど**映像1**のシュティールさんは、「自分は運行ダイヤを編成していたけど何も知らなかった」といっていた。本当に知らなかったとすれば、ダイヤ編成の課長であるにしては非常におろかな人だったと思います。逆にもし知っていたとすれば、先ほど指摘した「悪の陳腐さ」のように、自分が殺人につながる仕事をしても気にせずそのような自分とすごすことができる、そういった人だったのだろうと思います。

**引用11**　《ヒルバーグ：》列車番号が、運行のたびに、変わるだけで、また、トレブリンカに戻る。またしても、遠距離を走行したのち、トレブリンカに到着すると、そこから、また別の場所に、向かう。状況も同じなら、運行方法も同じ。トレブリンカへ向けて、再出発して、最後に、チェンストホヴァ着が、九月二十九日。こうして、振り出しに戻る、というわけ。これが、いわゆる〈運行指令書〉の中身なのだ。回送列車は別にして、〝積荷〟のある列車を数えると、一本、二本、三本、四本……、このたった一枚の紙切れだけで、おそらく、ユダヤ人の死者、一万、を数えることができる。《ランズマン：》一万は、超えますね！《ヒルバーグ：》控え目に、見積もってだ。《ランズマン：》そう、じつを言うと、このような書類を見て、異様な気持ちにとらわれるのは、そのためです。というのも、私は、トレブリンカに行きましたけれど、トレブリンカと、記録文書――この二つをいっしょに、見つめていると……。《ヒルバーグ：》こうした書類を、手にする時、とくに、オリジナルの文書の場合だが、当時の本物の役人が、実際に手に握っていたものだということを、強く実感するね。これこそ、あの時代の、生きた史料なのだ。残っているのはこれだけで、死者は、もう、いないのだから。[*25]

この引用の前半ですが、「こうして、振り出しに戻る、というわけ」とヒルバーグさんが話すとき、となりに座っているランズマンに顔を向けて、少しのあいだ黙ります。その表情は、移送列車のサイクルが絶滅作戦のかなめであることを伝えているかのようです。この運行指令書が意味しているのは、一万を超える人々が強制的に殺害されるということです。もちろんこの紙に殺害とか虐殺と書いてあるわけじゃない。しかし、これらの列車が線路をめぐってユダヤ人を乗せ、そして降ろす、また次の駅へ向かう、そうしたサイクルが完成することで絶滅が可能になるわけです。[*26]そのように考えるとこの指令書は、絶滅運動を可能にするひとつの要素だといえます。[*27]絶滅の運動をひとつの音楽としてたとえるなら、この運行指令書はその絶滅音楽の楽譜であり、それもこまかいパート譜の一部分といえるかもしれません。このことを実感しているのか、ヒルバーグさんが「このたった一枚の紙切れだけで、おそらく、ユダヤ人の死者、一万、を数えることができる」というとき、そしてランズマンが「トレブリンカと、記録文書——この二つをいっしょに、見つめていると……」というとき、二人ともいくらか興奮して怒っているように感じられます。

このようにドイツ国鉄をはじめ、多くの機関が絶滅作戦にかかわっていた。次の三つのヒルバーグさんの言葉を見てください。

**引用12**　《ヒルバーグ：》ドイツ国鉄は、原則として、運賃の支払いさえあれば、どんな種類の積荷でも、運ぶ用意があった。この基本的な考え方から、定められた料金表どおりに、キロ当たり、いくらいくらのペニッヒ［ドイツの貨幣単位《略》］を支払いさえすれば、トレブリンカ、アウシュヴィッツ、ソビブル、あるいは、どこへだろうと、ユダヤ人を移送する用意があったわけだ。基本的な運賃体系は、戦争の全期間を通じて、変わらなかった。十歳未満は、半額で、四歳未満は、無料。料金は片道だけ。監視兵だけは、むろん帰りの運賃もかかった。[*28]

**引用13**　《ヒルバーグ：》運賃の支払い機関、つまり、列車の注文を出した機関は、アイヒマンの働いていたゲシュタポで、しかも、この機関は、財政上の問題を抱えていたために、ドイツ国鉄は、団体料金を認めていた。そこで、ユダヤ人は、最低四〇〇人からの団体に適用される貸切料金と同じような、団体用優待運賃で運ばれることになった。[*29]

**引用14**　《ヒルバーグ：》というのは、いいですか、あらゆる旅客業は——貸切旅行だろうが、個人だろうが、どんな種類の旅行でも——、たった一つの旅行会社が、取り仕切っていたからだ。すなわち、〈中欧旅行社〉で、これが料金の請求や、切符の発売等の業務にあたっていた。《ランズマン：》えっ、ほんとに、普通の旅客を扱うのと同じ旅行社がですか？《ヒルバーグ：》まったくそのとおり。同じ正規の旅行社ですよ！　そこが、ユダヤ人を、ガス室に送りもし、ヴァカンス客を、お好みのリゾート地に送ってもいたのだ。[*30]

ドイツ国鉄は、通常のお金の支払いさえあればどんな運行でもする。旅行だろうが、殺害のための移送であろうがかまわない。一定の人数がそろえば料金は団体料金となる。そしてユダヤ人の移送には国鉄だけではなく、一般の旅行会社も深くかかわっていた。というのも普通の旅行会社が、一方ではヴァカンスのお客さんの手配を、他方ではユダヤ人を収容所に送る手つづきをしていた。どちらの場合も、乗った人数のお金が支払われれば問題ないということです。このように見ると、ドイツという国全体、国民の全体がユダヤ人絶滅に加担していたように思えてきます。

もちろんすべての国民が絶滅のプロセスを知っていたわけではないと思います。どの会社にいるのか、どんな仕事をするのかといったちがいによって具体的に知っていることは変わります。だけど移送の手配についていえば、「悪の陳腐さ」にしたがってすべてを受け入れる姿勢が共有されていたように思えます。「たとえ殺害につながる仕事であるとしても、自分はデスク・ワークをしているだけである。そういう自分と暮らしていくことに苦痛は感じない」、そういう人が多かった。そのために絶滅の波に押し流されていったわけです。

ランズマンはさらに進めて、こんなふうにいいます。ユダヤ人絶滅というのはひとにぎりの狂った人たちがおこなったのではなく、ドイツ国民の全般的な合意にもとづいていたんだ、国家の行政装置の全体が能動的に、そして受動的に参加していたんだ、そのようにいっています。[*31] またランズマンはより強い仕方で次のように書いています。

**引用15**　ホロコーストは唯一のものではあるが常軌を逸したものではない。それは責任能力のない、普通ではない犯罪者グループの所業ではなく、反対に、西洋文明のもっとも深いところにある傾向のあらわれとして見なくてはならない。居場所のない人々を殺すことに対して、全員が根本的に賛成していたのである。[*32]

おそろしいことに、大量殺戮は「西洋文明のもっとも深いところにある傾向のあらわれである」といわれています。ホロコーストは歴史において不条理な出来事というのではなく、むしろヨーロッパ文明の本質をあらわしたものだということです。ランズマンにしたがうと、ヨーロッパの人々は外来者に対して根深い敵意があり、殺意があるといいます。でも私としては、そのようなはげしい敵意、根の深い敵意があるというのではなく、アーレントがいっていたように、むしろ根っこのない姿勢というか、すぐまわりに流されてしまう傾向があるのではないかと思います。殺害を能動的に選ぶというよりも、まわりに殺害があってもそれほど気にならないといった傾向です。そうした姿勢が広まっているからホロコーストは起きた。そう考えると、自分自身と対話すること、自分自身でありながらも自分のなかに差異を生み出すということ、つまり、自分のリズムを立ち上げるということは、きわめてむずかしいことなんだと思います。この講義では「リズム」という言葉をつかって考えていますが、実はリズムの問題というのは、歴史と私たち自身にかかわる大きな問題だといえるかもしれません。

　最後に、**映像2**のヒルバーグさんの言葉を見てみましょう。

**引用16** 〘ヒルバーグ：〙SSや軍は、没収したユダヤ人の財産や、差し押さえた彼らの銀行預金でもって、移送経費をまかなっていた。〘ランズマン：〙すると、ユダヤ人自身が、彼らの死の費用を払っていたことになりますね！〘ヒルバーグ：〙まったく、そのとおり。決して忘れてはならないことだが、〝絶滅作戦〟には、予算が計上されてなかった。これが基本原則だ。没収財産を、支払いに充てなければならなかったのは、このためなのだ。[33]

ナチスはユダヤ人移送の料金を払わなきゃならない。だけどお金がない。予算がないからです。そこでユダヤ人から取り上げたお金で払ったという。もともとナチスはユダヤ人の財産を奪うことで国の財政をよくしたいと考えていたのですが、まったくそうはならなかった。たとえばユダヤ人が多く住んでいたポーランドでは、ユダヤ人から収奪した金額とユダヤ人労働力の損失の金額を差引勘定すると、移送の経済的効果はマイナスだったようです。[34] また全体的なプロセスを見ても、ユダヤ人絶滅は利益を生み出すものではなく、絶滅が進むにつれて収入が減少し、出費は増加していったといわれています。[*35] 絶滅というのは、経済的な観点から見るとまったく不合理だったわけです。

こんなふうに見ると、ホロコーストというのはドイツという国全体がおこなった犯罪であり、この犯罪は経済的観点からも失敗に終わっている。あまりにも大きく、あまりにも不合理な犯罪だということです。となると、ドイツ人としてはちょっと否定したくなる、あるいは修正したくなるかもしれません。それが歴史修正主義の考えです。「いや、たしかに悪かったけど、でも本当にそんなに多くのユダヤ人が殺されたのかなあ」とか、「そんなに失敗ばかりだったのかなあ」と思いはじめる。別の仕方で歴史を見ようとする。もちろんこういった歴史の問題はドイツだけにあるというわけじゃありません。たぶんあらゆる国や地域でそういう問題があるんだろうと思います。それをどう解決するのかということは私にはわかりません。しかし『ショア』を見て考えることによって、歴史をとらえることがどれだけむずかしいのか、まずはそれを理解できるとよいなと思っています。

## 7　まとめ

①ドイツ国鉄をはじめとするたくさんの機関がユダヤ人移送に協力した。
②ユダヤ人移送システムが機能してはじめて、ホロコーストが可能になった。
③ホロコーストを否定したり過小評価したりする歴史修正主義者が多くいる。
④絶滅に協力した人は、どんな自分でも受け入れてしまう悪の陳腐さを示している。
⑤悪の陳腐さから逃れ、自分自身と対話して自分のリズムをつくるのはむずかしい。

＊1　ヒルバーグ『ヨーロッパ・ユダヤ人の絶滅（上）』前掲、四一二頁。
＊2　ラカー編『ホロコースト大事典』前掲、二三三一二三三頁。
＊3　ヒルバーグ『ヨーロッパ・ユダヤ人の絶滅

（上）』前掲、三一一頁。

＊4　芝健介「ドイツにおけるホロコースト認識の現在」（1995）、ティル・バスティアン『アウシュヴィッツと〈アウシュヴィッツの嘘〉』所収、石田勇治ほか編訳、白水社、二〇〇五年、一五六頁。

＊5　ランズマン『ショアー』前掲、三〇五頁。

＊6　ヒルバーグ『ヨーロッパ・ユダヤ人の絶滅（上）』前掲、三六九頁。

＊7　ランズマン『ショアー』前掲、二九七－二九八頁。

＊8　前掲、三〇一－三〇二頁。

＊9　前掲、三〇二－三〇三頁。

＊10　ラカー編『ホロコースト大事典』前掲、二四一頁。

＊11　ランズマン『ショアー』前掲、三〇四－三〇五頁。

＊12　バスティアン『アウシュヴィッツと〈アウシュヴィッツの嘘〉』前掲、八四頁。

＊13　こうした主張によって「ホロコーストは平凡なもの、陳腐なものとされたり、常軌を逸したことでしかないという口実のもとに歴史から排除されたりして、否定されていく」。Lanzmann, « De l'Holocauste à *Holocauste* ou comment s'en débarrasser », *op. cit.*, p. 429.

＊14　芝「ドイツにおけるホロコースト認識の現在」前掲、一五六頁。「ガス室がなかった」と述べることは、現在においてナチスの殲滅《せんめつ》システムを補完するということであり、その意味でヒトラーに加担しているとも考えられる。西谷修『夜の鼓動にふれる』（1995）、ちくま学芸文庫、二〇一五年、二四五頁。

＊15　Lanzmann, « Les non-lieux de la mémoire », *op. cit.*, pp. 404-405.

＊16　ハンナ・アーレント『精神の生活（上）』（1978）、佐藤和夫訳、岩波書店、二〇一五年、六頁。

＊17　アレント「集団責任」前掲、二九五－二九六頁。

＊18　アレント「道徳哲学のいくつかの問題」前掲、二三七頁。

＊19　廣松渉ほか編『岩波哲学・思想事典』岩波書店、一九九八年、五五五頁。

＊20　アレント「道徳哲学のいくつかの問題」前掲、一五七頁。

＊21　**映像1**では、シュティールさんが「アウシュヴィッツ」という言葉を少しのあいだ思い出せない場面がある。このことはまさに、シュティールさんが自分のしたことを記憶できない人、そして記憶しないためにどんなことでもできてしまう人であることを示しているように思われる。

＊22　アーレントは次のようにいっている。「自分自身

とかみあわない（diapherontai heautos）のは「いやしい人」の特徴であり、連れを避けようとするのは邪悪な人の特徴である。彼らの魂は自分に反抗している（stasiazei）。自分の魂がそれ自身と調和せずに争っているときには、自分自身とどのような対話が可能なのだろうか」。アーレント『精神の生活（上）』前掲、二一九頁。

＊23　ランズマン『ショアー』前掲、三〇七－三〇八頁。

＊24　東部鉄道管理本部は、一本の列車に数千人を積み込んで絶滅収容所に送った。そのさい正確な運賃を計算するために、人数を数えるように命令があったという。ヒルバーグ『ヨーロッパ・ユダヤ人の絶滅（上）』前掲、三六九頁。

＊25　ランズマン『ショアー』前掲、三一〇－三一一頁。

＊26　アイヒマンによると、時刻表の作成は「それ自体、科学」であったという。ヒルバーグ『ヨーロッパ・ユダヤ人の絶滅（上）』前掲、三一五頁。シュティールさんは机で時刻表を作成しており、移送の現場を気にせずに移送の仕事ができた。これはたしかに専門化された科学のような仕事である。こうしてひとりひとりが専門を追求できたからこそ絶滅の仕組みが可能となったといえる。

＊27　ある研究者によれば、ヒルバーグさんにとって運行指令書のような資料を発見することは、「創造」の瞬間に立ち会うのと同じであるという。Noah Shenker, « "The dead are not around" : Raul Hilberg as Historical Revenant in *Shoah* », in *The Construction of Testimony, op. cit.*, p. 122.

＊28　ランズマン『ショアー』前掲、三一一－三一二頁。

＊29　前掲、三一二頁。

＊30　前掲、三一三頁。

＊31　Lanzmann, « De l'Holocaust à *Holocaust* ou comment s'en débarrasser », *op. cit.*, p. 433.

＊32　*Ibid.*, p. 434.

＊33　ランズマン『ショアー』前掲、三一五頁。

＊34　ヒルバーグ『ヨーロッパ・ユダヤ人の絶滅（上）』前掲、三九八頁。

＊35　ヒルバーグ『ヨーロッパ・ユダヤ人の絶滅（下）』前掲、二四七頁。

# 19 無力感と屈辱感

## 1　世界から見捨てられる

ナチスは一九四〇年くらいからユダヤ人を集めて殺していました。一九四二年にはピークになって、その年だけで三〇〇万人のユダヤ人を殺したといわれています。これまで見たように、ドイツ人はうすうす知っていたけどちゃんと知ろうとはしなかった。ではほかの国の人々は知っていたのでしょうか？　結論からいうと他国の政府や国際的な機関もユダヤ人の状況を知っていた、だけど見て見ぬふりをした、助けようとしなかった。ユダヤ人は世界から見捨てられたということです。

たとえばアメリカとイギリスを見てみましょう。[*1] アメリカ政府はユダヤ人虐殺、とりわけアウシュヴィッツについての正確な情報をもっていた。ところがアメリカ政府は最終解決を止めるための行動をとりませんでした。アメリカ政府は、アウシュヴィッツ収容所に通じる線路を爆撃してほしいとユダヤ人機関から要請されていたのですが、それを拒んでいます。またイギリスは、ドイツの軍や警察の電文を解読していて、ナチスの部隊が移動しながら殺戮《さつりく》しているという情報をえます。ですがイギリス情報省は、新聞やラジオに対して、ユダヤ人の大量虐殺をニュースにしないように通達しています。アメリ

ことを示すようなものはない。その一方で、グラッツァールさんの音声に合わせて森のなかの小さな道を進んでいく映像があります。どうやら車の視点のようです。その後森を抜けますが、道はまだつづいていて、原っぱを進んでいく。

　ユダヤ人特別労働班だった二人の話がかなり緊迫しているものであったのに比べて、二人のあいだの元ＳＳ隊員の話は、どこか焦点がずれているように感じます。話し方もなんだか無頓着に聞こえます。もちろんこれは、彼が本当にそうであるということではなくて、ランズマンがうまく場面を切りとり、ユダヤ人たちのあいだに挿入するという編集によってそのように見せているということです。

## 3　無力感のなかで生きる

　それでは内容を確認します。

**引用２**　『フィリップ・ミュラー（ユダヤ人男性、アウシュヴィッツ収容所からの生還者、ドイツ語）：』

ユダヤ人特別労働班員の生命は、殺戮《さつりく》されるための移送者が到着するかしないか、その点にかかっていました。移送者が、多数、到着すれば、特別労働班は膨れ上がります。ドイツ軍に必要不可欠な存在ですから、班員を〝間引き〟するための〝選別〟はありません。反対に、移送者が来ない期間が長引くと、私たち労働班員にとっては、いつ殺されるかわからない事態が到来したことになる。移送者の到着が止まれば、次は、間違いなく、自分たちが抹殺される番だ。労働班員には、このことが、はっきりとわかっていたのです。[*10]

　ミュラーさんたちユダヤ人特別労働班の人々は、到着した人々を導いたり監視したり、殺したあとに服を集めたり、死体を運んだりします。ですから移送がなければ仕事もない。そこで労働班の人数を減らすことがある。選別して、いらない人を殺すわけです。ミュラーさんは幸運なことに、そうした抹殺を何度かくぐり抜けてきた。移送者が増えてくると、また仕事をしなければならない。だけどその仕事があることで自分は生きているのですか

ら、自分の命はまさに殺戮にかかっているわけです。

**引用3**〘ミュラー：〙特別労働班員は、このような極限状況の中に、生きていました。来る日も、来る日も、目の前で、罪のない人たちが、何千となく、煙となって、消えていくのです。私たちは、この目でもって、人間存在の深い意味（was der Mensch überhaupt bedeutet）を、認識することができました。男、女、子供。みんな、罪のない人間なのに、ここへ到着し、そして、突然、だれも手の施しようのないまま……、消えていくのです。しかも、世界は、抗議の声ひとつあげようとしない！　私たちは、世界からも、人類からも、見放されたと、感じていました。そして、ほかならぬ、このような状況のなかでこそ、私たちは、生き延びる可能性の意味を、もっとも、痛切に、理解したのです。というのも、人間の生命とは何か、その無限の価値を、身をもって測ることができたからです。また、生きているかぎり、人間には、つねに希望が残っている、と確信していました。生きている間は、決して希望を捨ててはならないのです。[*11]

このときミュラーさんの顔はつらそうで、苦しそうな表情です。毎日毎日、人々が連れてこられて殺される。自分もすぐに殺される。引用にいわれているとおり、「手の施しようのないまま消えていく」。何もできない、何も変えられない。そういう無力感があります。世界はだれも助けてくれない。世界から見捨てられていたということです。

しかしそういう無力感のなかでこそ、ひとつの認識が出てくる。**引用3**の前半では、「私たちは、この目でもって、人間存在の深い意味を、認識することができました」といわれています。「人間存在の深い意味」という部分は、ミュラーさんのドイツ語をそのまま訳すと、「人間というものはいったい何を意味しているのか」「人間というのはそもそもどういうものなのか」ということです。[*12]次々に殺害がおこなわれ、だれの助けもこない、そのときにこそ人間についてわかるようになった。引用の終わりの部分には、「人間の生命とは何か、その無限の価値を、身をもって測ることができた」といわれています。[*13]たくさんの人間が殺されていく。何もできない。

でも生きていかなくちゃいけない。いやむしろ、そういった無力感、いわば究極の無力感のなかでこそ生きなければならない。そこに人間の生命の価値があるし、人間というものの意味がある。この生命の価値という問題については第21回でも取り上げるつもりです。

この認識というのは、現在の私たちが考えることはむずかしいように思えます。というのも、私たちがミュラーさんの状況におちいることは考えにくいからです。とはいえ私たちだって、何かの出来事に打ちのめされるときがあるかもしれない。そのとき私たちはミュラーさんのいう認識に近づくかもしれません。それは自分の存在、自分の生命があやうくなっている状態です。そのときにこそ「人間っていったいなんなんだろう」という問いが出てくる。それを考えたいわけじゃないのに、自然とそうした問いがわき出てしまう。これが、自分の存在について考えるということなんだと思います。ですから「人間について考える」というのは、難解な本や哲学書を読んで考えようとするということではなく、むしろ絶望や無力感のただなかでふと疑問が頭をよぎるということではないかなと思います。

こうして人間存在の意味というのは、無力感のなかでこそ考えられるわけです。自分の存在をゆるがすような危機的な場面、絶望的な場面のさなかに本当の認識が出てくる。そうした認識の極限のあり方が、ミュラーさんのいっていたことなんだと思います。これは絶対的な無力感に結びついています。だからそういう認識には、できれば近づかないほうが幸せなんだろうとも感じます。

次に登場したズーホメルさんは元SS隊員で、ミュラーさんたちを殺す立場だった人です。ズーホメルさんによれば、ある時期ユダヤ人の移送がなくなったので、ユダヤ人特別労働班員の仕事もなくなったといいます。

**引用4** 『フランツ・ズーホメル（ドイツ人男性、トレブリンカ収容所の元SS伍長、ドイツ語）：』そこで、ユダヤ人たちが反抗しないように、銃殺にも、ガス殺にもせず、食べる物をやらないことにした。すると、伝染病が、発生した。それも、チフスの一種だね。その時から、連中は、もう何も信じなくなった。くたばるままにしておくと、連中は、蝿のように、ばたばた倒れていった。それで、おしまいさ。連中はもう、何も信じられなくなったのさ。我々は、口では何とでも言えた……。「お前たちは、生き残れるよ！」と、私は言った……。我々は、毎日、毎日、そう言ってやったものだ。しまいには、自分でも、信じるようになったほどさ！　ほら、嘘をつきつづけていると、自分でも信じるようになる、というじゃないか。でも、連中のほうは、私に言った。「だめです、隊長。私たちは、死刑の執行だけが猶予されているだけで、死骸と同じです！」[*14]

ユダヤ人労働班員が多かったので、数を減らすために餓死するようにした。ズーホメルさんがその方針について賛成していたのか、あるいはユダヤ人がかわいそうだと感じていたのか、それはわかりません。[*15]いずれにしてもズーホメルさんは、餓死させるという収容所の方針に強く反対したわけではなかったようです。そしてユダヤ人労働班員たちに、「お前たちは、生き残れるよ」といった。毎日いいつづけることで、「しまいには、自分でも、信じるようになった」といいます。労働班員がもうすぐ死ぬというのに対して、ズーホメルさんはとてものんきに見えます。もうすぐ死んでしまうという相手に向かって、「まあ、まあ、だいじょうぶだよ」となだめている。それも毎日なだめつづけるというんです。労働班員の緊迫した様子からずれているような気がします。ちなみにある人はズーホメルさんの話し方について、「なだめるような、とってつけたようなやさしげな声」と述べていますが[*16]、収容所にいたころもそのようにユダヤ人に対応していたのかもしれません。

ズーホメルさんはやさしげになだめたのかもしれませんが、他方ではSS隊員による過剰なサディズムがあったといわれています。たとえばSS隊員が「スポーツをする」と称して、囚人をたわむれに銃撃することがしばしばあったといいます。[*17]そうした遊びはSS隊員の退屈をいやすものとされ、やめさせられることはなかったらしいです。収容所はそういう異常なサディズムが支配していた。

こんなふうに収容所には二面性があります。一方では、ズーホメルさんのようななだめる声がある、「生き残れるよ」とやさしくさとす声がある。しかし他方では、食べものを与えずに飢えさせる残酷さがあり、スポーツと称する遊びの銃殺があるわけです。そうした二面性があるというのは、なかなか理解するのがむずかしい。注目すべきことは、**引用4**にあったように、SS隊員であったズーホメルさんが、「自分で自分のうそを本当だと信じるようになる」と述べていることです。これはつまり、SSが自分の二面性を理解していないということです。SSは自分がやさしくなだめているのか、それとも残虐のかぎりをつくしているのか、自分のしているのはどちらなのか理解していないということです。

先ほどの**引用4**の最後には、ズーホメルさんに対するユダヤ人の言葉があります。「だめです。私たちは死骸と同じです」という言葉です。いいかえるとユダヤ人たちは、SSのしていることを理解していた。SSは自分のしていることをわかっていないけれど、ユダヤ人はちゃんとわかっているんです。「あなたたちのしていることは残虐なことだ。あなたたちは私たちをなだめているのではない。私たちを殺しているんだ」、そうユダヤ人は主張している。さらに「私たちは死骸と同じだ」と語ったということは、自分たちは無力だと感じているということです。自分たちは何もできない、死んでいるのと同じだという無力感があった。ミュラーさんはそういう絶対的な無力感のなかで生き抜こうとしていたわけですが、ここでのユダヤ人はもう生きる力がなくなってしまったように見えます。

## 4　殺害を理解できるのか

ここで再び、SSのことを理解できるのか、理解するべきなのかどうかという問題が出てきます。絶滅収容所におけるSSの二面性が理解できないということは、別のユダヤ人生還者も伝えています。長いですが、次の引用を見てください。

**引用5**　SS隊員は自分たちはヒトラー総統《フューラー》によって責任ある職務をしっかり与えられた精鋭《エリート》だとみなしていた。〔略〕SSはドイツ民族、ドイツ国民の進んだ文化の優秀性やヨーロッパに新秩序を形成し導入する上で彼らの重要な役割を話す。〔略〕〔しかし他方で〕彼らは残虐性、苦痛、刑罰の責苦を実際楽しんだ。時には彼らの極端に野蛮な行動が全く不可解な謎として彼らの本性を現わす。外見上は人間であるが、内面性は自らの行動が明らかにしているように、怪物さながら人肉を喰う獣である。死を運命づけられている囚人たちに合唱隊やオーケストラを作り、ダンス、サッカー、ボクシングをすることを教える――こんな現象をどのように説明できるだろうか。あるSS隊員は、特別な趣味として、移送されてきた少女をレイプすることを開発した。疲れ果てると、トレブリンカの生死を差配する者は、犠牲者たちをガス室に行く死の道へと連なる血も涙もないプロムナードへと誘うのである。こうした極悪非道な化け物が夫としてあるいは父親として家族のためにこつこつと精を出しているのを思い描くことは困難である。しかしドイツでは、上司たちが彼らのことを気にかけ、容易ならざる職務を評価し、何回も賜暇を与えていた。*18

SSは、一方では自分たちがドイツ文化のかがみであると自負している、だが他方では、他人に苦痛を与えて喜び、きわめて野蛮な行動に走る。引用の前半には、彼らの行動は「全く不可解な謎」といわれています。このようなことは説明しにくい、思い描くことはむずかしいとされています。やはりSSの二面性は理解しがたいということです。これはひとりひとりのSS隊員というよりも、SS全体のうちに二面性があるということだと思います。とりわけ理解できないのは楽しんで殺害するという残虐さです。第7回や第16回でも考えましたが、そういったことを私たちは理解できるのかどうか不安になってきます。これについてランズマンは、「殺害の行為は理解できない」と述べています。

**引用6**　《ランズマン：》《問題となるのは》行為に移ることです。つまり、どのように殺すのかということです。以前私は、歴史家たちのセミナーに参加しましたが、私にとっては知的スキャンダルとでもいえるようなものがありました。あたかも調和のとれたかたちで死が発生してくるかのように、歴史的に理解しようとする試みがあったのです。ドイツ、ワイマール共和国における失業、『シュテュルマー』《反ユダヤ主義の新聞》の風刺、あるいはほかの説明、たとえばヒトラーのなかに父のイメージを見るなどといった説明、こうしたことによって民族虐殺を説明しようとするかもしれません。まるでそうしたことから引き起こされることが可能であったかのようです！　私にとって殺害というのは、個人的であれ大量のであれ、理解できない行為なのです。〔略〕歴史家たちが列挙するこうしたすべての前提、こうしたすべての条件というのは真実です。ですが、深淵があるのです。行為に移る、殺すということです。〔略〕ナチスは最初から大量殺害という理念とともに動いていたし、殺したいと思っていました。しかし、殺したいということと行為そのものとのあいだには、深淵があるのです。*19

ランズマンによると、殺害にいたるまでのことと殺害そのものはまったくちがう。いいかえれば、殺害の前提・条件・理由と殺害の行為それ自体とはまったく異なる。たしかに歴史的に見れば、ドイツの経済的な背景とか、ユダヤ人の人種的イメージの表象とか、そういったものから反ユダヤ主義を説明できるかもしれない。つまり、殺害にいたるまでの前提や条件というのは理解できるということです。それに対して殺害そのもの、殺害の行為それ自体はまったく別のレベルにあって理解できないといわれています。ガス室に追い立てていくこと、ガス室の死体を運ばせること、あるいは遊びでユダヤ人労働班員を銃撃すること、こうしたことはそれまでの前提や条件からは説明がつかない。ランズマンはまさに説明がつかないこと、理解できないことを、理解できないままにとらえようとします。理解できないことがどのようにおこなわれてきたのかをさまざまな証言をもとに考えていく、それが『ショア』だということです。

　ユダヤ人生還者プリーモ・レーヴィも、ホロコーストは理解できないものだといい切っています。

**引用7**　私自身は、何人かの堅実な歴史家たち（ブロック、シュラム、ブラッヒャー）の謙遜な態度を好ましく思っている、と言っておこう。彼らは、ヒトラーとその背後にあった、ドイツのすさまじい反ユダヤ主義を理解できないと告白したのだ。／おそらくあした出来事は理解できないもの、理解してはいけないものなのだろう。なぜなら、「理解する」とは「認める」に似た行為だからだ。つまり、ある人の意図や行為を「理解する《コンプレンデレ》」とは、語源学的に見ても、その行為や意図を包みこみ、その実行者を包みこみ、自らをその位置に置き、その実行者と同一化することを意味する。ところが、普通の人はだれ一人として、ヒトラー、ヒムラー、ゲッベルス、アイヒマン、といったものたちとの自己同一化ができない。この事実は私たちをとまどわせると同時に安心させもする。というのは、彼らの言葉が（残念ながら彼らの行為も）理解できないことが、おそらく望ましいからだ。彼らの言葉や行為は非人間的であるのみならず、反人間的で、歴史にも先例が見られない*20。

ここでホロコーストは理解できないもの、もっというと理解してはいけないもの、理解できないことが望ましいものだといわれています。「理解する」という言葉の語源であるcomprehendoというラテン語は、「ひとつにする」「まとめる」「含む」「包含する」「つかむ」といった意味をもっています。レーヴィによれば、ナチスの行為を理解するとは、それを自分のなかに含み込むこと、自分とひとつにすることであり、そんなことはできないというわけです。なので反ユダヤ主義を理解しないほうがよいという。ここには理解することをめぐる解決しがたい問題があるように思えます。

## 5　屈辱感のなかで生きる

**映像1**の三人目は、ユダヤ人特別労働班としてはたらかされていたグラツァールさんです。ユダヤ人移送がなくなると、収容所がからっぽになり、食べものが配給されなくなる。

**引用8**　《リヒァルト・グラツァール（ユダヤ人男性、トレブリンカ収容所からの生還者、ドイツ語）：》そうしたある日——ちょうど飢えが頂点に達した時のこと——SS（親衛隊）軍曹のクルト・フランツが、突然、姿を現わし、私たちの前で立ち止まって、こう、言いました。「いいか……、明日から、移送が再開だぞ！」私たちは、何も言わず、ただ、顔を見合わせただけでしたが、だれもが、こう考えました。「明日になれば、空腹ともおさらばだ」《略》《荷物をたくさんもったユダヤ人が到着すると》私も、仲間も、同じように、無力感と屈辱感に、確実にとらえられました。というのも、われわれは、我先にと、食べ物に飛びついていったからです。ある特別労働班員は、ビスケットのいっぱい入った箱や、ジャムのつまった箱を運んでいる時、わざと箱を、地べたに落としました。そして、相争い、ぶつかりながら、ビスケットやジャムを、口いっぱいに、頬ばったのです。バルカン諸国からの、この移送のために、われわれは、恐ろしいほどの自覚を迫られることになったのです。すなわち、私たちは、トレブリンカ工場の労働者にほかならず、トレブリンカにおける全生産過程……、とりもなおさず、殺戮の過程に依存している、という自覚です。[*21]

ユダヤ人特別労働班員は移送によって生きている。彼らは移送されたユダヤ人がもってきた食べものによって生きているのです。なかにはわざと食べものを落っことしてそれを仲間に食べさせるという人もいる。[*22] 労働班員が意地悪だというのではない。それはナチスが彼らを飢えさせているからだし、そもそもユダヤ人を殺害しているからです。その殺戮によって労働班の人たちは生きている。もし殺戮がなくなったら、食べものが手に入らずに死んでしまう。またはＳＳに気まぐれに殺されてしまう。ユダヤ人殺害があるからこそ生きていけるということです。

この気もちについては、**引用8**の真ん中にあるように、「私も、仲間も、同じように、無力感と屈辱感に、確実にとらえられました」といわれています。グラッァールさんのドイツ語を確認してみますと、[*23]「無力感」は **Gefühl von Ohnmacht, von Machtlosigkeit** という言葉です。これはつまり「何もできない」「力をもっていない」といった気もちです。「屈辱感」は **Gefühl von Scham und Schande** です。これは「恥ずかしい」「不名誉で恥辱を受ける」ということです。

無力感におちいるということは理解できますよね。ミュラーさんも同じでした。だけど「恥ずかしいと感じる」というのはおかしなことです。グラッァールさんは被害を受けている立場なので恥ずかしいと思う必要なんてない。そもそもユダヤ人絶滅がなければこういう状況にならないのですから、恥ずかしく感じるというのは不合理です。だけど、そう思ってしまう。絶滅収容所は普通の世界とちがっていて、さかさまの世界です。殺戮があるから生きていけるし、自分のせいではないのに恥ずかしく感じてしまう。おそらくそれは、自分が人間としてのふるまいができなかったことについて感じる恥ずかしさなのだろうと思います。ほかの人々が殺されることで自分は生きている、殺された人たちの食べものをあさって自分は生きている、このことを意識したとき、自分が人間ではないものであることに気づく。そのときに感じる恥、これが「屈辱感」ということです。

グラツァールさんは屈辱感のただなかにあって、それでも抵抗しようと考えたといいます。

**引用9**　『グラツァール：』われわれは、屈辱感をいだき、このままで済ませてはならない、何かを起こさなければならない、という強い思いに駆られました。しかも、それは、決してささやかな行動であってはならない、という思いでした。[*24]

ここでミュラーさんの発言を思い出してみましょう。ミュラーさんは「人間存在の深い意味」、つまり「人間がいったい何を意味しているのか」を認識したといっていました。それは、無力感のなかで、それでも生きなければならないという認識でした。グラツァールさんによると、恥や屈辱感があるなかで、それでもやはり生きていかねばならないといわれています。ミュラーさんとグラツァールさんの言葉を合わせて考えると、人間とは究極の無力感、さらに究極の屈辱感のなかでも生き抜こうとする、そういうことを意味しているように思えます。

グラツァールさんにインタビューしたのはランズマンだけではありません。ランズマンより前に、ギッタ・セレニーという女性ジャーナリストがグラツァールさんに話を聞いています。セレニーによると、グラツァールさんは高い記憶力と客観性をそなえていて、その証言はとても貴重だといいます。[*25] グラツァールさんはセレニーに次のように述べたといいます。

**引用10**　まず、生き延びようとするはっきりした心構えがなくてはならなかった。しかし同時に、トレブリンカからは一定の距離を保つ心構えも必要だった。その生活に完全に適応しないでいることが、きわめて重要だったんだ。適応することは、その状態を受け容れることにつながる。そうなると、人間は道徳や良心を失ってしまう。『略』生への強い渇望――生命力、生への信仰、そんなものが重要だったんだ[*26]……。

収容所を生き抜くためには、完全に適応してはいけない[*27]。もちろん規則や命令にはしたがう。だけどちがった視点をもちつづける。第7回の**引用8**を見ると、グラツァールさんは、まずは収容所のリズム、収容所の波に乗らなければならないと強調していましたが、それだけではなく、リズムに乗りながらもそこからずれるということが大事だというのです。これはとてもむずかしいことだろうと思います。またグラツァールさんは、こんなふうにも述べています。

**引用11**　『生への渇望があって生き残った人というのは、』とにかく、大切なのは自分自身だけで、ほかの連中はどうなってもいい、と割り切って生き残った人々だ。しかし、彼らは、それでも誰かの助けがあったからこそ、生き残れたんだ。一方では、彼と同じように――ほとんど同程度に――運命を受け容れた犠牲者がいたから、生き残れた。そのことに対して、生き残りも罪悪感は感じている。それは、自分が生き残るために彼らを犠牲にしたというより……。むしろ、彼らのために何もしなかったという……。いや、何もできなかったという感情から来ている[*28]。

グラツァールさんは「生き残りも罪悪感は感じている」と語り、「何もできなかったという感情」、つまり無力感について述べています。グラツァールさんは罪悪感をもっているわけです。大量殺戮をどうにか生き延びることができた身であり、完全な被害者だともいえるのに、罪悪感をもってしまう。これは、第7回の**引用13**でいわれていたことと似ています。生き残ったユダヤ人がやましさを感じる、「なぜみんなといっしょの運命を選ばずに、自分だけ逃げたのか」といったやましさを感じるということです。なぜ罪悪感をもつのか？　それは、収容所で生きるためには残酷でなければならないからです。

**引用12**　もっとも過酷なのは、ここでは奇蹟的に生還した人々が、犠牲者であるにもかかわらず、もっとも深い罪悪感の虜になるということです。《略》たいていの人は死んでゆきます。ましてや哀れみの情を起こしてひとを庇《かば》ったりパンを譲ったりなどすれば、その人が真先に死なねばなりません。そういう意味で、収容所の環境はまったく〈非－人間的〉で、極端にいえば「人非人」であることが生存の唯一の条件なのです。[*29]

第8回で見たように、収容所とは人間が人間であることができない世界、人間が無用である世界です。そこから戻ることができたとき、自分はようやく人間に戻る。だけどまさにそのとき、自分が人間ではなかったことを痛感するわけです。自分は非人間的だった。なのに今は人間であるかのように生きている。このことをどうやって受け入れることができるというのでしょうか？

ここでグラッファールさんの二つの言葉を見てみます。

彼は今収容所にはおらず人間として生きている、だけど収容所という非人間的な世界について、どうにかして説明しようとします。そしてどうにかして、非人間的であった自分を正当化しようとしています。

**引用13**　すべての人間は、最終的には自己の生存を賭けて戦っていた――つまり、生か死か。そこでは正常な行動さえ、突然別の意味を獲得する。何人かの親衛隊は、確かに囚人に対して一見親切な行いをし、「生命の保証をちらつかせていた。」だが、それは自分たちの業績を上げるための方便だった。そこには冷徹な計算が働いていたんだ。それは冷徹以上の何かだったが、私はそれを表現する言葉を知らない。[*30]

**引用14**　とにかく、生き残るために最も重要だったことは、目立たないということだった。あとで言うように、もちろん、それには例外はあったが。原則として、「間違い」を犯さないことが基本ではあった。《略》生きるためには細心の注意が必要だった。とにかく、完璧じゃなきゃ生き残ることはできなかったと思う。[*31]

少しでもまちがえば死んでしまう、完璧でなければいけないというふうにいわれています。**引用13**にあるように、「自己の生存を賭けて戦っていた」というわけです。そのとき彼はどんなこともした。しかし生き延びたあとは、そのことに対して顔を向けられない、恥ずかしい気もちになる。この気もちについて真剣に考えたのがレーヴィです。

**引用15**　おまえはだれか別の者に取って代わって生きているという恥辱感を抱いていないだろうか。特にもっと寛大で、感受性が強く、より賢明で、より有用で、おまえよりももっと生きるに値するものに取って代わっていないか。おまえはそれを否認できないだろう。おまえは自分の記憶を吟味し、点検するがいい。記憶がすべてよみがえり、そのどれもが偽装されたり変形されていないことを願うがいい。いや、はっきりした違反はないし、だれの地位も奪っていないし、だれも殴らなかったし（でもそんな力があっただろうか）、職務は受け入れなかったし（でも提案されたことはなかったが……）、だれのパンも奪わなかった。しかしそれでもそれを否認することはできない。それは単なる仮定だし、疑惑の影である。すべてのものが兄弟を殺したカインで、私たちのおのおのは（しかしこの場合は、「私たち」という言葉をとても広い、普遍的な意味で使っている）隣人の地位を奪い、彼に取って代わって生きている。これは仮定だが、心をむしばむ。これは木食い虫のように非常に深い部分に巣くっている。それは外からは見えないが、心をむしばみ、耳障りな音をたてる。[*32]

これはとても大事な問題だと思います。「自分は死ぬべきだったのに、自分は他人の代わりに生きているのではないか。他人を蹴落として生きているのではないか」。「私は生きているけれど、死んだ人々より価値があるといえるのか。むしろ死んだ人々のほうが生きる価値をもっていたのではないか」。これこそが、生き残ったユダヤ人が感じる恥ずかしさの根源であるように思われます。

ここには、生き残った人と死んだ人は同じなのかという大きな問題があります。収容所にいたころはちがいます。生き残った人は死んだ人を押しのけて食料を手にし、食べものを他人とわけ合うことなくひとり占めしたからこそ生き延びることができた。それに対して死んだ人は、ほかの人を出し抜いたりしなかったし、もしかしたら食べものをゆずったかもしれない。一方は生き抜いて、他方は死んでいった。生き残った人と死んだ人はまったくちがいます。

だけど生き残った人は罪悪感が消えず、恥をもちつづける。それはいいかえると、「自分が死んだ人とちがうものだったことにたえられない」ということです。自分が死んだ人とちがい、冷酷であったり盗みをしたりしたことを認められないわけです。「どうして自分は、あの人のように人間的であることができなかったのか」「どうして自分は、あの人とちがったのか」、そういうふうに自分に不信をいだく。そうして自分にたえることができないからなのか、生還者の多くは自殺するといわれています。[*33] 自殺する人たちは、おそらく、「自分も死んだ人と同じでありたかった」と考えたのではないかと思います。[*34]

こんなふうに、生還者にとって自分が死者とちがうこと、もしくは自分が死者と同じであることは突出した意味をもっている。生還者は死者とちがっていたからこそ生き延びることができたわけですが、しかしまた、だからこそ、ちがうものではなく同じものになろうとするのです。

このことは、ミュラーさんのいっていた「人間存在の深い意味」、つまり「人間がいったい何を意味しているのか」ということとまたもや結びついてくるように思えます。恥とか罪悪感という観点からすると、人間の意味はちがったふうに見えてくる。すなわち、人間が意味しているのは、自分と他人が複雑に絡み合っていることだというふうに思えてきます。生き残った人は、他人と同じでは生き延びることができなかったし、ちがうことで生き延びたわけですが、そのためにこそ他人と同じであることを願う。そこに恥を感じ、罪悪感をもつ。

そのように考えると、人間存在の深い意味というのは、人間が他人との関係において恥を感じることができ、罪悪感をもつことができるということではないかと思います。自分が他人とちがって獣のようであった、あるいは獣以下の存在であった、それについて恥ずかしく思うことができる。そして他人のようにあることを願うことができる。逆にＳＳの多くは恥をもたずにいられるし、罪を感じずにいられる。そして自分と他人をはっきり区別できる。ユダヤ人は自分とはちがうものである。だから殺すことができる。そして、自分が他人のようではないことに罪悪感をもたずにいられる。このように人間が意味するものは、自分と他人の交換可能性につながっているわけです。

## 6　まとめ

①世界はホロコーストを知っていたが何もせず、ユダヤ人を見捨てた。
②無力感のなかでこそ「人間とは何か」を考えて生き抜こうとするユダヤ人がいた。
③ホロコーストは理解できないし理解しないほうがよいという意見がある。
④屈辱感のなかでこそ生き抜こうとするユダヤ人がいた。
⑤ユダヤ人生還者は「自分は他人の代わりに生きている」と感じて恥じる。

＊1　ジョルジュ・ベンスサン『ショアーの歴史』(1996)、吉田恒雄訳、白水社、二〇一三年、一〇二－一〇四頁。
＊2　ラカー編『ホロコースト大事典』前掲、二四二頁。
＊3　ベンスサン『ショアーの歴史』前掲、一〇五－一〇六頁。
＊4　前掲、一〇六－一一〇頁。
＊5　中立国にとって重要なのはユダヤ人を助けることではなく、むしろドイツ政府との良好な外交関係を保つことだったという。ラカー編『ホロコースト大事典』前掲、二四一頁。
＊6　ベンスサン『ショアーの歴史』前掲、一一〇頁。
＊7　教皇はカトリック教会の因習的な反ユダヤ主義にとらわれていると同時に、強固な反共産主義にもとらわれていて、ヒトラーに対抗するつもりはなかったといわれている。グイド・クノップ『ホロコースト全証言』(2000)、高木玲・藤島淳一訳、原書房、二〇〇四年、三二二－三二三頁。ちなみに絶滅政策に公然と反対した

ドイツのある司祭は、大聖堂のミサでユダヤ人犠牲者のために祈った。その後彼は警察にとらえられ、強制収容所に送られる途中で死亡したという。ヒルバーグ『ヨーロッパ・ユダヤ人の絶滅（下）』前掲、一二五五頁。

＊8　ベンスサン『ショアーの歴史』前掲、一二三頁。

＊9　だからといってユダヤ人を助けなかったことは、道義心がなかったからというわけではなく、むしろ計算不能なリスクがあったからでもある。たとえばアウシュヴィッツへの爆撃が焼却場に命中せずに囚人棟にあたってしまったとしたら、ナチスは連合軍の攻撃の結果だとして死体の写真を公表するかもしれない。その意味で「今日いわれているような、連合軍は消極的な態度をとることで大量虐殺を黙認したという非難はまとはずれである。空爆をしていれば何人のユダヤ人が助かったか――あるいは死亡したか――という計算問題は、そもそも設定すること自体がまちがっている」。クノップ『ホロコースト全証言』前掲、三三五頁。

＊10　ランズマン『ショアー』前掲、三一七－三一八頁。

＊11　前掲、三一八－三一九頁。Lanzmann, *Shoah*, Rowohlt Taschenbuch Verlag, *op. cit.*, p. 200.

＊12　ミュラーさんの言葉には「深さ」というニュアンスは感じられない。ランズマンは「人間というものがいったい何を意味しているのか」というミュラーさんのドイツ語を、「人間存在の深い意味（signification profonde de l'être humain）」というふうにフランス語に翻訳している。Claude Lanzmann, *Shoah* (1985), Gallimard, 2018, p. 206. 邦訳書はランズマンのフランス語テキストを翻訳したものなので、ミュラーさんの発言にはなかった「深い」という言葉が出ている。

＊13　ミュラーさん自身の表現では、「無限の価値」という言葉はつかわれていない。ミュラーさんはドイツ語で、「私たちは人間の生命がどういうものなのかを見てきた」といっている。ランズマンはそれをフランス語に翻訳するとき、「人間の生命の無限の価値」といいかえる。ここでも邦訳書はフランス語テキストにそって翻訳されている。

＊14　ランズマン『ショアー』前掲、三二一頁。

＊15　収容所の官吏たちはどんな能力をもっていようとも、ユダヤ人を生かしつづけることだけはできなかったという。ヒルバーグ『ヨーロッパ・ユダヤ人の絶滅（下）』前掲、一八二頁。

＊16　Dayan-Rosenman, « *Shoah* : l'écho du silence », *op. cit.*, p. 257.

＊17　ヒルバーグ『ヨーロッパ・ユダヤ人の絶滅（下）』

前掲、一七八頁。

＊18 サムエル・ヴィレンベルク『トレブリンカ叛乱』(1984)、近藤康子訳、みすず書房、二〇一五年、一二四－一二五頁。

＊19 Lanzmann, « Les non-lieux de la mémoire », *op. cit.*, pp. 400-401.

＊20 プリーモ・レーヴィ『これが人間か』(1947)、竹山博英訳、朝日新聞出版、二〇一七年、二五四頁。

＊21 ランズマン『ショアー』前掲、三二二－三二四頁。

＊22 飢えることとその恐怖を他人に理解してもらうのはむずかしいという。ある生存者は以下のように語る。「あの恐怖をどう表現したらいいのか。今日の朝食も昼食もある人たちに、飢えをどのように説明したらいいのか？ ダイエットや、今日一日は断食をしようという人に、それをどう説明すればいいのか？ 空腹とは、みぞおちが痛むことだ、空腹とは、ジャガ芋一個、あるいはパン一枚のために魂を売り渡そうとすることだ、とでも言ったらいいのか」。ベーレンバウム『ホロコースト全史』前掲、二八六頁。

＊23 Lanzmann, *Shoah*, Rowohlt Taschenbuch Verlag, *op. cit.*, p. 203.

＊24 ランズマン『ショアー』前掲、三二五－三二六頁。

＊25 セレニー『人間の暗闇』前掲、二〇五頁。

＊26 前掲、二一〇頁。

＊27 次の記述は、まるでグラツァールさんのことをいっているように思われる。「《略》自分の力だけを頼りに生存競争を戦い抜いた囚人たちがいる。彼らは流れにさからわなければならない。毎日、毎時間、労苦、飢え、寒さ、そしてそれに伴う無力感と戦わねばならない。敵とはりあい、競争相手を情容赦なく蹴落とし、知恵を働かせ、忍耐心を強固にし、意志を貫かねばならない。あるいは品位を殺し、意識の光を消し、他の野獣に対抗すべく、野獣となって戦場に降り、原始時代に種や個人を支えていた、闇にひそむ思いがけない力に導かれるままになる」。レーヴィ『これが人間か』前掲、一一六頁。

＊28 セレニー『人間の暗闇』前掲、二一四頁。

＊29 西谷『夜の鼓動にふれる』前掲、二四五－二四六頁。

＊30 セレニー『人間の暗闇』前掲、二〇三－二〇四頁。

＊31 前掲、二〇四頁。

＊32 レーヴィ『溺れるものと救われるもの』前掲、一〇三頁。

＊33 西谷『夜の鼓動にふれる』前掲、二四九－二五〇頁。

＊34　レーヴィはある著書で、若くて頑丈だったルネが殺されたのに自分が生き残った理由について、死の選別のときにルネと自分がまちがわれたのではないかと想像する。「一番可能性があるのは、単純な見間違いだ。ルネは走り抜ける順番が私のすぐ前だったから、用紙の取り違えが起きたのかもしれない。私は何度も考えた末に、この考えをアルベルトに話す。ありうることだ、と二人の意見が一致する。私はこのことを将来どう考えるようになるか分からない。ただ、今のところは、いささかもはっきりした感情が湧いてこないのだ」。レーヴィ『これが人間か』前掲、一六六頁。その後レーヴィが「自分はルネの代わりに生きている」と感じたのか、そしてそのことを罪悪として感じたのか、それはわからない。レーヴィは飛び降り自殺を遂げる。

# 20 女性の証言

## 1　男性の証言、女性の証言

ランズマンはたくさんの人の証言を提示するが、女性の証言に比べて男性の証言のほうを重視している、そういうふうに指摘されることがあります。たしかに映画に登場するのは男性が多いです。みなさん、これまでの『ショア』の映像で女性の証言者がいたかどうか覚えていますか？　ほとんどいなかったですよね。女性の証言者が登場する機会は少ないし、登場するときもカメラはその顔に焦点をあてつづけることを避けているように見える、そのようにいう人もいます。*1

この映画でよく注目されるのは、第3回のポドフレブニクさんとか第15回のボンバさんとかです。ポドフレブニクさんはヘウムノの絶滅収容所でユダヤ人特別労働班としてはたらかされていましたが、そのころの話をしながら、ほほえんでいるような不思議な表情をしています。だけどその一方で、遠い眼をして冷たい表情のようにも見える。ランズマンは『パタゴニアの野兎』という自伝を書いていて、そのなかで『ショア』について語っているんですが、ポドフレブニクさんの顔の表情にかんして次のように述べています。「すべては彼の素晴らしい微笑みと涙の顔に刻まれていた。彼の顔はショアの場所そのものだった」[*2]。またボンバさんはというと、トレブリンカ絶滅収容所で理髪師としてはたらかされていた。ボンバさんがそのときのことを話していると、感情がきわまって話をつづけることができなくなるというシーンがありました。あのいたましい沈黙です。このボンバさんの沈黙について、ランズマンはこのように語っています。「カメラは回りつづけた。アブラハムの涙は真実のしるしとして、受肉そのものとして、血と同じくらいに私には貴重なものとなった」[*3]。これらのランズマンの言葉を見ると、彼がポドフレブニクさんとボンバさんの顔に敬意を払っていることがよくわかります。

問題なのは、ここでいわれているのがどちらも男性の顔だということです。女性ではなく男性の顔にこそショアの真理、ショアの真実が刻まれている、そういうふうにランズマンはいっているわけです。これについてある研究者は次のようにいいます。

**引用1** 『パタゴニアの野兎』から読みとるべきことは、予測不能な結果や制御不能な情動といったものの場としての女性の身体に対して、著者が不安を示しているということである。対照的に男性の生存者の顔は、ホロコーストの象形文字ならびに復活として、自伝のなかで繰り返し賞賛されている[*4]。

ランズマンはホロコーストの真理があらわれている男性の顔を大いにたたえる、それに対して女性を情動的なものとみなして、とりわけ女性の身体に対して不安をもっているといいます。ここには男性と女性という対立があるだけじゃなく、顔と身体という対立があるようです。身体というと、なんとなくですが、精神や知性といったものの反対側にあるように思えますね。つまり、身体は理性的なものというよりも感情的なもの、または本能的なものであるという印象があります。となると、男性の場合には精神や理性のはたらきをとおしてホロコーストの真理をとらえることができる、これに対して女性は身体的なものに結びついていて感情に押し流されることが多く、ホロコーストについて理性的に語ることができない、そういった考えにつながります。ランズマンは映画の完成版で女性の証言をほとんど出していないわけですが、それはなぜかというと、女性の証言がコントロールしにくいと感じており、女性の証言に対して不安をもっているからではないか、そういう指摘があるわけです。[*5]

もしそうだとすると、ランズマンの女性への不安はどこからくるのかということが問題になる。その問いに対しては以下のように考えられます。つまりランズマンは差異に不安をもっているということです。いいかえるとランズマンは、「ユダヤ人絶滅の歴史はただひとつしかない」と思っている、その「ひとつだけしかない」という考えがランズマンの不安のもとになっているのではないかということです。

映画においていろんな立場の人の証言が出ているのはたしかです。それらの証言の内容はさまざまですし、ときには証言の内容が食いちがうときもあります。だけど、とりわけ被害者の証言に着目すると、その経験はひとつのパターンしかないように思える。それはつまり、ユダヤ人全体が逃れようのない死のリズムに巻き込まれていくという経験です。さらに、その経験はユダヤ人にとって戦後になってもトラウマとして残っていて、それを思い出して語るときには再び死のリズムに巻き込まれてしまう、涙を流してくずれ落ちてしまう、そういう経験です。それがまさにポドフレブニクさんとボンバさんのシーンです。そう考えると、犠牲者たちの証言はたくさんあるのに、そこには死のリズムにとらえられるというただひとつの経験しかない。まさに「ひとつの物語」しかないということです。[*6]

このときランズマンは、自分の想定する経験や物語にそぐわないものを排除するようになります。とりわけ女性の経験を排除する。そもそも女性がホロコーストについて語るとき、女性特有の話が出てきます。たとえば月経がなくなったとか、レイプされたとか、そういうことが話題になる。あるいは子どもを中絶しなければならなかったとか、自分たちが生きるために子どもを殺さなくてはならなかったとかいう話も出てくる。だけどそうした主観的経験、個人的経験を、ランズマンは映画には取り入れない。[*7] そうした主観性とか個人が見えてくる話というのは自分の映画に合わない、そのようにランズマンは考えているのかもしれません。ランズマンが見ようとしているのは死であり、しかもユダヤ人全体の死である。それに比べて生きること、とくに個人として生きることというのは重視されていないようです。実際ランズマンは自伝のなかで以下のように述べています。

**引用2**　資料も個人的な物語もなく、生者は死者の代弁者となるべく死者の前ではその姿を消し、またかくも並はずれた、かくも魅力的な「私」、個々の運命がかくあるべしとする掟に比してかくも破天荒な「私」は存在しえず、逆に映画は一つの民族全体の運命を語る厳密な全体像――ドイツ語で言うところのゲシュタルト――になるべきであり、その伝達者たちは自分自身のことを忘れ、伝達の義務が彼らに求めるものを驚くほどに自覚し、ただ全員の名において自分が生き延びたことを、無心に、何の誇張もなく、自然のうちに表現する、なぜなら彼らもまた死ぬ運命にあったからである。だからこそ、私は彼らを生存者（survivant）とは言わずに、むしろ「幽霊（revenant）」と考えるのである。*8

注目するべきは生ではなく死である。主観的な経験としての生ではなく、ユダヤ人全員の経験としての死である。だからこそ生きている人は死者の代わりであるかのように語るべきだし、個人的な「私」というものを忘れて語るべきだということです。この方針にそって、ランズマンは女性の証言を無視することになる。それはもしかすると、ランズマンの意図していないところかもしれません。だけど、意図していないのに女性の証言を無視するということであれば、それはますます重大な意味をもっているようにも思えます。ランズマンによる男性の証言と女性の証言のあつかい方については、さらに考察が必要なようです。

## 2　『ショア』を見る

映像1　『ショア』DVD 2-2、00:00-17:49 (ch. 1-3)。

三人の証言者は全員アウシュヴィッツ収容所に送られたユダヤ人で、チェコ出身です。ひとり目はルース・エリアスさんという女性でした。この映画に女性が出てくるのはめずらしいですね。映像のはじまりは、うす暗い風景のなか、列車が走っている場面です。そこにエリアスさんの声が聞こえてくる。エリアスさんはテレジン収容所にいたけど、アウシュヴィッツに連れていかれたといいます。その話を引き継いで、ルドルフ・ヴルバさんとフィリップ・ミュラーさんが話します。彼らはこれまで何度か登場しています。エリアスさんと同じくチェコのユダヤ人ですが、彼らはもっと前からアウシュヴィッツに収容されていたみたいです。ヴルバさんとミュラーさんは、エリアスさんを含む新たに到着したユダヤ人たちがどのようにあつかわれたのかを話しています。

ちなみにヴルバさんとミュラーさんの話は次回につづくのですが、エリアスさんは今回の部分だけで、あとはもう映画に出てきません。こう見るとエリアスさんの登場シーンはとても短い。はじめエリアスさんが画面にあらわれないまま声が聞こえる、これはボイス・オーバーという技法です。ですから実際にエリアスさんの顔が出ている時間は相当短いわけです。また話の内容を見ても、エリアスさんは一連のシーンの開始部分を語るだけで、そのあとの主要な部分はヴルバさんとミュラーさん、つまり男性の証言者が引き受けることになります。このことからも、ランズマンが女性の証言をあまり重視していないということが見てとれます。[*9]

## 3　特別待遇のユダヤ人

エリアスさんはテレジン収容所から列車でアウシュヴィッツに着く。だけど彼女は、アウシュヴィッツがどういう場所なのかまったく知らなかったといいます。

**引用3**　〘ルース・エリアス（ユダヤ人女性、アウシュヴィッツ収容所からの生還者、英語）：〙ある晩、列車が止まりました。二日目の晩のことです。そして、扉が開けられると、すさまじい怒鳴り声が聞こえてきました。「外へ出ろ、外へ、外へ！」というのです。私たちは、ショックのあまり、立ちすくみました。いったい、何が起こったのだろう？　ここは、どこだろう？　何もわからなかったのです。[*10]

ここでいわれている「外へ」という言葉はOutです。ランズマンはそれを聞いて、「〝ラウス〟（外へ）［ドイツ語］！」といいます。するとエリアスさんは、「そう、そのとおりです」と答えるのですが、その声は小さく、顔は下を向いています。[*11]そのあとエリアスさんは以下のように話します。

**引用4**　《エリアス：》縞のある制服を着た、男たちがいました。縞が、何の意味かもわかりません。でも、彼らの一人に、チェコ語で尋ねました。「ここは、どこでしょう?」相手はポーランド人でしたが、私のチェコ語がわかって、こう答えました。「アウシュヴィッツですよ!」この名前は、私には、何の意味もありませんでした。アウシュヴィッツって、何か?全然知らなかったんですからね……。私たちは、B2Bブロック、または〈家族用収容所〉とも呼ばれる区画に、連れて行かれました。子供も、男も、女も、皆いっしょで、前もって、選別されることは、ありませんでした。〈男性用収容所〉の囚人が、私たちのところにやって来て、アウシュヴィッツは、絶滅収容所で、ここで、人々を焼き殺すのだ、と言いました。私たちは、それを信じませんでした。B2Bブロックには、私たちより三か月前の、九月に、テレジン収容所を発った移送組が、ちゃんといたからです。[*12]

エリアスさんたちは当初、殺害のための場所だといわれても信じられなかった。ではエリアスさんたちはその後どのようにすごしたのか。B2Bブロック、つまり家族収容所はどんな様子だったのか。それを語るのはエリアスさんではなく、ヴルバさんとミュラーさんです。

**引用5**　《ルドルフ・ヴルバ（ユダヤ人男性、アウシュヴィッツ収容所からの生還者、英語）：》当時［一九四三年］、ぼくは、B2Aブロック［隔離収容所］の囚人登録係を担当していた。《略》朝のうちに、ぼくは、状況を検討してみたが、びっくりするような点が、少なからずあることがわかった。家族が――男も、女も、子供も――いっしょに残っているし、だれも、ガスで殺されていなかった。荷物も、所内まで持ち込んでいるし、髪を刈られた者もいない。彼らの頭に、髪はちゃんと残っている。[13]

ユダヤ人たちがアウシュヴィッツに到着すると、通常は、家族でも男性と女性が引き離される。そして子どもや老人は選別されて、すぐに殺される。だけど今回はそうではない。このことにヴルバさんはびっくりします。それまでとちがって特別待遇だったわけです。

**引用6**　《ヴルバ：》明らかに、今までと違う待遇を受けているのだ。特別棟には、学校がしつらえられ、子供たちは、すぐに、そこで、芝居まで上演した。《略》明らかに、よい食事をもらい、よい待遇を受けていた。いいですか、条件があまりによかったので、六か月間で、四分の一しか、死ななかったくらいだ。しかも、老人も子供も入れてですよ。アウシュヴィッツにとっては、例外的によい状況だった！　ＳＳ隊員は、子供の芝居にもよく出かけ、彼らと遊んだものだった。個人的な関係だって、生まれた。[14]

列車で連れてこられた四千人のうち千人が死んだ。私たちからするとすごくおそろしい環境です。だけどヴルバさんからすると、アウシュヴィッツのなかではきわめて優遇された環境だったといいます。エリアスさんを含むユダヤ人たちは特別あつかいを受けていた。しかしヴルバさんはあるとき不吉な情報にふれてしまいます。

**引用7**　《ヴルバ：》しかし、中央登録室に、この人々用の特別カードがあることがわかった。カードには、〈六か月の隔離後、ＳＢ〉と記載がある。〈ＳＢ〉の意味は、わかっていた、〝ゾンダーベハントルング〟、〈特別処理〉、すなわちガス室送りのことだ。また、隔離の意味も、明瞭だった！　けれども、ぼくたちの考えでは、あとからガス室で殺すのなら、六か月間も、生かしておくのは、馬鹿げたことだった。[15]

チェコからきたユダヤ人に対してよい食事を与え、学校までつくる。そして半年後に殺す。これはたしかにわけがわかりません。なんでわざわざ少しのあいだだけよい条件で生かしておくのか、わからない。ある人によれば、この特別待遇には対外的な目的があったといいます。

つまり、アウシュヴィッツで特別待遇を受けたユダヤ人収容所というのは、赤十字が訪問した場合のための見せかけだったということです[16]。普段のアウシュヴィッツの状況はあまりにひどすぎて、ナチスはほかの人に見せることをためらった。そこで、ましな環境にいるユダヤ人を見せることにする。よい食事を与えて学校をつくり、ユダヤ人をそんなにひどくはあつかっていないよというふうに見せかけようとしたわけです。たしかに、対外的によりよく見せるための措置だと考えれば、ある期間だけ特別待遇をしてそのあとに殺すということも、まあ理解できますね。

　こうした事情をヴルバさんは知らなかった。そのころヴルバさんが取り組んでいたのは抵抗運動のメンバーを探すことです。

**引用8** 『ヴルバ：』もちろん、登録係だったぼくの任務の一つには、これらチェコ人の中から、抵抗精神の持ち主を見つけ出し、接触をはかることだった。『ランズマン：』あなたは、もう、抵抗運動のメンバーだったんですか？『ヴルバ：』ええ。ぼくは、職務上、書類を中央登録室に届けるというような、口実をつくっては、所内を動きまわることができた。その機会に人と会うことも、メッセージを伝えたり、また、受け取ることもできた[17]。

　ヴルバさんは囚人の登録係だったのでいろんな場所にいくことができた。そのおかげでいろいろな情報を知ることができたわけです。だからこそ、エリアスさんを含むチェコからきたユダヤ人たちが半年後に殺されるかもしれないということを知ることができた。ヴルバさんは抵抗運動のメンバーとなりそうな人を見つけます。フレッディ・ヒルシュという男性ですが[18]、彼については次回取り上げます。

　ヴルバさんのあとにはミュラーさんが証言していました。ミュラーさんはヴルバさんとは別の仕事をしていた。ユダヤ人特別労働班員として、ガスで殺されたユダヤ人の死体を運んだり、それを焼いたりということをしていた。そのミュラーさんもまた、チェコ系のユダヤ人が殺されるかもしれないという情報をつかみます。

**引用9**〘フィリップ・ミュラー〈ユダヤ人男性、アウシュヴィッツ収容所からの生還者、ドイツ語〉：〙フォス〘SS軍曹〙は、出ていきました。〘略〙その時、机の上に、手紙を置き忘れました。その一瞬を利用して、さっと目を走らせた私は、その内容に、動転しました。チェコ人〈家族収容所〉の〈特別処理〉のため、焼却棟の準備が、すべて整えられなければならない、というのです[*19]。

ミュラーさんが「一瞬を利用して、さっと目を走らせた」と話すとき、実際ミュラーさんの目だけがかすかに動いて盗み見るようなしぐさをします。手紙の内容に驚いたミュラーさんは、そのことを抵抗組織のリーダーに伝えます。そしてなんとかして、B2Bブロック、つまり家族収容所のチェコ系ユダヤ人たちにも知らせることができたといいます。

**引用10**〘ミュラー：〙そういうわけで、私たちは、彼らが、次の夜に皆殺しされるものと、固く確信していました。しかし、どの宿直当番も出動しないのを見て、私たちは、ほっとしました。期限は、引き伸ばされたのです……。数日の間、何ごとも起こりませんでした。でも、大勢の囚人から、その中には、〈家族収容所〉のチェコ人も入ってましたが、私たちは、パニックをまき散らした、虚偽のニュースを告げた、と非難されました[*20]。

情報というのはむずかしいものです。もうすぐ殺戮《さつりく》が起こるという情報を手に入れ、それを伝えることができた。だけど何も起こらなかった。その結果うそつき呼ばわりされてしまう。殺害されなかったのはよかったものの、その一方で、ユダヤ人たちのあいだでおたがいに対する不信が起きたかもしれません。ですから情報というのは、一方では抵抗運動を可能にするものですが、場合によっては、抵抗しようとする人々がまとまるのを阻害してしまうものでもある。情報とはユダヤ人側にとって有利なものになると同時に、ナチスにとって都合のよいものにもなるということです[*21]。

ここでヴルバさんの証言部分の映像を思い出してほしいのですが、野うさぎが収容所跡地を走っている、そういうシーンがありました。ヴルバさんが「抵抗運動のメンバーを探すために囚人のリストを手に入れた」といっていたとき、二匹のうさぎが収容所の原っぱで走っている。のんびりした風景にも見えます。うさぎが映っていたのは三〇秒間くらいで、短いです。だけどランズマンはこの野うさぎのシーンを気に入っています。ランズマンは回想録のタイトルを『パタゴニアの野兎』としているし、そのなかでまさしく野うさぎについて語っています。

> **引用11** 私は野ウサギが好きだった。この気高い動物に私は敬意を抱いてさえいた。〔略〕もし輪廻の選択肢が与えられるとしたら、私はためらうことなく野ウサギに生まれ変わることを選ぶだろう。『ショア』の中に、短いが、私にとっては中心的な二つのショットがある。〔アウシュヴィッツ＝〕ビルケナウ強制収容所で、カメラはほんのわずかな待機のあと、有刺鉄線に行く手を阻まれた土色の毛並みの野ウサギをはっきりととらえる。ボイスオーバー〔略〕がこの最初のイメージに重なる。映画の登場人物の一人、並ぶ者なき英雄、ルドルフ・ヴルバの声だ。彼は死者の灰に埋もれたこの呪われた場所から脱出に成功した男である。野ウサギは賢い。ヴルバが話しているあいだにも、背筋をへこませ、長い脚を畳み、有刺鉄線の下をくぐり抜ける姿をカメラは追う。ヴルバも同様にした。アウシュヴィッツ＝ビルケナウではもう殺しはしない。動物の殺傷もしない。猟は禁止されている。誰も野ウサギの数など数えないが、多いことは確かだ。私と同じ民族の多くの人々が、私自身が望んだのと同じように、野ウサギに転生したと考えられればうれしい。[*22]

野うさぎのようにすばやく駆け抜ける。それが収容所から脱走したユダヤ人であり、ヴルバさんそのものだといわれています。だけど野うさぎというのは英雄的でもないし、力強いものというのでもありません。むしろ小さくて弱い存在です。つかまってしまったら何もできないのだから、何かが起きる前に逃げることしかできない。しかし野うさぎは、すばやくかしこく逃げる。野うさぎのように逃げた人たち、それが『ショア』に登場するユダヤ人だということです。そしてランズマンはそういう野うさぎになりたいといっています。ここにはランズマンの独特の感覚があるように思われます[*23]。

## 4　死への注目、生への注目

ここではエリアスさんを取り上げ直します。『ショア』全体のなかでエリアスさんのシーンは四分半しかありません。だけどアウトテークを調べると、エリアスさんのインタビューは合計で三時間二〇分あるといわれています[*24]。ランズマンはインタビューのほとんどの部分をつかわなかったということです。そしてつかった部分は男性の証言への導入としてのみ利用されています。

ではランズマンは、エリアスさんの証言のどういったところを削除したのか？　それを見ることで、ランズマンが映画において表現したいところがわかってきます。また、エリアスさんが強調したいところもわかってくる。そしてランズマンとエリアスさんのずれも見えてくる。それゆえエリアスさんのアウトテークを見ることが重要になります。

今回のはじめに述べたように、ランズマンが映画で見せたいものは死です。それもユダヤ人にとって逃れられないものとしての死です。死はユダヤ人の死を見た人はその悲しみがずっと残る、ユダヤ人全体の死、集団としての死であり、そういう考えがランズマンにはあります。**映像1**のエリアスさんのシーンは、避けられない死へと近づいていく、その導入部分としてつかわれています。そこでエリアスさんは、ランズマンがドイツ語で「外へ！」というのを聞いて、下を向いて小さな声になっていました。どこか悲しそうな様子でした。

だけどアウトテークを見てみると、エリアスさんは悲しんでいるばかりではないんです。たとえばこんな話をします。エリアスさんがアウシュヴィッツにくる前、ゲットーに住んでいたときのことです。同じ部屋の住人とその子どもに食べものをつくるために、あるときキッチンから酵母の入ったパン生地を盗んだといいます[*25]。するとそこに警官がきた。エリアスさんはいそいで着ているエプロンのなかにイーストを隠します。警官はあやしいことがないかとキッチンを探す。そのとき、ふと、エリアスさんの胸のあたりが妙にふくれる。というのも、エリアスさんの体温のせいか、酵母入りのパン生地がどんどんふくらんでしまったんです。あせったエリアスさんは自分の胸をたたく。ふくらみは少ししぼむ。だけどまたふくらむ。エリアスさんの様子に警官は気づきません。だけどキッチンにいたユダヤ人女性の仲間たちは、エリアスさんのおかしな様子に気がついておもしろがっていた。結局、警官にばれずにすんだということです。

アウトテークを研究した人によると、このシーンでエリアスさんは生き生きとしてわらいながら話しているといいます。このエピソードにはユダヤ人を取り締まる警官が登場しますが、危険な感じはまったくしません。エリアスさんはこういっています。「それ《パン生地》がここ、私のエプロンの裏で大きくなりはじめて……ここをつかんでいるあいだじゅう、私はどんどんどんどん大きくなって、それでキッチン全体がわらっていましたよ。あのね、私たちの心にはユーモアがあったんです[*26]」。こうした楽しそうな様子は、映画『ショア』の暗くてはりつめた雰囲気にはあまりなじまないように思えます。

エリアスさんのエピソードでの「パン生地」は、生というもの、生きるということのメタファーとして解釈できます。パン生地は、エリアスさんがおさえ込もうとしてもどんどんふくらむ。それはつまり、生というもの、生きるということがコントロールできずに大きくなるということです。まわりのユダヤ人女性たちは、パン生地がエリアスさんの意志とは逆にふくらんでいくことをおもしろがる。これはいいかえると、生というものが増大することで、エリアスさんやまわりの女性が生きることを楽しむようになるということです。もちろんゲットーで楽しいことが多いわけではありません。むしろ苦痛の経験や死がそこここにある。にもかかわらずこの証言では生が前面に出てきている[*27]。このようにエリアスさんは生というものに注目しているわけです。これは、ランズマンが死に注目しているのとは正反対だと思えます。

さらに生きることは、エリアスさん個人の体験、主観的な体験につながっています。パン生地の話はエリアスさんの個性が出ているように思えます。また別のアウトテークでは、エリアスさんはある男性と恋に落ちたという話をしていて、それもやはり個人的で主観的なエピソードといえます。この恋愛の話を、エリアスさんは楽しいこととして語ります。ですが、それを聞くランズマンは無関心な様子だと指摘されています。[*28]

　ここにはランズマンが表現したいことと、エリアスさんが話したいこととのあいだにずれがあるように思えます。ランズマンは映画をとおして死というもの、ユダヤ人全体の破滅をとらえようとします。被害者の証言は多様ですが、しかし個人的な観点から語られているのではなく、ユダヤ人全員がどのようにして殺害されたのかといったように集団的な視点から語られています。それに対してエリアスさんは死よりも生に着目しているし、集団的な視点からというよりも主観的で個人的な立場で話しています。たしかにエリアスさんも死に関連することを話します。たとえば、自分が生きていくために自分自身の子どもを殺さなければならなかったという壮絶な体験を語っています。[*29]しかし個人的な楽しみについても話したくなる。恋愛のことやキッチンでの出来事です。エリアスさんは死がせまっているなかでも、「自分の身体の欲求に没頭する若い女性としての特異な経験、身体にもとづいた経験、主観的な経験」に立ち戻るということです。[*30]一方でランズマンは、被害者であるユダヤ人たちをめぐってただひとつの物語、すなわち死の物語しか想定していない。他方でエリアスさんはそこからずれた話をしはじめる。エリアスさんの証言というのは、こういってよければ、ランズマンの求めるものに対する一種の抵抗だといえます。その抵抗は映画本編にはほとんど見えてこない。むしろアウトテークに注目することで、ランズマンとエリアスさんのずれを理解できるわけです。[*31]

　ここまでのことを別の言葉でいうと、エリアスさんは他者のために語るのではなく、自分のために語っているということです。実際に彼女は、自分が話すのは自分のためだけであるとアウトテークで繰り返し発言しているようです。[*32]自分のために、自分の生きてきた体験を話す。このエリアスさんの姿勢は、**引用2**のランズマンの考えとは対照的です。だってランズマンは個人的な「私」というものをおさえて、ユダヤ民族全体の死を浮かび上がらせようとしているからです。

　さらに興味深いことにエリアスさんの姿勢は、前回取り上げた屈辱感、つまりユダヤ人生還者の抱く屈辱感とも対照的であるように思われます。生き残ったユダヤ人が屈辱感をもつのは、「自分は死んだ人よりも生き残った価値があるといえるのか」「むしろ死んだ人のほうが自分よりも生き残るのにふさわしかったのではないか」「自分は価値ある死んだ人と同じであることができなかったのではないか」、そういったことに悩み苦しみます。しかしエリアスさんにとって自分は自分であり、他人は他人である。エリアスさんは「自分が話せるのは自分の体験だけである」といい切れるわけです。そこには、自分と他人が絡み合うようなことはない。エリアスさんの証言はユダヤ人全体に関係づけられることはなく、まさしく彼女だけにかかわるものだということです。

このことは、エリアスさんがアウトテークで語っている「本能（instinct）」という言葉に関連します。この本能とは、生きる、そして生きたいという本能のことです。エリアスさんはこういいます。「生きることができるということが、すべての本能でした……。私はただ本能的に行動していたんです[*33]」。エリアスさんは本能にしたがうことで、アウシュヴィッツで自分が妊娠しているのがばれないようにうまく行動できたという経験を話します。妊娠している人は、一番はじめに殺されるおそれがあったんです。そのように絶望的な状況でも策をひねり出して切り抜ける。その源泉となっているのは本能であり、まさしく生きたいという本能です。

ある面から見ると、エリアスさんはこの本能を大事にしすぎるあまり、自分が行為する主体だということを放棄しているかのように思えます。彼女がいうには、自分は人間的な思考を発揮するというよりも、動物的な本能にしたがったといいます。アウトテークでの彼女の言葉を三つあげてみましょう。

**引用12**《エリアス：》私がいいたいのは、悲惨な人々というのは動物のように行動するということです。それは本能なんです。今日、人々の話を聞くと、彼らは強制収容所でこれこれのことをした――それはのちに語ることができるためにしたんだといいますが、私は信じません。申し訳ないけど信じません。だって私は、人々のなかに動物的な本能を見たんですから[*34]。

**引用13**《エリアス：》もう一度言いますが、生きようとしたのはのちに語ることができるためだったなんていうのは、おかしいです。のちのことなんてわからなかった。あなたは「この日をとらえよ（carpe diem)」という言葉の意味を知っていますか？《ランズマン：》はい。《エリアス：》それが私たちのすべきことだった。「この日をとらえよ」です。次の時間のことなんてわからなかった。次の日のことなんていえなかった。私は、人々に語ることができるために生きようとしたわけではありません。私は若かったから生きようとしたんです。私は生きたかった。これだけです。私は生きたかった、ほかには何もない。[*35]

**引用14**《エリアス：》私は、人々に語ることができるために生きようとしたわけではありません。私が生きようとした理由は……生きたかったからです。[*36]

エリアスさんの言葉には、生きる本能というのが何度も出ています。ちなみに**引用13**にある「この日をとらえよ」はラテン語の格言です。もともとの意味は、「今日一日を摘みとれ」ということだそうです。今を大事にするのがよい、人生は短いのだから未来に希望を求めるような生き方をするのではなく、今日という日を楽しむのがよい、そういう意味です。エリアスさんは絶滅のリズムに巻き込まれたわけですが、そのなかでまずは現在を生きる、できるなら楽しんで生きる、そういう本能にしたがうだけだということです。未来のことなど考えられない。ましてや生き残ってほかの人たちに証言するなんて考えられない。[*37]何よりも今を生きることが大事である。ここには「生の優位」があります。[*38]

このように、ランズマンが死に注目しているのに対してエリアスさんは生を強調する。この意味で彼女の証言は、ランズマンが求めるものといちじるしい対照をなしています。それはいわば、「ランズマンの目指す救いのない倫理・美学への抗議」になっている。[*39]ランズマンが見たいのはボンバさんのつらい涙とか、ポドフレブニクさんの不思議なほほえみといった顔であり、ショアという死のリズムが刻み込まれた表情です。彼らにとってショアは、何年たっても何十年たっても現在としてよみがえってくる。そうしたショアの顔をそなえているのは、映画において男性だけだということができます。それに対してエリアスさんは、死の経験のただなかに生を取り上げることで、ランズマンの死への執着を中断させる。[*40]エリアスさんはその証言をとおして、死の経験のなかに

駆ける野うさぎ（DVD2-2, 0:10:49）

生のリズム、生きることのリズムを取り入れている、そのようにいえるのではないかと思います。

エリアスさんは「生きたいから生きた、本能的に生きた」といっていました。このことはランズマンからすれば、今回の**引用1**で見たように、女性の証言は予測できないもの、制御できないものだということです。ランズマンは生のリズムをうまくコントロールできないわけです。ランズマンはエリアスさんの話している生のリズムを消去し、映画には残さない。あるいはこういってよければ、ランズマンは生のリズムを死のリズムへと書き換えるというわけです。エリアスさんとランズマンは同じホロコーストについて、それぞれちがったリズムであらわそうとしている。

だけど、もっとよく考えると、ランズマンは生のリズム、生きることのリズムを完全に消し去っていないようにも思われます。ここでもまたメタファー的な説明になってしまうのですが、エリアスさんの生きることへの本能、動物的な本能というのは、野うさぎのイメージにつながるのではないかと思います。**映像1**のヴルバさんのシーンに出てきた野うさぎは、すばやく駆けて障害をくぐり抜ける、その動きはまさに生きることのリズムを体現しているように、私には思えます。この野うさぎにランズマンはポジティヴなものを感じとっている。もしかするとランズマンは、エリアスさんのなかに野うさぎのような生の本能、生のリズムを見たのではないか。しかし映画で表現したいショアの特徴とはちがっているので削除する。だけど、ショアは全体としては死のリズムとして表現されるべきだとはいえ、ユダヤ人個人の生きる姿というのはたしかに賞賛に値する。死のリズムのなかにも生のリズムは存在する。ランズマンはそのことをわかっているので、生のリズムとしての野うさぎのイメージを映画に残しておいたのではないか、そんなふうに思います。もしそうだとすれば、野うさぎのシーンは破滅のリズムのただなかにある生のリズムだということになります。そう考えると、このシーンは三〇秒という短い時間でありながら、とても重要であると思います。あるいはむしろ短い時間だからこそ、ランズマンの姿勢を特徴的にあらわしているといえるかもしれません。

## 5　まとめ

①ランズマンは女性の証言よりも男性の証言を重視する。
②女性であるエリアスさんの証言は、男性の証言への導入部として利用されている。
③アウシュヴィッツ収容所では、特別によい待遇を受けたユダヤ人がいた。
④ランズマンが死に注目するのに対して、エリアスさんは生に注目する。
⑤エリアスさんの個人的・主観的で楽しい話は、ランズマンへの抵抗といえる。

＊1　Marianne Hirsch and Leo Spitzer, « Gendered Translations: Claude Lanzmann's *Shoah* »（1993）, in *Claude Lanzmann's* Shoah, *op. cit.*, p. 177.
＊2　ランズマン『パタゴニアの野兎（下）』前掲、一九八頁。第3回注10で既出。
＊3　前掲、一九六頁。第15回引用10で既出。
＊4　Debarati Sanyal, « The Gender of Testimony: Ruth Elias and the Challenge to Lanzmann's Paradigm of Witnessing », in *The Construction of Testimony, op. cit.* p. 305.
＊5　ランズマンはインタビュー通訳の女性の欠点として、自分の不安や感情に流されてしまうという点をあげている。ランズマン『パタゴニアの野兎（下）』前掲、二五〇頁。
＊6　Hirsch and Spitzer, « Gendered Translations », *op. cit.*, p. 182.
＊7　次のように指摘されている。「ランズマンは、絶滅機構の犠牲者の主観的な経験、つまり、差異化した個人的領域を背景におく。ほかの生存者の証言によれば、この個人的領域のうちに、いちじるしいジェンダー的差異が出現してくるのだ」。*Ibid.*, p. 177.
＊8　ランズマン『パタゴニアの野兎（下）』前掲、

一八三―一八四頁。Claude Lanzmann, *Le lièvre de Patagonie*, Gallimard, 2009, p. 610.

＊9　Hirsch and Spitzer, « Gendered Translations », *op. cit.*, p. 179.

＊10　ランズマン『ショアー』前掲、三三七頁。

＊11　前掲。

＊12　前掲、三三八―三三九頁。

＊13　前掲、三四〇頁。

＊14　前掲、三四二―三四三頁。

＊15　前掲、三四一頁。

＊16　Jennifer Cazenave, *An Archive of the Catastrophe*, State University of New York Press, 2019, p. 257, n. 67.

＊17　ランズマン『ショアー』前掲、三四三―三四四頁。

＊18　前掲、三四四頁。

＊19　前掲、三四七頁。

＊20　前掲、三四八―三四九頁。

＊21　もちろんナチスも情報の重要性を認識しており、収容所の司令官は囚人スパイをつかって所内の抵抗運動が起きないように注意していたという。ヒルバーグ『ヨーロッパ・ユダヤ人の絶滅（下）』前掲、一八二頁。

＊22　ランズマン『パタゴニアの野兎（上）』前掲、二九〇―二九一頁。

＊23　ランズマンは回想録の末尾でも野うさぎのイメージを出している。「本書の執筆のあいだじゅう私の頭にあったのは野ウサギだった。ビルケナウ絶滅収容所で、人間には破ることのできない鉄条網の下をくぐり抜けていった野ウサギ」。ランズマン『パタゴニアの野兎（下）』前掲、三〇二頁。

＊24　« Appendix 1: The Claude Lanzmann *Shoah* Collection: A Guide to the Outtakes », Compiled by Lindsay Zarwell and Jennifer Cazenave, in *The Construction of Testimony*, *op. cit.*, pp. 426-427.

＊25　Markus Zisselsberger, « Challenging *Shoah*'s Paradigms of Witnessing and Survival: From Filip Müller to Ruth Elias », in *The Construction of Testimony*, *op. cit.*, p. 357.

＊26　*Ibid.*, p. 358.

＊27　*Ibid.*

＊28　Sanyal, « The Gender of Testimony », *op. cit.*, p. 325. エリアスさんはアウトテークで、アウシュヴィッツに到着したとき自分が妊娠していたと述べている。これはとりわけ個人的な体験だし、男性証言者との性的差異がきわ立つ発言内容である。ランズマンはこの証言をカットする。そしてエリアスさんの証言をこまかく編集し、**映像1**で見たように、エリアスさんの顔を出さない

ボイス・オーバーの場面をつくり上げている。Cazenave, *An Archive of the Catastrophe*, *op. cit.*, p. 144.

＊29　この話については第24回で論じる。

＊30　Sanyal, « The Gender of Testimony », *op. cit.*, p. 314.

＊31　*Ibid.* とりわけエリアスさんの抵抗は顔の表情、身体の身ぶり、声の調子などの非言語的な合図というかたちでもあらわれてくるという。

＊32　Zisselsberger, « Challenging *Shoah*'s Paradigms of Witnessing and Survival », *op. cit.*, p. 356.

＊33　*Ibid.*, p. 354. ちなみにエリアスさんにとって本能は、すばやい合理的な考えに結びつくものの、思考（thought）とまではいえないものだとされている。

＊34　*Ibid.*, p. 355.

＊35　*Ibid.*, p. 355-356.

＊36　*Ibid.*, p. 356.

＊37　この証言と生存という問題については次回に論じる。

＊38　*Ibid.*, p. 356.

＊39　Sanyal, « The Gender of Testimony », *op. cit.*, p. 325.

＊40　Zisselsberger, « Challenging *Shoah*'s Paradigms of Witnessing and Survival », *op. cit.*, p. 359. ちなみに、男性主体の顔や身体においてこそ真理があらわれるという傾向は、ランズマンだけではなくほかの監督の映画作品でもしばしば見られるという。Sanyal, « The Gender of Testimony », *op. cit.*, pp. 327-328. このように考えると、男性の証言においては過去と現在が二重になってあらわれるのに対して、女性の証言ではそうした二重化が起こらないように思える。だがある研究者によれば、ランズマンが想定するのとは別の仕方で、エリアスさんの過去が真に再び訪れている、いいかえると過去と現在が二重のものとしてあらわれているという。*Ibid.*, pp. 319-320.

# 21 みずからガス室に入る

## 1　生命の価値

　ナチスのユダヤ人絶滅作戦のもとになる考えは、「ユダヤ人には生きる価値がない」ということです。だから「ユダヤ人を殺してもかまわない」という主張になる。ナチスはユダヤ人虐殺を実行するよりも前に、もう治らないと判断された病人に対する安楽死をおこなっていました。つまり病人を強制的に殺害していたわけです。そのときにもやはり、「不治の病人に生命の価値はない」という主張があったといいます。

**引用1**　《ガス装置が製造されるうちに》生命の質に関する教義が登場してきた。それは、生きるに値しない生命は生命としての価値はないという観念、つまり安楽死という単純な思考から生まれたのである。このように個人に対する関心から社会優先への志向は、発達が遅れたり、機能不全であったりする人びと、とくに民族の健康体における病的ないし有害な細胞として先天的問題を抱える人々を提示することによって果たされた。[*1]

ここで注目すべきなのは「社会優先の志向」という言

葉です。個人よりも社会全体を大事にするということです。[2] 安楽死させられたのは、たとえばダウン症、脳水腫、奇形の子どもたち。老衰者、精神薄弱者、神経症患者。異常犯罪者とみなされた人たちです。この安楽死作戦は、ユダヤ人最終解決を概念的・技術的・行政的に予示するものだったと指摘されています。[3]

社会にとって有害なものは殺したほうがよいという考え方の源泉は、ナチスの登場前にさかのぼります。それは一九二〇年に発表された『生きるに値しない生命の抹殺の解禁』という本です。衝撃的なタイトルです。この本はカール・ビンディングとアルフレート・ホッヘという人が書きました。それによると、生きる価値のない人間には二つのグループがあるといいます。ひとつ目のグループは病気や負傷が原因で不治になった人、とくにがん患者、結核患者、致命傷のある患者です。二つ目のグループは治療不能の知的障害者です。二つ目のグループについて、この本では以下のようにいわれています。

**引用2**　この人たちには生きようとする意志（Wille zu leben）もなければ、死のうとする意志（Wille zu sterben）もない。そのため、考慮されるべき殺害への同意も彼らの側にはないし、他方で殺害が生存意思（Lebenswille）に抵触し、これを侵害したに違いないということもない。彼らの生にはいかなる目的もないが、そのことを彼らは耐え難いとは感じていない。家族にとっても、社会にとっても彼らはとてつもない重荷（Belastung）になっている。彼らが死んだとしてもほとんど心が傷つくこと（die geringste Lücke）はない。もちろん、場合によっては母親や誠実な介護婦（Pflegerin）の感情では別であろうが。ともかく、彼らには手厚い介護が必要なので、この必要性に基づいて、絶対的に生きるに値しない命を何年も何十年もかろうじて生かし続けることを仕事とする職業が成り立っているのである。〔略〕もちろん、この殺害が誰に対しても解禁されてよいというのではない！ 人倫（Sittlichkeit）がもっと高く、我々の時代のようにヒロイズム〔英雄主義〕を喪失しているのでなければ、その哀れな（arm）人々を殺害によって救済することは、おそらく行政の公的義務となるだろう。[4]

二つのポイントをあげます。第一に、引用の前半に、「家族にとっても、社会にとっても彼らはとてつもない重荷になっている」とあります。つまり彼らは社会全体の負担だというわけです。第二に、引用の最後で、「哀れな人々を殺害によって救済することは、おそらく行政の公的義務となるだろう」といわれています。つまり、治らない病気の状態で生きつづけるのは彼らにとってかわいそうだから、殺すことで救ってあげるんだということです。このように、社会の負担軽減と個人の救済という二つの観点があります。すなわち病人は社会にとって生きる価値がないし、病人本人にとっても生きる価値がないということです。こうして安楽死を認めるべきだという議論が出てくる。この議論を取り上げ直して、実際に病人とユダヤ人を大量に殺したのがナチスの体制だった。[*5]

ある研究者によると、**引用2**の議論において、生命に対するそれまでの見方が大きく書き換えられたといいます。[*6]それまでの見方を提示した代表者はグザヴィエ・ビシャという人で、一八世紀の医者であり解剖学者だった人です。ビシャによれば、生命は二つに分けられる。ひとつ目は内的生命です。これは消化や血液の循環など、いわば身体の内側の活動をおこなうもので、体の器官としては心臓や肺の活動のことです。二つ目は外的生命です。こちらは外界から刺激を受けとるとともに外界に向けてはたらきかけるという活動をおこなうもので、器官でいうと脳の活動のことです。ビシャによると生命の根本は内的生命、つまり心臓や肺の活動にある。だから生命の死とは内的生命の死、つまり心臓や肺の死のことである。逆に外的生命の死、つまり脳の死というだけでは本当に死んだとは判断できないということです。[*7]この考え方がビシャ以降の生命観です。

この生命の見方に対して、**引用2**の考えはまったくちがっています。**引用2**によると、生命の本質は心臓や肺にあるのではなく脳にある、そして意識や感覚にある、つまり、外的生命にあるというわけです。だから意識や感覚がないのなら、生きるに値するものではない。[*8]自分で環境から刺激を受容して自分からまわりに応答する、これができないのであればわざわざ医療をほどこしてその生命を長引かせる必要はない。いっそ死ぬに任せるほうがよい。そのほうが社会全体のためであり、病人のためでもあるという考え方です[*9]。

ナチスが病人やユダヤ人を殺害する根拠となったのはそういう考えです。ここからナチスは、人々の生命の価値を決定する。つまり自分たちの基準で死んでもよい人間、あるいはむしろ死ぬべき人間を決めるわけです。これは第17回の講義で見た生の政治のことではないか、さらには、その裏返ったものである死の政治のことではないかと思われます[*10]。病人やユダヤ人からすると、自分の生命の価値が自分と関係のないところで決定されてしまう。自分は死ぬべきだということがいつの間にか決められてしまっている。こうしてナチスは外側から生命の価値を決定するわけです。

## 2 『ショア』を見る

今回話すのはルドルフ・ヴルバさんとフィリップ・ミュラーさんです。前回の映像のつづきです。チェコから移送されてきたユダヤ人たちは、今は生かされているが間もなく殺されるかもしれない。そのなかからヴルバさんは、抵抗運動のメンバーとなりそうな人物に接触する。ヒルシュさんという人です。

**映像1　『ショア』DVD 2-2、17:49-34:43 (ch. 4-5)**

最後のところでミュラーさんはたえられなくなり、泣き出してしまいました（**写真**）。声がうまく出せず、おえつしながら話しています。その後も、涙がほほをつたっています。この場面は映画のクライマックスのひとつです。この場面と前回の映像を合わせて考えると、ランズマンが女性の証言を重視していないことがあらためてわかります。というのも前回出てきた女性、エリアスさんのシーンは四分

フィリップ・ミュラー（DVD2-2, 0:32:56）

くらいで、その内容は今回の話の導入です。エリアスさんのあとにヴルバさんとミュラーさんの話が三〇分くらいあって、ミュラーさんが泣きくずれるという重大な場面にいたります。そう考えるとエリアスさんの証言、女性の証言は、男性の証言と比べて軽くあつかわれているように思えます。

## 3　情報と抵抗運動

ひとり目のヴルバさんの話から見てみます。ヴルバさんは、ヒルシュさんという信頼できそうな男性と話をします。

**引用3**　《ルドルフ・ヴルバ（ユダヤ人男性、アウシュヴィッツ収容所からの生還者、英語）：》ぼくは、とくに、フレッディ・ヒルシュと話した。彼も含め、《チェコからきたユダヤ人の》最初の移送組が、〈隔離収容所〉に移されたのは、おそらく、彼ら、全員が、三月七日に、ガス室で、殺されることになっているためだ、と説明した。彼は、それは確かな事実か、と尋ねる。絶対確実とは言えないまでも、可能性はきわめて高い、とぼくは答えた。というのも、移送列車が、アウシュヴィッツから出て行く用意をしている証拠は何もない。もし、動きがあれば、抵抗運動の同志がいる事務所や、登録係にも、情報が入るはずだが、今のところ、そのような情報は、ないからだ。[*11]

この引用を見ると、ユダヤ人にもいろんな情報が入っていたということがわかります。前回見たように、情報は抵抗運動をうながすこともあれば妨害することもある。どちらにしても人々は、情報によって未来へと目を向けるようになります。これは、第16回で見た暴力の作用とはまったくちがいます。暴力は人々を現在に閉じ込めてしまう、つまり収容所という異常な環境にいる現在、なぐられて「痛い」と感じている現在へと閉じ込めてしまうわけです。しかし情報は人々を未来へと向かわせる。すなわち情報を利用することで、未来にはSSに抵抗できるという可能性が出てくるし、もしかすると未来には収容所を抜け出せるという可能性だって出てくるわけです。ヴルバさんも情報が未来につながると信じていた。

ヴルバさんはヒルシュさんに情報を伝えて、今こそいっしょに抵抗運動を起こそうと呼びかけます。

**引用4**　《ヴルバ：》「しかも、当事者であるあなた方は、この事実を知りさえすれば、手をこまねいて、騙《だま》されるはずがない。おそらく、今こそ行動の時だ！[12]《略》」

そこでランズマンはヴルバさんに、戦える大人は何人くらいだったのか聞きます。

**引用5**　《ヴルバ：》中核は、約三〇人だったが、この段階では、慎重にかまえても、しようがない。すべては成り行き次第なのだから……。つまり、闘いともなれば、老女にだって、石は握れるわけだし、だれでも、闘えるのだ。どう展開するかは、わからない。でも、やはり中核部分が必要だし、指導する人物も必要だ。［ランズマンに対して］こういった細かい点こそ、とても大事なんですよ。[13]

最後に「細かい点こそ、とても大事なんですよ」と話すとき、ヴルバさんは真剣な様子でありながらわらっている。このようにヴルバさんは、まじめな話のときに皮肉を込めてわらったり、逆にわらってしまう内容のさなかに真剣になったりします。この二重性が、彼のひとつの特徴であるように思えます。ヴルバさんがいうには、ヒルシュさんは反乱の提案を聞いて悩みはじめたといいます。

**引用6**　《ヴルバ：》すると、彼はこう言った。「もし、われわれが反乱を起こしたら、子供たちは、いったいどうなるんだろうか？　だれが、彼らの面倒を見るというのかね？」ぼくは答えた。「確実なのは、ただひとつ、子供たちには、助かる道がない、ということだ。いずれにしても、彼らは死ぬことになる。これは確実で、……どうにも、手の打ちようがない。しかし、だれが、子供たちといっしょに、命を落とすか？　つまり、SS隊員を何人倒せるのか？　この殺戮のメカニズムを止めるのに、どこまで成功するか？　この問題は、ぼくたちの出方にかかっている。それに、一部の者が、闘いの間に警戒線を突破して、収容所から脱出する可能性だって、こういう局面なら、ありうるじゃないか？　というのは、見込みだって出てくるのだから。「武器を手に入れる、ひとたび蜂起が始まれば、武器を手に入れる、見込みだって出てくるのだから。」

《略》彼は、もちろん状況は理解したけれど、子供たちがいる以上、決断するのはとても難しい、と答えた。子供たちを、ただ運命のままにまかせるなんて、自分には考えられない、と言うのだった。まだ、わずか三十歳だが、彼はすでに、子供たちの〝父親〟役だったのだ。子供たちとの絆は、そんなにも強かった。[*14]

ここでは、むずかしい決断をしなければならないといわれています。一方では、抵抗すべきだという考えがある。殺戮《さつりく》のメカニズムを止める必要がある。そのためには抵抗しなくちゃいけない。たしかに子どもが大事なのはわかるが、残念ながら子どもは生きていけない。ヴルバさんはヒルシュさんよりも長く住んでいるから、ここでは子どもは死ぬということを知っています。だからまず抵抗するべきだとヴルバさんは主張する。しかしもう一方で、抵抗すべきではないという考えもある。ヒルシュさんとしては子どもたちを守りたい。反乱を起こしたら、子どもたちを捨てなきゃならない。ヒルシュさんとすれば、ナチスは本当にガス室で殺すのかという疑問もあります。となると抵抗しないほうがいいんじゃないかとも思われる。こんなふうに、抵抗するべきか抵抗するべきでないのか、ヒルシュさんは悩む。たしかに悩みますよね。反乱とか抵抗というのは、あとから見ると簡単なようだけど、その場にいて決断するのはすごくむずかしいわけです。

結局ヒルシュさんは、悩みに悩んだあげく答えは出せず、毒を飲んで自殺してしまう。このようなヒルシュさんを、ランズマンは非難していないように見えます。ランズマンはむしろ同情の心をもって、もっというと敬意をもって映画をつくっているようです。ランズマンにとって、悩んだあげく決断できないまま死んでいった人間というのは、ひとつの模範であるかのようです。ヴルバさんはヒルシュさんが死んだことを語るわけですが、これはつまり、ヒルシュさんの代わりに語っている、死んでしまった他人の代わりに語っているということです。

## 4　証言と生き残ること

ヒルシュさんが自殺したあと、チェコからきたユダヤ人たちはガス室に連れていかれる。映画の構成としては、そこにミュラーさんが立ち会うようなかたちになります。ミュラーさんはユダヤ人特別労働班員として、ガス室のある焼却棟ではたらいていた。このとき彼は脱衣場の奥のドアのあたりに立っていたといいます。

**引用7**　〘フィリップ・ミュラー（ユダヤ人男性、アウシュヴィッツ収容所からの生還者、ドイツ語）：〙その夜、私は、二号焼却棟に詰めていました。トラックから降りるが早いか、あの人たちは、投光器の光に目がくらんだまま、廊下を通って、脱衣場へ通じる階段まで進まされました。目のくらんだまま、駆け足で階段まで行かされる間じゅう、あの人たちは、激しく殴られました。ちゃんと走れない人は、死ぬほど、叩かれたのです。SSたちにです。あの人たちに浴びせられたのは、前例のないような暴力でした。それも、突然に……。[*15]

この人々はアウシュヴィッツに到着したときには、ここが絶滅収容所だといわれても信じなかった。だけどガス室にきて、それが本当であったことを知って恐怖にふるえていた、そういわれています。

**引用8**　〘ミュラー：〙人々は絶望し、子供たちは抱き合っています。娘も……、母親も、親たちも、老人たちも、泣いていました。ほんとうに惨めでした。突然、階段の上に、数人のSS将校の、姿が現われました。その中には、収容所長の、シュヴァルツフーバーがいます。あなた方は、たしかに……、ハイデンブレック〘略〙に……、移送される予定だ、と、SS将校としての固い約束をした人物です。その時、私はたしかに目にしました、全員が叫び……、懇願しはじめたのを。「ハイデンブレックは、ペテンだったのか！　私たちに、嘘をついたんだ！　私たちは生きたい！　働きたいんだ！」あの人たちは、SS死刑執行人の目を、じっと直視していました。しかし、殺人者たちは、視線は向けていても、心は少しも動かされない様子でした。[*16]

この引用の最後のところでは、ミュラーさんはほそい目をして首を何度もこまかく横にふっています。ＳＳはもう人々の声を聞くことができないし、それに答えることもできない。このときＳＳは思考しないものになっている。たんに収容所のリズム、破滅のリズムに飲み込まれてそれをまた再生産する、それだけの存在になっているわけです。

**引用9** 《ミュラー：》この、かつてない、激しい状況が頂点にまで達したのは、連中がむりやり、服を脱がせようとした時でした。従う者もありましたが、ほんの少数、片手で数えられるほどの人だけでした。ほとんどの人が、この命令を拒否しました。そして、突然、合唱が、わき起こったのです。合唱の声が……。始まった歌声は、脱衣場の隅ずみまでに満ちあふれました。チェコの国歌が、それから、〈ハティクヴァ〉「希望」。のちにイスラエル国歌となったイムベール作の歌」が響きわたりました。私は、身もふるえんばかりに、感動しました。この……、この……、［涙声］……だめだ。やめましょう！ このことは、いいですか。私の同郷人、同国の人たちに起こったんですよ……。その時、私は悟ったんです。私の生命《いのち》には、もう何の価値もない、と。生きて、いったい何になるのか？ 何のためなんだ？ それで、私は、あの人たちといっしょに、ガス室に入ったんです。死ぬことに決めたのです、あの人たちといっしょに。[*17]

ミュラーさんは、ガス室に響きわたる歌を思い出して泣きくずれます。そして「自分の生命には何の価値もないと感じた」といいます。第19回の**引用3**でも、ミュラーさんは生命の価値について語っていました。そのときいっていたのは、人々が次々に殺されて灰になって消えていく、それを見て人間の生命がどのようなものなのかを理解した、人間にはいつも希望が残っている、生きているあいだは希望を捨ててはならない、そういうことでした。しかし今回の**引用9**ではちがうことをいっています。同じチェコ出身の仲間たちがもうすぐ全員殺される、その仲間たちが国歌を歌って団結している、それを見たらたまらなくなって、自分ひとりだけ生きていてもなんにもならない、自分の生命にはなんの価値もない、そう思ったというんです。まったくちがいます。

今回のはじめに述べたように、ナチスは特定の人間の生命に価値がないということを外側から決定していた。それに対してミュラーさんは、自分の生命に価値がないということを自分で決めています。ヴルバさんの話に出てきたヒルシュさんも、自分の生命には価値がないんだと考えて自殺したのかもしれません。だけどミュラーさんの場合、自分から死のうと思ったのにまわりの人から止められます。

**引用10** 〘ミュラー：〙一群の女性が近寄ってきました。私を見つめると、こう言いました、「ここはもう、ガス室の中でしょ?」〘ランズマン：〙もう、その中にいたのですか?〘ミュラー：〙ガス室の中です。すると、女性の一人は、なおも言いました。「じゃあ、あんたも、死のうというのね?　でも、無意味よ。あんたが死んだからといって、私たちの生命が生き返るわけじゃない。意味のある行為じゃないわ。ここから、出なけりゃだめよ、私たちのなめた苦しみを、私たちの受けた不正を、このことを、証言してくれなければだめです[*18]」。

ミュラーさんは感きわまって、「もう自分の命なんていらない」と思ってガス室に入ったけど、それを見た女性が、「いや、あなたが死んでも意味がない」と反対した。ここでミュラーさんはまたも、生命の価値の問題に巻き込まれます。「自分は生きる価値がない」とみずから決めたのに、今度はまわりの人から、「いやいや、あなたは生きる価値があるんだ」と再度決められたわけです。そしてその人は、「私たちの被害を証言しなければいけない」といったといいます。こうなるとミュラーさんの生命はミュラーさんだけのものではなくなってくる。ミュラーさんは命をかけて、死んだ人たちのことを伝えなくちゃいけない。つまりミュラーさんの生命の価値は、証言することにかかっているわけです。

じゃあ証言とはなんなのか。証言とは自分の体験を話すことです。ホロコーストの証言の場合、あたり前ですけど、殺された人は証言できません。なので、殺されたところを見た別の人が証言することになる。だけど加害者は積極的に語ってくれない。というよりむしろ、語らずに隠れようとする。なので、ミュラーさんのように特別労働班の人、ガス室に入りながらも出てくることができた人、そういう人が証言しなくちゃいけない。

こう考えると、ランズマンが証言に何を求めているのかがわかってきます。ランズマンにとって証言とは、個人的な経験ではなく集団的な経験を語るものだということです。しかも集団の全員が残らず死ぬという経験を語ること、これがランズマンの求める証言です。こうした証言は、第15回のボンバさんについてもあてはまります。「フィリップ・ミュラーとアブラハム・ボンバは、自分たちの個人的な物語を語るだけではない。彼らはそのものとしての絶滅について話しているのだ。彼らは直接的に、包括的な現象をあらわしている。彼らは受肉させている、そうだ、しかしそれは、彼らが殺された六〇〇万人のユダヤ人を受肉させているからなのだ」[*19]。ミュラーさんは殺害されたすべてのユダヤ人全体を具現化させ、受肉させているといわれています。この「受肉」という言葉については少しあとで論じます。

ユダヤ人生還者の証言は、ミュラーさんたちひとりひとりの個人の声によって伝えられるわけですが、映画の関心が向けられているのは個人的な物語や個人的な背景ではなく、ひとつの共同体の運命、全体としての運命のほうです[*20]。そのためランズマンにとって重要なのは、証言する人自身が個人性や主体性をともなわずに語ること、自己を消去しつつ語ることです[*21]。証言する人は幽霊のようであればよいということです。ミュラーさんはガス室に入って死んでいる、まさにそういった人です。本当であれば死んでいるはずなのに、偶然にも死ななかった人、こういう人の証言が大事なわけです。このとき、証言することこそが生きることを支えている。つまり「生きる意志は、死者のために語る責任の感覚によってかたちづくられる」というわけです[*22]。死んだ人について証言することが何よりも大事であり、生還者はその証言のために生きる。

こうしたランズマンの考えは、前回のエリアスさんの姿勢とちがっています。エリアスさんは前回の**引用12**、引用13、引用14で以下のようにいっていました。生き残った人たちは、収容所にいたときこれこれのことをしたのはのちに証言するためだと話すけど、それはうそだ。そのときを生き抜くだけで精一杯で、のちのことなんてわからなかった。私はただ生きたかっただけだ。生きようとした理由は生きたかったからだ。このようなことを前回のエリアスさんはいっていた。つまり、死んだ人の証言をするために生き残るなんていうのはうそだ、ただ生きたいという本能があったんだということです。こうしたエリアスさんの証言は、ミュラーさんの泣く姿とはやっぱり合わない。[*23] 結局ランズマンはミュラーさんのシーンをつかい、エリアスさんのシーンをカットする。ランズマンが映画で強調するのは、他人の代わりに語ることだといえます。

## 5　他人に代わることとしての受肉

ホロコーストを生き延びた人は死者の代わりに語る。ですからホロコーストの証言が意味するのは、死んだ人が証言できないということです。逆説的にいうなら、その証言は証言しえないものを含んでいるということです。[*24]

第19回で見たように、アウシュヴィッツ収容所からのユダヤ人生還者であるプリーモ・レーヴィは、生存者が他人の代わりに語るということについて考えています。収容所から戻ったあと、友人がレーヴィを訪ねてきた。その友人はレーヴィが生きていたことをうれしく思った。友人はこんなふうにいった。「君が生き延びたのは、偶然のしわざでもなく、幸運だったからでもなく、神の摂理だ。なぜ君が生き残るように選ばれたのか。それはわからない。たぶん君が書いていたからだろう。書くことで証言したからだろう」。この友人の考えについてレーヴィはこう述べます。「この意見は私には奇怪なものに思えた。私はむき出しの神経を触られたような痛みを感じた。私は他人の代わりに生きているのかもしれない、他人を犠牲にして。私は他人の立場を奪ったのかもしれない、つまり実際には殺したのかもしれない」。もちろんそんなことはありません。その人たちを殺したのはナチスであってレーヴィではない。レーヴィは次のようにつづけます。「確かに私は自分が無実だと感じるが、救われたものの中に組み入れられている。そのために、自分や他人の目に向き合う時、いつも正当化の理由を探し求めるのである。最悪のものたちが生き残った。最良のものたちが、つまり最も適合したものたちが生き残った。最悪のものたちはみな死んでしまった」[*25]。レーヴィは罪悪感にとらわれます。こんなふうに死んだ人の代わりに語る、死んだ人の代わりに生きるというのは簡単ではない。その人の代わりに自分こそが死ぬべきだったのではないか、自分が死ねばその人が生きることができたのではないか。そうしたネガティヴな疑問がつきまとうのです。

収容所においては、人は他人の代わりに生きるし、他人の代わりに死ぬ。生き残るのが自分であるという理由はないし、逆に死ぬのが他人であるという理由もない。

**引用11**　殺されるのに、ほかの者ではなく自分がでたらめに選ばれたことを恥じている。収容所において「他人の代わりに死ぬ」という言葉がもつことのできる唯一の意味は、つぎのことである。すなわち、理由もなく意味もなく、すべての者が他人の代わりに死んだり、生きたりするということ、収容所は、だれも本当に自分自身のこととして死んだり、生き残ったりすることができない場所だということである。そしてアウシュヴィッツは、つぎのことも意味している。すなわち、人間は、死に臨んでも、その赤面、その恥ずかしさ以外のいかなる意味も自分の死に見いだすことができないということである。[*26]

こうなると、「自分が自分であること」「他人が他人であること」に必然性はなくなる。となれば、自分は他人になるかもしれない。ユダヤ人生還者は死んでしまった他人について証言するわけですが、それはもしかすると自分が他人になりうるということ、あるいは、他人が自分になりうるということなのかもしれません。『ショア』は、自分と他人が同じになるかもしれないその一瞬を描いているように思えます。もちろん実際には同じにはならない。自分が他人と同じになるということは、自分がその人と同じように死んでしまうということだからです。あるいは生き残ったにもかかわらず、他人と同じになるために自殺するということだからです。その意味で自分と他人の同一という事態は、もう少しのところで達成されないものだといえます。そして達成されると同時に死ぬ。映像のミュラーさんは、ガス室のなかで他人と同じように死んでいくはずだったのですが、ぎりぎりのところで外に出ていきます。とはいえ、もう少しのところで他人になってしまいそうな、その限界を見せてくれます。ミュラーさんは他人になりそうなところにおいて、感きわまって泣きくずれていました。それがランズマンのいう受肉です。

**引用12**《ランズマン：》手元には転回点となる見事ないくつかのシーンがありましたので、私はその周りをめぐりながらこの映画を作らなくてはなりませんでした。例えば、家族収容所での殺戮です。このときフィリップ・ミュラーは打ちのめされ泣き出している。これは私にとって沢山の根本的なことを受肉させているがゆえに、きわめて重大な物語です。根本的なことというのは、知／非知、欺瞞、暴力、抵抗といったものです。[*27]

ミュラーさんが泣きくずれる姿には根本的なことが受肉しているといわれています。それまでミュラーさんは力強く冷静であったにもかかわらず、受肉の瞬間にくずおれている。このようにショアは涙、おえつ、けいれん、破綻《はたん》といったものからなっていると考えられます。[*28] ここでもミュラーさんの姿は、前回のエリアスさんと対照的です。エリアスさんは、アウシュヴィッツに到着しても絶滅の話を信じなかったといっていて、その態度は落ち着いていました。逆にミュラーさんは、ユダヤ人の殺害の場面を語り、そのさなかにたえきれずに泣きくずれます。[*29] そのようにくずれ落ちるミュラーさんの姿は、ユダヤ人たちが死ぬ場面にもう一度立ち会っているかのようにも思えます。

**引用13**《ランズマン：》私にとってこの映画のもっとも深く、同時にもっとも把握しがたい意義は、私をつかってこれらの人々をよみがえらせ二度殺すこと、そして彼らにつきそうことです。[*30]

たしかにミュラーさんの語りによって、ユダヤ人たちは想像のなかでよみがえってくる、そしてまたもやガス室に押し込められ、死ぬことになる。それゆえランズマンは「二度殺す」と表現するわけです。再度殺すこと、そこにおいて受肉がなされるということです。ランズマンは以下のようにいいます。「過去があまりの暴力とともによみがえったので、あらゆる距離は撤廃されてしまった。それは純粋な現在であり、思い出とはまさに反対のものなのだ[*31]」。

大事なのは、受肉は自然に起きるようなものではないということです。ランズマンは編集技術的な操作をすることで、うまく受肉がおこなわれるように導いています。たとえば**映像1**でミュラーさんが泣きくずれるよりも前のところでは、画面は現在のアウシュヴィッツの風景でミュラーさんの声が聞こえます。ランズマンによると、編集のときに気をつかったのは「声の内なるリズムを失わないようにすること」だったといいます[*32]。つまりミュラーさんの話すリズムをアウシュヴィッツの風景に合わせる。そうして技術的に受肉の瞬間に導いていく。それにあたりランズマンはミュラーさんの声を意識的に編集しています。具体的には、撮影したアウシュヴィッツの映像と同期するように、ミュラーさんの声をゆっくりとした速さに編集しているといわれています[*33]。

受肉が起きているかどうかによって伝えられることの意味は変わります。ここでパトリス・マニグリエという哲学者の議論を見てみましょう。マニグリエによれば、受肉していない知識と受肉している知識はまったくちがうといいます[*34]。もし私が新しい知識を獲得しても、その知識が受肉していない場合には、私はその知識にかかわらないままです。たとえば私が「ショアにより六〇〇万人のユダヤ人が殺害された」ということを教科書で知ったとしても、私自身が何か変わるということはありません。それに対して私が『ショア』でミュラーさんがおえつするところを見るとき、私はミュラーさんの身ぶりと言葉に巻き込まれていく。そこでは「見る」、つまり「知覚する」ことが大事です。私はミュラーさんを見て、ミュラーさんとともに「ユダヤ人が死んだ」という状況に投げ込まれる。いいかえると、私はミュラーさんの証言のリズムに巻き込まれ、それに連れ去られていく。そのとき私は、「六〇〇万人のユダヤ人が殺された」ということがいったいどういうことなのか、教科書とはちがった仕方で理解できるわけです。これが受肉している知識だとマニグリエはいいます。

このように受肉していない知識から受肉している知識へと移行することは、いいかえると、抽象的なものから具体的なものへの移行です。[*35] この抽象から具体への移りゆきについてマニグリエは次のように述べています。

**引用14** たとえば『ショア』を見て、または証言者のいうことを聞いて、またはときに予測できない場面において、私たちは突然、自分が知っていたはずのことを実感したということである。この現象は不思議であるし、きわめて深い。すなわち知識の対象のなかには、伝えられるだけでは十分ではないものがあるということ、すでに知っているにもかかわらず学ぶことができるし、学ばなければならないものがあるということだ。その知識の対象は、ある種の二度目の時間というものを要請しているかのようである。私たちの知識のなかにあるものはこの二度目の時間に突然戻ってきて、それを知っているという事実そのものを真に照らし出すのである。[*36]

たしかに私は、以前から「ショアが起きた」ことを知っていた。しかしその知識は内容をそなえていなかった。別の言葉でいうと、その知識はリズムをそなえていなかった。そしてある日『ショア』を見る。ミュラーさんをはじめ、多くの人の証言を見るわけです。そのとき私は、「ショアが起きた」ことをもう一度知ることになります。しかし今度は受肉されている知識として知る、ミュラーさんのリズムにそった知識として知るわけです。ここで私は「ショアが起きた」という同じことを知るのですが、だけどそれは同じことではない。それは、**引用14**のうしろのほうにあるように「二度目の時間」であって、一度目の時間とは異なっている。私はミュラーさんの涙を見て、ショアがどういうものだったのかをあらためて知る。それと同時に、自分がそれまで知っていたと思っていたのに、本当は知らなかったのだということを知る。

もう一度知る、二度目に知るという考えは、以前にお話しした過去と現在の関係という問題につながります。ランズマンはホロコーストを過去のこととみなすのではなく、現在のこととして取り上げます。過去を現在へと重ね合わせようとする。ランズマンの言葉をつかうなら、「過去を現在としてよみがえらせ、過去を非時間的な現在性のなかで復元する」というわけです[*37]。ここでいわれているのは、一般的に想定されるような時間とはちがうように思えます。普通、時間というのは過去－現在－未来というふうに直線的に進むものだと想定されていますが、ランズマンは「非時間的な」ものだといいます。そこでは現在と過去が二重になっています。たしかに過去にショアは起きた。しかしそれを知るためには、過去を現在へともたらさなければならない。過去は、現在のミュラーさんの涙にならなければならない。それを見て私たちは別種の時間にたどり着くことになります。こういってよければ、「時間から出て別の時間に移る」ということです[*38]。その時間は過去と同じでもあるし、けれどもちがってもいるような、そういう奇妙な時間です。この別の時間に移ることで、私たちはショアのことを知ることができる。これがすなわち、受肉した知識として知る、二度目に知るということであり、ミュラーさんのリズムに合わせて知るということだと思います。

このように考えると、ミュラーさんが他人に代わるものとして泣きくずれること、それが受肉なんだということができます[*39]。もちろんミュラーさんはミュラーさんであり、殺されたユダヤ人ではない。しかしミュラーさんが思い出しながらふと言葉を失い、涙を流すとき、そこには殺された人たちがあらわれてくるようにも感じます。そのときミュラーさんの生命は新たな価値を獲得しているのではないかと思われます。つまりミュラーさんの生命は、彼自身の生命であることを越え出ている、もう少しでほかの人になりうるような極限のところにいる、そんなふうに私は思います。

## 6 まとめ

①ナチスは人々の生命の価値を外側から決定した。
②収容所において情報は抵抗につながるものの、実際に抵抗することはむずかしい。
③ミュラーさんは自分の生命に価値はないと感じ、みずからガス室に入ろうとした。
④ミュラーさんの涙は、自分と他人が同じになりそう

な瞬間を見せている。
⑤それは受肉している知識、リズムにのっとった知識となる。

＊1　ヒルバーグ『ヨーロッパ・ユダヤ人の絶滅（下）』前掲、一五四頁。
＊2　ナチ党の機関紙では、人々を社会的価値にしたがって評価し、能力ある人を育成すると同時に無能な人を淘汰することが大事だと強調されている。エルンスト・クレー『第三帝国と安楽死』(1983)、松下正明監訳、批評社、一九九九年、二二四頁。
＊3　ヒルバーグ『ヨーロッパ・ユダヤ人の絶滅（下）』前掲、一五四−一五六頁。
＊4　カール・ビンディング／アルフレート・ホッヘ『生きるに値しない命を終わらせる行為の解禁』(1920)、森下直貴・佐野誠編著『新版「生きるに値しない命」とは誰のことか』所収、中公選書、二〇二〇年、五四−五五頁。
＊5　しかし精神病患者の安楽死の実行はそれほど順調ではなかったように見える。というのも安楽死施設では焼却された遺体の悪臭がただよい、多くの職員が抑うつ状態になったといわれているからである。クレー『第三帝国と安楽死』前掲、二〇二頁。
＊6　市野川容孝『身体／生命』岩波書店、二〇〇〇年、一〇九頁。
＊7　前掲、五三−五五頁。
＊8　前掲、一一一−一一二頁。
＊9　ちなみに安楽死を考案し定着させたホッヘは、のちに自分の身内が安楽死の犠牲になったときに患者殺害の反対者となったという。クレー『第三帝国と安楽死』前掲、二三三頁。
＊10　「生の権力もまた人を殺す。だが、それはいかに作為的であったとしても、基本的には不作為として現象する。つまり、生命を死という重力に委ねる、あるいは死という開始点へと投げ返す（re-jeter＝廃棄する）というかたちで殺害は実行されるのだ。ナチスの安楽死計画〔略〕は、まさにそのようなものとして理解されなければならない」。市野川『身体／生命』前掲、五七頁。
＊11　ランズマン『ショアー』前掲、三五〇頁。
＊12　前掲、三五一頁。
＊13　前掲、三五二−三五三頁。
＊14　前掲、三五三−三五五頁。
＊15　前掲、三五八−三五九頁。

＊16 前掲、三六〇－三六一頁。
＊17 前掲、三六一－三六二頁。
＊18 前掲、三六二－三六三頁。
＊19 Maniglier, « Lanzmann philosophe », *op. cit.*, p. 96.
＊20 Zisselsberger, « Challenging *Shoah*'s Paradigms of Witnessing and Survival », *op. cit.*, p. 337. ただしアウトテークのインタビューでは、ランズマンは個人の経験のちがいに注目しているという。それゆえランズマンは個人のちがいに無関心だというのではなく、映画を完成させるために映画自体の美的形式を重視したと考えられる。
＊21 *Ibid.*, p. 338.
＊22 *Ibid.*, p. 344. アウトテークを調べると、ミュラーさんがガス室にみずから入ったことについて、**映像1**とは別の仕方で語るシーンがあるという。*Ibid.*, pp. 345-351. そこでは、ミュラーさんに出ていくように話した女性は黒い髪でヤナという名前だったといわれており、個人性が目立っている。また、ミュラーさんは彼女の言葉を聞いて「ユートピア的に思えた」と語っており、証言することが生き残るための第一の動機ではなかったことがわかる。さらに、ミュラーさんはガス室を自分から出ていったのではなく、女性たちが彼を強制的に追い出したという。これらから映画完成版とアウトテークは対照的なものに見えてくる。つまりミュラーさんは、映画版では集団的な死を語るという目的のために、自分の意志でガス室から出ていくかのように見えるのだが、アウトテークではガス室から無理やり追い出されていて、証言を生の動機とみなしていないように思える。
＊23 他方でランズマンは、ミュラーさんがインタビューで以下のように話したと述べている。「私は生きたかった、なんとしてでも生きたかった、一分でも長く、一日でも長く、一か月でも長く。わかりますか、生きるということです」。Claude Lanzmann, « Préface à *Trois ans dans une chambre à gaz d'Auschwitz* de Filip Müller » (1980), in *La tombe du divin plongeur*, Gallimard, 2012, pp. 525-526.
＊24 ジョルジョ・アガンベン『アウシュヴィッツの残りのもの』(1998)、上村忠男・廣石正和訳、月曜社、二〇〇一年、四二頁。
＊25 レーヴィ『溺れるものと救われるもの』前掲、一〇三－一〇五頁。
＊26 アガンベン『アウシュヴィッツの残りのもの』前掲、一三八－一三九頁。
＊27 ランズマン「場処と言葉」前掲、九一頁。
＊28 Maniglier, « Lanzmann philosophe », *op. cit.*, pp.

113-114.

＊29　Sanyal, « The Gender of Testimony », *op. cit.*, p. 308.

＊30　Lanzmann, « Les non-lieux de la mémoire », *op. cit.*, pp. 403-404.

＊31　Lanzmann, « Préface à *Trois ans dans une chambre à gaz d'Auschwitz* de Filip Müller », *op. cit.*, p. 517.

＊32　ランズマン「場処と言葉」前掲、九〇頁。

＊33　ニコラス・チェア／ドミニク・ウィリアムズ『アウシュヴィッツの巻物　証言資料』(2015)、二階宗人訳、みすず書房、二〇一九年、二四－二五頁。

＊34　Maniglier, « Lanzmann philosophe », *op. cit.*, pp. 96-97.

＊35　マニグリエによると、この抽象から具体への移りゆきという考え方は、デンマークの哲学者キルケゴールの問いにつながるという。*Ibid.*, p. 97.

＊36　*Ibid.*, p. 94.

＊37　ランズマン「出会うまでに十年の歳月を要した、日本の読者に」前掲、二頁。第9回注14で既出。

＊38　Maniglier, « Lanzmann philosophe », *op. cit.*, p. 89.

＊39　別のテークでミュラーさんは、自分と同じアウシュヴィッツの特別労働班員が残した文章を朗読しているという。ミュラーさんは読んでいくうちにときどきつかえ、目に涙を浮かべる。あるところで朗読の流れが止まり、少し中断する。そうこうしているうちに録画のためのリールが終わってしまう。新しいリールで読み直したところ、ミュラーさんは文章をどうにか読み切って自分を保つことができているという。だがランズマンからすると受肉の瞬間は訪れていない。むしろ受肉は、**映像1**でのミュラーさんのおえつのように、語ることのできない何かにいたる、そういうときになされる。チェア／ウィリアムズ『アウシュヴィッツの巻物』前掲、三〇九頁。

# 22 ゲットーという世界

## 1　ゲットー

ナチスはいろんな法律をつくって、合法的にユダヤ人の生活基盤を破壊していきました。[*1] すでに第二次世界大戦がはじまる前から、ドイツ在住のほとんどのユダヤ人は職業や財産を奪われていたといいます。一九四〇年には強制労働に駆り出され、次の年には許可なく居住地を離れることが禁じられます。ユダヤ人は集められ、汽車で連れていかれます。連れていかれる先はゲットーです。

ゲットーはユダヤ人が強制的に居住させられた地区です。ゲットーといえばナチスのつくったものが思い浮かびますが、実はもっと昔からありました。[*2] だけど昔のゲットーとナチスのゲットーはまったくちがう。たしかに昔のゲットーも無理やりユダヤ人を住まわせた場所ですが、ナチスのゲットーはそこで住んでもらうというよりも、そこで死んでもらうための場所だった。ユダヤ人が死ぬための場所だったということには、二つの意味があります。

ⓐ第一に、きわめて悪い環境だということです。ユダヤ人たちをゲットーに閉じ込めて、仕事も与えず食べ物もほとんどやらない。そうやってユダヤ人たちが飢えるように仕向けていく。

**引用1**　ヨーロッパ・ユダヤ人の絶滅の初期段階においてドイツ側はユダヤ人をゲットーに閉じ込め、彼らの収入の道を断つことで、計画的組織的な飢餓政策を推進した。ゲットー化政策は生存の根本的手段を峻拒することで間接的に絶滅に導く方法になったのである。[*3]

たとえば食料事情を見てみると、配給はあってもカロリーは一日平均二三〇カロリーにしかならないといいます。[*4]ちなみに人間に最低限必要なのは二四〇〇カロリーだということですから、必要なカロリーの一〇分の一しか与えられないわけです。餓死を防ぐために、多くのゲットーではユダヤ行政組織や社会団体が炊事場をつくってスープを提供したらしいですが、十分ではなかった。食べていたのはカブ、腐ったジャガイモ、かびた小麦粉、貧弱なパン切れ、少しのマーガリンと肉といったものです。[*5]人々は衰弱して、ばたばたと死んでいく。ワルシャワのゲットーでは、二年半で約一〇万人が餓死したといわれています。

もちろん衛生状態も劣悪です。[*6]湿気が多いあばら家で、トイレも水道もない。ごみは何週間も放置される。石けんや衣類がたりないので、服も体も洗えない。シラミやノミが大繁殖します。また冬の寒さは厳しい。といっても暖房はないので、仕方なく家具や床板を燃やして暖をとるのですが、それでも赤ちゃんや老人は凍死してしまう。そして食料がない。あるとしても炭水化物ばかりで、たんぱく質や脂肪がたりない。すると普通では考えにくい病気が蔓延《まんえん》します。骨粗しょう症、壊死、あるいはひどい下痢、腸炎、異常な体重減少といったものです。また、街なかでは人間や動物の死骸がそのまま捨てておかれたので、腸チフス、発疹チフス、赤痢といった伝染病が広がります。それだけでなく結核、皮膚病、心臓病などの病気の割合も高かったようです。このようなきわめて悪い環境のために、ものすごい数の人が死んでいくことになります。

ⓑ第二の特徴は、ユダヤ人が劣悪な環境を生き延びたとしても、結局は絶滅収容所に移送され、最終的に殺されてしまうということです。ナチスにとってゲットーは「過渡的な手段」でしかなかったといいます。[*7]つまりゲットーは、そこに住みつづけられるところではなく、

絶滅収容所という最終目的地につながっているわけです。ですから、ひどい環境のなかでなんとか生き残ったとしても、それで終わりではない。先ほどの**引用1**では、ゲットーは「間接的に絶滅に導く方法」といわれていましたよね。つまり、ゲットーを生き延びた人たちは直接的な絶滅の方法、すなわち絶滅収容所のガス室という方法によって殺されるということです。

これらの二つの意味で、ゲットーはユダヤ人に死んでもらう場所です。第一に、きわめて悪い環境のなかで死んでもらう。第二に、生き残った場合にも絶滅収容所に移送して死んでもらう。こうして一九四四年になると、ポーランドのゲットーの大半にはだれもいなくなる。ソビブル、トレブリンカ、ベウジェッツといった絶滅収容所は、ゲットーから送られてきたユダヤ人をすべて殺害し、役割を終えて閉鎖されることになります。*8

## 2 『ショア』を見る

今回の映像では、ヤン・カルスキさんという男性にインタビューをしています。カルスキさんはロンドンにあったポーランド亡命政府の密使でした。ポーランドは戦争のときドイツとソ連に占領されてしまったので政府が機能しなくなります。そこでイギリスのロンドンに亡命政府を立てたわけです。カルスキさんはその亡命政府とワルシャワの抵抗組織とのあいだを往復してそれぞれのメッセージを伝える、そういう危険な仕事をしていたそうです。

**映像1** 『ショア』DVD 2-2、39:07-1:19:58 (ch. 7)

今日の映像は、だいたい二つのパートにわかれるように思えます。ひとつ目のパートは、ポーランドの地下組織メンバーである二人のユダヤ人と話し合うところ。二つ目のパートは、その二人のうちのひとりといっしょにワルシャワのゲットーを見にいくところです。カルスキさんは映像の最後に、深いためいきをついていました。ゲットーの壮絶な様子を思い出して、つらい気もちになったのだろうと思います。

### 3　二人のユダヤ人との話し合い

映像のはじめでも、カルスキさんはためいきをついています。とても緊張している様子でした。

**引用2**　《ヤン・カルスキ（ポーランド人男性、ポーランド亡命政府の元密使、英語）：》さて……、戻ってみましょう、三十五年前に……。いや、だめ……、だめです……、戻れない……。実際のところ……。ちょっと待って。すぐ帰りますから。［涙をぬぐうために書斎を出てゆく］*9

過去に戻ろうとする。だけどこみ上げてきて、戻れない。思い出さなくちゃいけないと思いながらも思い出したくない、そういう矛盾したものがあるのかもしれません。本当につらい出来事というのは、思い出そうとするのにうまく思い出せない、そして思い出すよりも前に何かがあふれてきてしまう、そういうものかもしれない。それは言語のレベルに達していないもの、言語にすることのできないものです。とはいえそれは何もないというわけではなくて、何かしらのものがある。だからこそ私たちはカルスキさんの場面を見て、何かが表現されていることを感じます。言語にはなっていないけれどそこに確実にあるもの、それをランズマンは見せているように思えます。

出ていったカルスキさんは少し落ち着いたのか、部屋に戻ってくる。そして「今度は、大丈夫です」といって話しはじめます。しかしカルスキさんの様子は、やっぱり緊張しているように見えます。目を閉じながら、そのときの情景を思い出して話す。思い出すと落ち着かなくなるのか、くちびるを舌でぬらすことがしばしばあります。

**引用3**　《カルスキ：》戦後、三十五年経ちましたが、過去に立ちかえることはありませんでした。二十六年間、教授の仕事を務めてきました。けれども、ユダヤ人問題の話を、学生たちにしたことは、一度もないんです。この映画の意味は、よくわかります。歴史の記録を残す証言ですよね、ですから、何とかやってみましょう……。[10]

実はカルスキさんは一九四四年に本を出版していて、戦争中の自分の体験を書いています。その本はものすごく売れたらしいです。地下活動に参加し、政府の密使になるとはどういうことなのか、ポーランド人から見た戦争はどういうものなのかが書かれている。日本語訳は『私はホロコーストを見た』という本です。私も読んだのですが、すごくおもしろいです。この本は売れたけれど、その後しばらくすると忘れられてしまいます。というのも、この本には戦勝国にとって都合のよくないことがけっこう書かれているからです。たとえばソ連は、ポーランドを助けにきたといいながら占領した、そしてポーランド住民をたくさん殺した、そのことを隠しておきたい。アメリカやイギリスは、ユダヤ人虐殺の情報を知りながらほとんど何も対応しなかった、それを隠しておきたいというわけです。カルスキさんはポーランドを守り、またポーランドにいるユダヤ人を守るために仕事をした。そしてそれを本に書いた。なのに忘れられてしまった。カルスキさんは次のようにいったとのことです。「私は世界を憎みました。ひとりきりになりたかった」。[11] カルスキさんは戦争について語るのをやめる。戦争のことを忘れて何十年もたって、ランズマンがカルスキさんを訪れ、ユダヤ人について話してほしいとお願いする。そしてカルスキさんは過去を思い出すわけです。

カルスキさんは二人の男性との会合について語ります。[12] 二人ともユダヤ人ですが、かかげている理想がちがうようです。ひとりはブンドという組織にいる人で、ブンドとは国家に頼らないで労働者の連帯を目指す組織だといいます。もうひとりはシオニストで、シオニストとはユダヤ人の国民国家を建設しようとする人のことです。同じユダヤ人であっても、「国家があるほうがいい」とか、「いや、独自の国家は必要ない」とか、いろんな主義主張があったことがわかります。二人の運動の方向性はちがうけれど、ナチスのユダヤ人迫害について強く抗議したいというのは同じだったようです。カルスキさんは次のように話します。

**引用4**　《カルスキ：》二人は、すぐに、問題についての、私の無知と、認識不足を見抜いたんだと思います。でも、いったん、彼らのメッセージを持っていくのを承知しますと、ユダヤ人の状況を説明しようと試みました。何も知らない私にですよ。一度だって、ゲットーに行ったことがなかったんですからね！ ユダヤ人問題も調べたこともありませんし！〘ランズマン：〙ワルシャワのユダヤ人の大半が、すでに殺されていたことは、ご存じでしたか？〘カルスキ：〙たしかに知ってはいましたが、この目で、見てはいなかったのです。ゲットーで、実際に何が起こっているかも、直接、話を聞いたこともありません。なにしろ、あそこに行ったことは、一度もなかった……。たしかに、数字は知ってました……。ポーランド人や、ロシア人や、セルビア人や、ギリシア人が、何十万人も殺戮《さつりく》されていた、そのことは知ってました。でも、すべて統計上の話です！〘ランズマン：〙しかし、彼らが強調したのは、問題がすぐれて特異だという……？〘カルスキ：〙そうです。強い印象を私に与えること、それが、彼らの仕事で、ユダヤ人の状況が、歴史上、未曾有だという強い印象を、今後、私が会うすべての人々に与えること、それが、私の任務だったのです。[*13]

カルスキさんは二人に会う前から、ユダヤ人の迫害を知っていた。数としては知っていた。だけどゲットーがどういうところなのか、実際に見て知っているわけではなかった。会合のときのカルスキさんの知識は、前回の表現でいうと「受肉していない知識」だったということです。知っていたけれど、自分の体験をとおして知っているわけではなかった。でもインタビューを受けている現在においては、カルスキさんは実際に見て知っている、つまり「受肉している知識」として知っている。だから映像の冒頭で、カルスキさんは思い出そうとしたけど何かがあふれ出し、泣いてしまったわけです。

この**引用4**で二人のユダヤ人代表の目的は、ユダヤ人がポーランドでいかにひどい状況におかれているかについて、カルスキさんに知ってもらうことだったといわれています。実際に二人の話は強烈だったようで、カルスキさんは「悪夢のような会合だった」といっています。[*14] このときカルスキさんは口をあけ、歯をかんでだまっている。その表情から、話し合いの内容がおそろしいものだったことがうかがえます。二人のユダヤ人代表の願いはこうです。すなわち、ポーランドの亡命政府、またイギリスやアメリカの政府、そして政治的な有力者たち、知識人たちに、ナチスのユダヤ人絶滅作戦について強く認識してほしい、そして絶滅作戦をやめさせるような表明をしてほしいということです。

ちなみにカルスキさんはものすごい記憶力をもっていたといわれています。[*15] どうやらカルスキさんは二人の言葉をそのまま覚えているようです。映像を見ると、二人の口調まで当時聞いたままに再現している、そんなふうに思えます。たとえばユダヤ人の絶滅作戦について、「もしかするとドイツ国民は知らないのではないか」、そうした二人の言葉を思い出しているとき、カルスキさんはまさにその二人の話し方であるかのように、かなり強い口調で語ります。[*16] 二人の言葉はつづきます。もしドイツ国民が知らないのなら、連合国はこう表明するべきだ、ユダヤ人への犯罪をやめなければドイツ国内を爆撃する、そのように連合国はいうべきなんだ、と。カルスキさんはあたかも二人のユダヤ人が乗り移っているかのように、興奮した口調で次のようにいいます。

**引用5**〔…〕この爆撃は、軍事戦略の一環ではない、ただユダヤ人問題にだけ、かかわるものだ、と。爆撃の前に、またその後に、この爆撃が実施された理由、これからも引きつづき実施される理由、それは、ユダヤ人が、ポーランドで皆殺しされているからだ、ということを、ドイツ人民に、知らせてもらいたい。もしかすると、これは、功を奏するかもしれない！　連合国には、これができる。そう、連合国なら、できるのだ！[*17]」。

このカルスキさんの言葉は、二人のユダヤ人の言葉そのもののように思えます。カルスキさんの話し方から、それが緊急で差しせまった願いであったということがわかります。さらに二人が伝えようとしていたのは、ゲットーで反乱を起こすために、ポーランドの地下抵抗組織の武器をゆずってほしいということです。[*18] また、ユダヤ人絶滅を食い止めるために、国際的なユダヤ人指導者は必死になって行動してほしいといったことです。[*19]

この二人との話し合いについては、カルスキさんの本でも書かれています。それによるとカルスキさんは二人に対して、「どのようにワルシャワ・ゲットーのユダヤ人を支援したらいいか」と聞いたといいます。二人の返事は苦しく、あきらめに満ちている様子でもあった。二人のユダヤ人は、自分たちが提案してもそのほとんどはどうせ実行に移されないとわかっている、だけど提案できるのは自分たちしかいないから提案するんだ、そういう感じだったといわれています。[*20]

カルスキさんの本によれば、話し合いの途中で二人のうちひとりのユダヤ人が、その場でくずおれて泣き出してしまった、そしてこういったといいます。「何でわたしはこんなことぜんぶ言ってしまうんだ！　何でわたしは生きている？　これならドイツ人のところに行って、自分が何者か言ってしまった方がいいに決まってる。あいつらがぜんぶのユダヤ人を殺しおえてしまったら、ブンドの闘士も、シオニストも、ラビたちも要らなくなるんだ。あなたにどうしてぜんぶこれを話すのか。ましてや外国にいる人間にはこれが理解できないに決まっている。このわたしにだって……理解できないのだから[*21]」。二人はまさに絶望のただなかにいたということがよくわかります。

## 4　ゲットーの訪問

その後カルスキさんはこういいます。

**引用6**　《カルスキ：》二人のユダヤ人指導者の中で、私と、触れ合うものがあったのでしょうか、ブンドのリーダーの方に親しみを感じていました。おそらくは、身のこなしのせいかもしれません。彼はポーランドの貴族というか、紳士のようでした。誠実で、立ち居振る舞いは気高く、気品があった。彼の方も、私を好いてくれていた、と思います。ある時、彼はこんな思いつきを口に出しました。「ヴィトルド［カルスキのコードネームであろう］さん、私は西欧世界を知ってますが、あなたは、イギリス人と交渉なさるんですよね。その際、報告は、口頭でなさるのでしょう。もしあなたが、〝私は、この目で見てきたんです〟と、おっしゃることができれば、その方が、説得力があることは、間違いありませんね。われわれは、あなたのために、ユダヤ人ゲットー見学の準備をできますが、承知していただけますか？　受けてくださるなら、ワルシャワ・ゲットーに、私がお供しましょう。そうすれば、責任をもって、安全を守れますから」[*22]。

ここでもまた、自分自身で見ることが大事だといわれています。伝聞で知るだけでなく、みずからそこにいって見て知る、それによってちゃんと伝えることができるわけです。この引用で、カルスキさんが戦時中は「ヴィトルド」という偽名をつかって行動していたことがわかります。だけど実をいうと、「カルスキ」という名前にしても本当の名前ではないんです。本名はちがうのですが、戦後アメリカに住むことを決めたとき、もう長いあいだ偽名をつかっていたので移住の手つづきがむずかしくなってしまい、本名に戻るのをあきらめたらしいです[*23]。

さてカルスキさんはブンドのリーダーであるユダヤ人といっしょにゲットーに入ります。しかし入ったとたん、そのユダヤ人の様子が変わったといいます。

**引用7**　『カルスキ：』とある所に、建物が一軒あって……、その裏側は、外界からゲットーを隔てる、囲壁の一部になっており、表側は、アーリア人地区に面していました。その建物の下には、トンネルがありました。私たちは、やすやすと通り抜けましたが、何ということか、ブンドのリーダー、例のポーランド貴族が、突然、別人のようになってしまいました！　私は、彼の横を、歩いていたのに、彼は、まるでゲットーのユダヤ人のように、打ちひしがれ、背をまるめた姿勢になっていました。ずっとここに、暮らしてきた住民のように見えました。明らかに、これこそ、彼の本性であり、ゲットーこそ、彼の世界だったのです[*24]。

この変化はとても重大です。そのユダヤ人は紳士のように上品だったけど、トンネルを抜けてゲットーに入った瞬間にまったく別の様子になってしまった。打ちひしがれたかのようにみすぼらしくなる。引用の最後には「ゲットーこそ、彼の世界だった」とありますが、それほどにまで変化したわけです。いいかえるとゲットーは普通の世界とはまったく別の世界だということです。トンネルを抜けたとたんに世界がまるごと変わってしまった、それとともに人もまったく変わってしまった。
カルスキさんの本によると、ゲットーを案内してくれたそのユダヤ人は、ゲットーの外の地区に複数の店を所有していて、住んでいたのもゲットーの外だったといいます。ゲットーの外にいるときには、また完全に変身するわけです。そうしないとあやしまれてしまう。カルスキさんはこう書いています。「要するに、他人になるのだ。相容れないふたつの役を交互に演じる役者のように。言葉遣い、しぐさ、あるいは不意の行動形態をけっして間違えぬよう、いつでも注意を欠かせないのだ」[*25]。このようにゲットーという世界は、人のあり方をまるごと変えてしまうところだということです。それではゲットーのなかは、具体的にどんな様子なのか？

**引用8** 《カルスキ：》え、何ですって？　ゲットーの様子を説明してほしい、とおっしゃるのですか？　そうですねえ。路上に、裸の人間がごろごろ転がっていました。私は、尋ねました「なぜ、こうして放置してあるのです？」と。《ランズマン：》死体のことですか？《カルスキ：》そう、死体です[*26]。

カルスキさんは「説明してほしいのですか？」といったあと、少し迷っています。そして一〇秒くらい黙ります。ようやく小さい声で、ゆっくり話しはじめます。話したくない、思い出したくないという感じです。街路は死体ばかり。あるいは死にそうな人ばかり。ぺちゃんこの乳房で赤ちゃんに乳をやろうとしたり、わずかなものを交換したり、ものごいをしたり。その様子は地獄だったといいます[*27]。

**引用9** 《ランズマン：》まったく、異様な世界に映ったんですね？《カルスキ：》何ですって？《ランズマン：》別の世界と言ったらいいのか……。《カルスキ：》いや、あれはね、もう、世界とは言えませんでした（It was not a world）。人間の姿をしてなかったんですから（There was not humanity）[*28]。

ゲットーの世界は、世界ではなかったといわれています。世界というのは人間が住んで生活をするところです。

だけどそこに人間はいなかった。人間とはいえないようなものしかなかった。だからゲットーとは、普通とはちがった別の世界というのではなくて、そもそも世界とは呼べないようなところであり、人間がいるとはいえないようなところだということです。カルスキさんはつづけます。

**引用10** 〘カルスキ：〙少年が二人、歩いてくる。かわいらしい顔つきの男の子。制服を着たヒトラー・ユーゲント［ナチズムの青少年組織。十歳から二十一歳の青少年で組織された］です。が、彼らが一歩進むごとに、ユダヤ人の姿は消え、逃げ去ります。二人は、おしゃべりに余念がない。かと思うと、突然、そのうちのひとりが、手をポケットに入れる。そして、考えもせずに、銃の乱射です。あっ！　ガラスの割れる音。恐怖の叫び。ああ！　相棒が、腕前をほめるように、何か言うと、二人は戻っていく。恐怖のあまり、私は、身動きもできませんでした。その時、ユダヤ女性が、——おそらく、私が、ユダヤ人でないのを悟ったのでしょうね——私を抱きしめて、言いました。「もう、お行きなさい、行きなさい。ここは、あなたのいるような場所じゃありません。さあ、行くのです」。そこで私たちは、その家を出、それから、ゲットーを出た。彼が言うには、「今日、すべてを見たわけじゃありません。見たものは、そんなに多くはなかったですね……。もう一度、行ってみましょうか？　私はお供しますよ。何もかも、見ていただきたいものですから」[*29]。

この引用の真ん中あたり、「恐怖のあまり、私は、身動きもできませんでした」というところで、カルスキさんは震えて、声をつまらせて泣いていました。[*30]そして大きな涙をこぼします。ここでは「恐怖」といわれていますが、悲しみとか怒りとかの感情も入り混じっているのではないかと思います。カルスキさんは戦争が終わって何十年もたって過去を思い出している。一般的には現在と過去は切り離されて考えられていますが、カルスキさんが思い出を語るとき、現在と過去が混じり合っているかのように、むしろ過去を現在において生き直しているかのように思えます。ゲットーの世界はあまりにおそろしくて、とうてい受け入れられない。どのように理解すればいいのか、今もわからない。カルスキさんは理解不可能なものに出会ってしまったわけです。その一方で、ゲットーを案内してくれた人からすると、カルスキさんに、ゲットーがまさしく理解不可能であることをわかってほしい。ゲットーは理解できないものであり、世界とはちがうものであることを実際に見てほしいということです。

カルスキさんは、翌日にもう一度ワルシャワ・ゲットーを訪れたといいます。二度目だったので少し慣れたものの、そのぶん前日よりこまかく感じることがあったそうです。

**引用11**　悪臭、悪臭。不潔。悪臭。どこでも、息が詰まりそうです。ゴミのたまった街路。動揺と緊張。狂気。[*31]

**引用12**　ときどき、彼は私を止めては、言うのでした。「ほら、このユダヤ人をごらんなさい！」。立ったまま、動かないユダヤ人です。「死んでいるの？」と訊きますと、彼が言うには、「いや、いや、ちゃんと生きてますよ。ヴィトルドさん、でも、覚えておいてくださいよ！　彼は死ぬところなんです。今、まさに、死のうとしているんです。この人を、よく、見ておいてください！　あっちへ行ったら、みんなに言うのですよ！　〝私は見た！〟とね。忘れちゃだめですよ！」。[*32]

カルスキさんは一時間くらい歩いたあと、ゲットーにたえられなくなったといいます。

**引用13**　《カルスキ：》もうそれ以上は、我慢しきれず、「ここから、私を出してください」、そう、言いました。それから二度と、彼に会ったことはありません。私は、吐き気をもよおすほどでした。……今でも……、だめ……、……いや……です。あなたがなさっているお仕事の意味は、わかっています。ですから、ここにいて、お手伝いしたのですが。あの思い出には、立ち戻れません。もう……、あれ以上は、私には無理でした……。でも、私は自分の見たことを、彼らとの約束を守って、ちゃんと報告しました。[*33]

今でもだめだというあたりで、カルスキさんは首を何度も横に振っています。自分の証言が大事なのはわかる、わかるけど思い出したくないといいます。引用の最後にあるとおり、カルスキさんはイギリスとアメリカに伝えました。アメリカではルーズヴェルト大統領にも会って伝えた。カルスキさんによるとルーズヴェルトの視野はとても広く、アメリカだけではなく全人類までも展望するような考えをもっていたそうです[*34]。だけど結局は、二人のユダヤ人が訴えた提案は実行しなかった。あるいは実行したくてもできなかったのかもしれません。というのも当時アメリカでは、ユダヤ人移民への反対の声が強かったからです[*35]。カルスキさんが情報を伝えたにもかかわらず、有効な対策は何もなされずにユダヤ人絶滅政策はつづいてしまいます。

## 5　語りえないものを語る

カルスキさんはインタビューの最後に、こう述べます。

**引用14**　《カルスキ：》あれは、もう、世界とは言えませんでした（It was not a world）。人間の姿をしてなかった、人間の一部でもなかった（It was not a part of humanity）。私はその一員じゃなかったし、そこに所属してもいませんでした。あのようなものは、これまでに一度も、見たことがありません、ただの一度だって……。あの種の現実について、書いた人はだれもいません。どんな芝居でも、どんな映画でも、見たことはありません！　あれは、人間の住む世界では、なかったのです。この人たちは人間だよ、と、たしかに言われました。けれども、人間のようには見えなかったのです[*36]。

ここでカルスキさんは、「あれは世界ではなかった、あそこに人間はいなかった」といっていますが、**引用9**でも同じことをいっていましたよね。そして、「ゲットーの現実を表現した人はいない」と断言しています。このシーンでのカルスキさんの表情は、おそろしさにふるえているように見えます。とくに最後のところ、「けれども、人間のようには見えなかったのです」という部分では、口を少し開いて歯をかんでいて、恐怖におののいているように見えます。

カルスキさんにとって、ゲットーは表現することができないもの、語ることができないものだということです。ですから、ゲットーの現実についてこれまでだれも書くことはできなかったし、映画にすることもできなかったといわれています。そこにいるのは人間のようなのですが、どうしても自分と同じだとは思えないような人間です。人間であるとも、人間でないともいえないようなものがいる。そこは世界とはいえないとカルスキさんはいいます。

このとき私たちは、カルスキさんが語ることのできないものを語ろうとしている、そういう場面に立ち会っています。[*37] **映像1**のはじめに、カルスキさんは過去のことを思い出そうとして、思わず泣き出した。ゲットーでドイツ人の子どもが楽しげに銃を撃ったことを思い出して、恐怖を再度体験し、涙を流した。最後には、「あれは世界ではなかった」と繰り返した。このようにカルスキさんは感情を制御できないときがある。語ろうとしても語り出せずにつまってしまう。一言でいうと、うまく話すことができなくなる。[*38]

このようにうまく語れないということ、これこそが虐殺を語るためのリズムなのではないかと私は思います。虐殺について語ろうとすると、その話は途切れたり、まわり道したりする。その道筋は直線的でもなめらかでもありません。よろめいたり、つんのめったりする。あるいは繰り返したりする。こうやってカルスキさんの語りは独特のリズムをなしているように思えます。普通は「リズムをなしている」というと、流れるように進むとか、うまく区切りをつけながら心地よく進むといった印象があるかもしれません。しかしショアを語るときのリズムというのは、それとはまったくちがうと私は感じます。映像でカルスキさんが語るときのように、流れをつくろうとしても流れていかずにとどまってしまう、うまく区切りをつけようとしてもそうはいかずに、あせったり不安を感じたりしてしまう。語ることのできないものを語ろうとするとき、カルスキさんのようにこまかなジグザグをたどる。それがショアを語るときのリズムなのではないかと思います。

私はここにひとつの創造性、クリエイティヴなものがあるように思います。語ることのできないものを語ろうとするということは、とても創造的な作業であるように感じます。ホロコーストについての語りは、不安と恐怖をもう一度体験するという点からすればネガティヴな行為です。しかし、だれも語りえなかったものを語るという意味では、あたかも芸術作品を生み出す行為であるように感じられます。それはひとつの詩をつくる、ひとつの絵画をつくる、ひとつの音楽をつくる、そうした創造的な作業に似ている。いわばそれは、だれも表現したことのない独特のリズムをつくるということではないかと思います。カルスキさんはまさしく、ショアを語るためのリズムを創造したといえます。

ということになると、私たちが映画の語りから聞くべきなのは、その語りのリズムだということになります。たしかに話の内容は大事です。しかしそれ以上に話のリズムのほうが重要かもしれない。[*39] リズムというのは声の高さや低さはどのくらいなのか、口調は強いのか弱いのかということです。また、話すスピードは速いのか遅いのか、そしてどんな抑揚で言葉を繰り返しているのかといったことです。先ほど、語りえないものを語るためにはひとつのリズムをつくらなくてはならないということをいいましたが、それと同じように、その語りを理解するためには、話の内容というよりもリズムをとらえる必要があるということです。

語ることができないものを語るとき、よどみなく話すことはできない。むしろカルスキさんのようにうまく話せなかったり、つっかえたり、繰り返したりする。このことは、言葉をはじめてつかうということに似ているように思えます。もしかすると、語りえないものを語るということは、子どもがはじめて言葉を語るということと比較して考えられるのではないかと思います。

それを考えるにあたっては、プリーモ・レーヴィの『休戦』という著作が示唆に富んでいます。ユダヤ人であるレーヴィは、自分がとらわれていたアウシュヴィッツ収容所が解放されたときのことを書いています。解放時、レーヴィの近くに三歳くらいの子どもがいたといいます。これは不思議なことです。アウシュヴィッツで子どもはすぐに殺されてしまうからです。だれもその子どものことを知っている人はおらず、その子は口もきけなかった。レーヴィたちのあいだではフルビネクと呼ばれていたそうです。フルビネクは腰から下がまひして、足が萎縮して小枝のように細かった。口がきけないものの目は鋭く光っていて、欲求や主張がみなぎっていたといいます。そんなフルビネクを、だれも世話しようとはしなかった。唯一、ヘネクという名前のハンガリー人の少年だけがフルビネクを世話したといいます。

**引用15**　一週間後、ヘネクはうぬぼれをひとかけらも見せずに、重々しく告げた。フルビネクが「言葉を一言しゃべった」と。どんな言葉を？　よく分からない、難しい言葉だ、ハンガリー語ではない。「マッスクロ」とか「マティスクロ」とか言った。夜、私たちは耳を澄ました。本当だった。フルビネクのいる方から時々音が、言葉が聞こえた。実際には、いつも正確に同じ言葉ではなかったが、確かに意図して発音された言葉だった。正確に言うと、少しずつ違う風に発音されている言葉で、ある主題、ある語幹、おそらくある名前を、色々と試しながら発音しているようだった。／フルビネクは命のある限り、その実験をかたくなに続けた。翌日から、私たちは全員で、何とか聞き取ろうと、じっと耳を澄ました。私たちの間には、ヨーロッパのあらゆる言葉をしゃべる代表がそろっていたのだが、フルビネクの言葉は分からなかった。〘略〙彼は息を引き取るまで、人間の世界への入場を果たそうと、大人のように戦った。〘略〙フルビネクは一九四五年三月初旬に死んだ。*40

三歳くらいとされるフルビネクは、はじめて言葉を発します。しかしだれも理解できません。その言葉は、彼自身の本当の名前ではないか、あるいは「食べる」とか「パン」とかいう意味の言葉ではないかとレーヴィは推測しています。**引用15**にあるように、フルビネクは同じようにひとつの言葉を繰り返すことができず、うまく話せません。同じような言葉をちがったふうに繰り返しているといわれています。いいかえると、フルビネクの言葉は途切れ、よろめいている。そしてつんのめり、繰り返している。そこには内容というものはありません。そこにあるのは独特の抑揚、独特の口調です。それはリズムです。そのリズムは、心地よく流れていくようなものではない。リズムはむしろ流れていかないような音、何度もちがった仕方でとどまってしまう音です。それは、哲学者のジョルジョ・アガンベンの言葉を借りると、「ばらばらな吃音、非－言語のようなもの、不完全で晦渋な言葉」だということです[*41]。アガンベンはレーヴィについて次のように述べています。

**引用16**　かれ『レーヴィ』はアウシュヴィッツで、証言されないもの（intestimoniato）になんとか耳を傾け、そこからmass-klo、matiskloという秘密の言葉を受け取ろうとした。この意味では、おそらくあらゆる言葉、あらゆる文字は、証言として生まれるのではないいだろうか。だからこそ、それが証言するものは、けっして言葉ではありえず、けっして文字ではありえない。それが証言するものは、証言されないものでしかありえない。そして、これは、欠落から生まれてくる音であり、孤立した者によって話される非－言語である。非－言語を言語が引き受け、非－言語のうちで言語が生まれるのだ。この証言されないものの本性について、証言されないものの非－言語についてこそ、問われなければならない[*42]。

この引用はなんだかむずかしくてよくわかりません。私はむしろ、引用のなかの「非－言語」という言葉を「リズム」というふうに解釈したいと思います。この解釈にそって引用の終わりを見直すと、次のようにいいかえることができます。「これは、欠落から生まれてくる音であり、孤立した者によって話されるリズムである。リズムを言語が引き受け、リズムのうちで言語が生まれるのだ。この証言されないものの本性について、証言されないもののリズムについてこそ、問われなければならない」。こう読み直してみると、リズムこそが言語というものの出発点だということがわかります。また証言を聞くときに、内容というよりもリズムを聞くことが大事なんだということがわかってきます。フルビネクは言葉にならない言葉を発し、それを聞いたレーヴィは証言にならない証言を残している。それは絶滅をあらわすひとつのリズムなのではないかと思います。

カルスキさんが語るとき、過去になかなか戻れずに、つっかえながら涙を流し、「あれは世界ではなかった」と繰り返していました。その証言はリズムとして理解される。それはフルビネクの謎の言葉にいきつくのではないかと思います。フルビネクは人間の最初の言葉がどんなふうに発されるものなのかということを、私たちに垣間見せているかのようです。最初の言葉はリズムとして語られる。あるいはリズムこそがはじめての言葉となる。そのようにリズムとは、人間の理解の原点だということができます。そのとき人は世界に踏み出すことになる。**引用15**の最後の部分にあったように、「人間の世界への入場」をはたすことができるわけです。残念ながらフルビネクは、世界において話す前に死んでしまった。しかし『ショア』にはさまざまな語りが残されています。それらの話はリズムとして聞かれるために与えられているようにも感じます。

## 6　まとめ

①ゲットーは生きる場所ではなく、死ぬための場所である。
②カルスキさんはゲットーを実際に見て、地獄のようだと感じた。
③カルスキさんはゲットーが世界とはいえないといっている。
④ゲットーのような語りえないものを語る場合、うまく話せない。
⑤ショアを語るときのそうしたリズムは、はじめて言葉を発するときに結びつく。

＊1　クノップ『ホロコースト全証言』前掲、一五八―一五九頁。
＊2　「ゲットー」という言葉は、もとはヴェネツィアにあるユダヤ人居住区の呼び名だった。ゲットーとはイタリア語で「鋳物工場」を意味する。その地区には大砲の鋳造場があったからだという。ベーレンバウム『ホロコースト全史』前掲、一六二頁。
＊3　ラカー編『ホロコースト大事典』前掲、一八七頁。
＊4　フェリクス・ティフ編著『ポーランドのユダヤ人』(2004)、阪東宏訳、みすず書房、二〇〇六年、一六一―一六二頁。
＊5　ラカー編『ホロコースト大事典』前掲、一八七頁。
＊6　前掲、一九〇頁。部屋はすし詰め状態で、四人が

住んでいたところに一〇人から一五人が住むようになったという。ベーレンバウム『ホロコースト全史』前掲、一六一頁。

＊7 前掲、一六二頁。

＊8 前掲、一六二－一六三頁。

＊9 ランズマン『ショアー』前掲、三六七頁。

＊10 前掲、三六九頁。

＊11 セリーヌ・ジェルヴェ＝フランセル「編者によるまえがき」、ヤン・カルスキ『私はホロコーストを見た（上）』（1944）、吉田恒雄訳、白水社、二〇一二年、二九頁。

＊12 ランズマン『ショアー』前掲、三六八頁。

＊13 前掲、三七〇－三七二頁。

＊14 前掲、三七三頁。

＊15 ジェルヴェ＝フランセル「編者によるまえがき」前掲、一二頁。

＊16 ランズマン『ショアー』前掲、三七五頁。

＊17 前掲、三七六－三七七頁。

＊18 前掲、三七七－三七八頁。

＊19 前掲、三七九－三八〇頁。

＊20 ヤン・カルスキ『私はホロコーストを見た（下）』（1944）、吉田恒雄訳、白水社、二〇一二年、二〇六頁。

＊21 前掲、二〇二頁。

＊22 ランズマン『ショアー』前掲、三八〇－三八一頁。

＊23 ジェルヴェ＝フランセル「編者によるまえがき」前掲、二九頁。

＊24 ランズマン『ショアー』前掲、三八一－三八二頁。

＊25 カルスキ『私はホロコーストを見た（下）』前掲、二〇〇頁。

＊26 ランズマン『ショアー』前掲、三八二－三八三頁。

＊27 前掲、三八五頁。

＊28 前掲、三八四頁。Claude Lanzmann, *Shoah*, translated by A. Whitelaw and W. Byron, Da Capo Press, 1995, p. 159.

＊29 ランズマン『ショアー』前掲、三八七－三八八頁。

＊30 カルスキさんによると、自分は何度か泣きくずれたし、ランズマンもまた泣きくずれたという。カルスキさんの妻はその状況にたえきれず、撮影のとき家から出ていったようである。Jan Karski, « *Shoah* » (1986), in *Claude Lanzmann's* Shoah, *op. cit.*, p. 174.

＊31 ランズマン『ショアー』前掲、三八八－三八九頁。

＊32 前掲、三九〇－三九一頁。

＊33 前掲、三九一－三九二頁。

＊34 カルスキ『私はホロコーストを見た（下）』前掲、

三〇一頁。
＊35　クノップ『ホロコースト全証言』前掲、三二六頁。ユダヤ人難民受け入れのアンケート調査をしたところ、アメリカ国民の六七パーセントが追い返すほうがよいと答えたという。前掲、三二七頁。ちなみにカルスキさんがいうには、自分の証言で大事だった点は、イギリスの閣僚、アメリカのルーズヴェルト大統領、ユダヤ人指導者たちなどにユダヤ人の惨状をしっかり伝えたところであるという。もしその部分が『ショア』につかわれていたなら、連合国政府がユダヤ人を助けることができたのに放っておいたことがよくわかったはずだと指摘している。Karski, « *Shoah* », *op. cit.*, p. 174. またカルスキさんによると、彼が何十年も沈黙していた大きな理由は、政治家や指導者たちの偽善のためだという。カルスキさんはユダヤ人絶滅作戦のことをすでに戦時中に政治家たちに伝えたにもかかわらず、彼らは戦後にドイツとポーランドを訪れたときにショックを受けたとされている。カルスキさんがいうには、「偽善です。彼らは知っていました。もし知らなかったということがあるとしたら、それは彼らが知りたくなかったからです。人間はこういう見ない能力をもっている。それから三〇年以上、私は自分が戦争のなかにいたということをけっしてだれにも話しませんでした」。Cazenave, *An Archive of the Catastrophe*, *op. cit.*, p. 187.
＊36　ランズマン『ショアー』前掲、三九二頁。Lanzmann, *Shoah*, Da Capo Press, *op. cit.*, p. 161.
＊37　ランズマンはアウトテークにおいて、カルスキさんに次のように語っているという。「カルスキ教授、理解しています……どれだけむずかしいことかわかっています……私はあなたに、いいあらわせないものをいいあらわすよう（to describe the indescribable）お願いしているんです」。Regina Longo, « Coda: Ownership, Authorship, and Access: The Claude Lanzmann *Shoah* Collection », in *The Construction of Testimony*, *op. cit.*, p. 418.
＊38　ある人はカルスキさんの声について、「そのアクセントにおいてさえも、皮をはいだような傷のある陳述」というふうに述べている。Dayan-Rosenman, « *Shoah* : l'écho du silence », *op. cit.*, p. 257.
＊39　哲学者メルロ＝ポンティは人類学者レヴィ＝ストロースの仕事を解説しながら以下のように述べる。「もし神話を聞くにあたって、あたかも現地でインフォーマントの語りを聞くようにしたならば、もう少し失望せずにすんだだろう。つまり明白な内容だけではなく、抑揚や調子やリズムや繰り返しなどを聞くのである」。モーリ

ス・メルロ＝ポンティ「モースからレヴィ＝ストロースへ」(1959)、『精選シーニュ』廣瀬浩司編訳、ちくま学芸文庫、二〇二〇年、二二一－二二二頁。
＊40 レーヴィ『休戦』前掲、三四－三五頁。
＊41 アガンベン『アウシュヴィッツの残りのもの』前掲、四六頁。
＊42 前掲、四九頁。

# 23 ユダヤ人評議会

## 1　ユダヤ人評議会

前回、ワルシャワのゲットーではユダヤ人がひどい環境におかれていたことを見ました。ゲットーを管理していたのはもちろんナチス・ドイツです。でも管理するためにはいろいろな問題を解決する必要がある。住民登録や食料配分などをしなくちゃいけない。なにしろワルシャワ・ゲットーは何十万人も住んでいたので、対応すべきことがたくさんあります。そこで、「そういう面倒なことはすべてユダヤ人たちにやらせよう」とナチスは考えます。そうして管理の具体的な仕事をさせられたのが、ユダヤ人評議会です。

**引用1**　ドイツ人は評議会をそもそもユダヤ人を統制する手段として設立し、評議会はドイツの命令を遂行した。しかしまた評議会は多くの側面でユダヤ人社会の指導的役割を演じた。評議会の組織的構造はそうした多様な任務を反映していた。すなわち、ドイツの諸目的に応えること、以前はケヒラ（ユダヤ人共同体）によって行われたユダヤ人共同体のサービスを続けること、わきおこる新しい諸問題を解決すること、そしてゲットーの中で都市評議会として行動すること、である。評議会は典型的に次のようなことを取り扱う部門を持っていた。すなわち、管理と登録、財政（課税を含む）、労働（強制労働や時には職業再訓練を含む）、治安、保健衛生、建築と住宅供給、食物供給と産業、福祉、教育、文化、そして時おり宗教的業務を扱う部門である。*1

ユダヤ人評議会はゲットーの設置以前からあったようです。評議会ですからユダヤ人の共同体から代表者を選んで、その代表者たちが大事な問題について話し合うというものです。じゃあナチス・ドイツの支配下で、ユダヤ人社会を指導するような役割をもっていたのかというと、どうもそうではない。最近の研究によると、ユダヤ人評議会にはリーダーシップはなかったのではないかといわれています。*2

ユダヤ人評議会の実態は、ナチスが自分たちの命令を実行させるためにこきつかい、都合のいいように悪用するといったものだったようです。ナチスの命令であればどんなものであっても、たとえユダヤ人を追いつめるような命令であっても、責任をもって遂行しなければならない。*3 自分たちの利益に反する命令、さらには自分たちの迫害につながる命令なのに、責任をもって遂行するなんておかしいですよね？　だけどそれをやらないと解任されたり、それどころか収容所に送られたり射殺されたりしたといいます。

たとえばゲットーでの食料配給について見てみます。ナチス・ドイツ当局から配給される量はまったく不十分でした。だけどその一方で、「ゲットーの住民は外部の人と勝手に取り引きしてはいけない」という決まりがありました。そこで評議会はナチス当局に「食料がたりません」というのですが、「評議会でどうにかしろ。責任をもってなんとかしろ」といわれる。ナチスは暴力でゲットーを支配しているわけですから、結局ユダヤ人評議会は命令を聞かなければならない。すると今度は、一般のユダヤ人住民から反発が出てきます。「食料がまったくたりない！　評議会は何をしているんだ！」とユダヤ人住民が怒り出す。こんなふうにユダヤ人評議会は、ナチス・ドイツと一般のユダヤ人とのあいだで板ばさみになっています。これはつらい立場です。ユダヤ人評議会があったためにナチスの絶滅計画がより進められてしまったのではないか、そういうきびしい指摘もされています。

**引用2**　全般的に、ドイツ側はゲットーの壁の資金調達も、ゲットー内の街頭の秩序維持も、移送リストの作成もしなかった。ドイツの監督者たちは、ユダヤ人評議会に対して、情報や金銭、労働力や警察を求め、評議会は、これらの手段をドイツ側に毎日与え続けたのである。このユダヤ人の役割の重要性を、ドイツの支配機関は見逃さなかった。〘略〙ユダヤ人評議会のメンバーは、かならずしも立派とは言えないが誠実なユダヤ人指導者であり、非常に厳しい要求や賦課からユダヤ人共同体を守ろうと努め、厳しい逆境のもとでユダヤ人の生活を常態のものにしようとした。逆説的なことに、まさにこうした努力が、ドイツ人によって徹底的に利用され、ユダヤ人犠牲者に向けられたのである。〘略〙ユダヤ人評議会は、その善悪いずれの特性によってもドイツ人を助けたのであり、ユダヤ人官僚制のまさに最良の業績が、最終的には、すべてを飲み込む絶滅過程のためにドイツ人によって悪用されたのである。[*4]

ユダヤ人評議会はドイツに徹底的に悪用されたといわれています。引用の最後にありますが、「すべてを飲み込む絶滅過程」にしたがうしかなかった。とはいえもちろん評議会としても、ナチスの命令をやわらげようとしたり、一般のユダヤ人の要求を実現させようとしたり、絶望的な状況のなかで孤軍奮闘したといわれています。[*5]

とりわけワルシャワ・ゲットーのユダヤ人評議会は、むずかしい立場にありながらなんとかもちこたえていたようです。ワルシャワ・ゲットーの評議会の議長は、アダム・チェルニアコフというユダヤ人でした。チェルニアコフさんはナチスの命令とユダヤ人住民のあいだにはさまれていた。つまり、「ユダヤ人を減らしたい」というナチスの姿勢と、「なんとか生き延びたい」というユダヤ人の姿勢のあいだにはさまれていたわけです。もちろんチェルニアコフさんはユダヤ人共同体を守りたいと思っていますが、それができない。そしてさらに過酷な命令がつづく。今回の映像では、このチェルニアコフさんについて語られています。

## 2　『ショア』を見る

映像1　『ショア』DVD 2-2、1:19:58-1:41:41（ch. 8-12）

ひとり目は昔ナチスに所属していたフランツ・グラスラーさんという人です。めずらしいことに隠し撮りではなく、顔を出して話しています。グラスラーさんはワルシャワのゲットーを管理するナチス側の人間として、ユダヤ人評議会議長のチェルニアコフさんにも会ったことがある。映像に登場する二人目の人物は、これまでも何度か出てきたラウル・ヒルバーグさんです。

映像ではグラスラーさんとヒルバーグさんが、チェルニアコフさんについて交互に話しているように編集されています。ちなみにグラスラーさんの最初のシーンがはじまるとき、画面にはワルシャワの様子が映されていました。それに対してヒルバーグさんの場面のはじまりでは、彼が住むアメリカのヴァーモント州を車で走る映像がありました。ランズマンがいろんな場所をめぐりながらホロコーストをとらえ直しているということがわかります。

## 3　チェルニアコフとヒルバーグ

では内容を見てみましょう。グラスラーさんは、ナチスの人間としてゲットーを支配していたわけですが、その時代のことをあまり覚えていないといっています。

**引用3**　《ランズマン：》あの時代のことを思い出しませんか？《フランツ・グラスラー（ドイツ人男性、ワルシャワ・ゲットーのナチ・コミッサール（司政官）の元補佐官、ドイツ語）：》ほとんど思い出しませんね。戦時中のことより、戦前の、山歩きの方を、よく憶えています。あの時期のワルシャワのことより、……というのはね……、結局のところ、何となく重苦しく、嫌な時代だったですからね。自明のことですが、人間は――ありがたいことに――よい思い出より、悪かった時期の方を、たやすく忘れるものです……。不愉快な時期のことは、抑圧するんですね。[*6]

グラスラーさんの顔はいくらかこわばっているように見えます。緊張しているのかもしれません。

**引用4**〘ランズマン：〙チェルニアコフは日記をつけてました。それが、ごく最近、刊行されたんです。彼は書いています、一九四一年七月七日のことですが……、〘グラスラー：〙一九四一年七月七日ですか？　自分で日付を、もう一度覚えるのは、初めてですな……。メモを取ってもいいですか？　当然、記憶していてよいことですが、やはり、私にも興味がありますからね……。するとと、七月にはもう、わたしはあそこにいたわけだ！[*7]

チェルニアコフさんの日記を編集して出版したのは、もうひとりの話し手であるヒルバーグさんです。ヒルバーグさんの研究書によると、ユダヤ人とドイツ人の戦後の姿勢は反対だった。つまり、ユダヤ人はホロコーストからアイデンティティーを引き出そうとするのに対して、ドイツ人はホロコーストを過ぎ去ったこととみなし、その過去を現在から切り離すということです。[*8] ドイツ人は未来に向けて進む。そしてホロコーストについて忘れることができる。実際に**引用4**でのグラスラーさんは忘れています。これに対してヒルバーグさんは、過去を忘れることのないようにチェルニアコフさんの日記を出版する。そして次のように述べます。

**引用5**〘ヒルバーグ（男性、歴史学者、英語）：〙〘アダム・チェルニアコフは〙自ら生命を絶つ日の午後まで、毎日毎日、書きつづけた。滅びゆくユダヤ人社会の、最後の時々刻々を、観察できる窓を、残してくれたのだ。今、〝滅びゆく共同体〟と言ったが、実は、この共同体は、そもそも存在しはじめたときから、滅亡の道をたどりはじめていたのだった。で、この意味で、アダム・チェルニアコフは、きわめて、重要なことをなしとげたことになる。彼は、同胞を救えなかった、――その点では、ほかのユダヤ人指導者と同じだが——同胞の身に起こったことを、日、一日と、記録して残してくれた。《略》生涯のうち、ドイツの支配下にあった三年近くのあいだ、内心から込み上げてくるものに、衝き動かされ、強いられたかのように、ひたすら書きつづけた。[*9]

チェルニアコフさんは自殺したこと、ほかのユダヤ人たちを救えなかったことがいわれています。その自殺についてはは次回くわしく取り上げます。チェルニアコフさんはユダヤ人評議会議長としてナチス・ドイツの過酷な命令に対応しなければならないし、それと同時に、ユダヤ人住民の環境を改善しなければならない。だけどすでに述べたとおり、結局はナチスのいいなりになるしかない。その結果ゲットーでは、ユダヤ人が次々に死んでいく。

**引用6** 《ヒルバーグ：》《日記における》別の記述だが、チェルニアコフが、賛意を表しながら、——むしろ、深い共感を込めて！——書いている例がある。一人の〝請願者〟が彼のところにきて、こう言ったという。「お金を恵んでください。でも、食べるためのお金ではなくて、家賃のためです。家賃を払わなくちゃならないのです。路上でだけは、死にたくありませんからね」。こういう類いの記述が、日記の中で、繰り返されている。彼の言いたかったのは、人間の尊厳、ということだ。《略》《ランズマン：》つまり、屋外であろうと、わが家であろうと、死は避けがたいものになっていた、というわけですね。《ヒルバーグ：》まさに、そのとおり。チェルニアコフの日記にしばしば見られる、冷笑的なジョークの例だね。彼は、しょっちゅう、とても異様な記述を残している。葬儀場の前で演奏する、ブラスバンドだとか、酔っぱらった御者に引かれた、霊柩車《れいきゅうじゃ》だとか、遊び場を走り回る、死んだ子供だとか……。チェルニアコフは、死について、むしろせせら笑うような書き方をしている。死とともに、生きていたのだから。[*10]

ゲットーの住人は多少のお金をめぐんでもらって食べものを買ったとしても、お金がつきてまた食べられなくなる。遠からず飢えて死ぬわけです。それなら死ぬときの状況をよくするほうがよいのではないかということです。ゲットーではゆき倒れになる人がとても多く、死体には新聞紙がかけられるだけだったといいます。そういえば前回のカルスキさんも、ゲットーでは死体が転がったままだったといっていました。そんなふうにのたれ死にして放っておかれるのではなく、せめて自分の部屋で死にたい、少しは人間らしく死にたい、そういう願いがあったということです。悲惨なことですが、チェルニアコフさんはそれを皮肉に書いている。**引用6**の最後にあるように、チェルニアコフさんは死とともに生きていたからこそ、冷笑的な記述を日記に残していたといいます。
　ではナチスの人間だったグラスラーさんからすると、ゲットーはどんなふうに見えたのでしょうか？

**引用7**　『ランズマン：』よく、ゲットーを訪れましたか？『グラスラー：』滅多に。でも、二、三度は、行きましたね。チェルニアコフのところですよ。『ランズマン：』で、どんなふうでした？　生活状態は？『グラスラー：』ひどかった。ほんとうに、ぞっとするようでした。『ランズマン：』そうですか？『グラスラー：』ですから、実情がわかってからは、ゲットーに足を踏み入れませんでした。[11]

　ゲットーを力ずくで支配しておきながら、ひどい環境だから近づかなかったといいます。グラスラーさんのいい分によれば、自分たちは当時、ゲットーで伝染病が蔓《まん》延《えん》しないように努力した、ゲットーが存続できるように努力したんだということです。グラスラーさんのようなナチスの管理者たちは、伝染病、とくに「発疹チフス」という伝染病が流行しないかとおそれていたようです。発疹チフスは、貧困や飢餓といった劣悪な社会的条件において発生することが多い伝染病で、シラミを媒介にして伝染するといわれています。グラスラーさんによると、ナチのコミッサール本部はそうした伝染病の発生をおさえようとした、そして「栄養状態をできるだけよい状態に維持しようと努力した」といいます。[12]
　グラスラーさんたちが本当にゲットーを維持しようとしたのか、それを解明することはむずかしいです。もしかすると本当かもしれません。というのも、絶滅作戦を進めたドイツ人官僚がとりわけ残酷だったというわけではないし、道徳的心情という観点から見てもとくに異常だったというのでもないからです。ヒルバーグさんが本に書いているように、「ドイツ人の加害者たちは、特殊なドイツ人ではなかった」ということです[*13]。おそらくグラスラーさんにしても、ほかのドイツ人とそんなに変わっているわけではなくて、同じような倫理観をもっていたのだろうと思います。だとすればゲットーの伝染病をおさえようとしたということもありえるかもしれません。ともかくドイツ人は、発疹チフスという伝染病をかなりおそれていたようです。

**引用8** 《ランズマン：》チェルニアコフも、ゲットー建設の一つの理由はドイツ人のこの恐怖にある、と書いています。《グラスラー：》そう、確かです、確かなことです！《ランズマン：》発疹チフスに対する恐怖ですね？《グラスラー：》チフスに対する恐怖です。《ランズマン：》ドイツ人は、つねにユダヤ人を、チフスと同一視してきた、そう、チェルニアコフは書いています。《グラスラー：》それはたしかにありえる話ですね、うん。ただし、根拠があるかどうかは、知りませんが[*14]……。

チェルニアコフさんの日記では、ドイツ人は自分たちを伝染病のようにあつかっているといいます。それを聞いたグラスラーさんは、それはありえるけれど本当かどうかわからないと話す。グラスラーさんはこのとき、自分はどう考えていたのか、自分はユダヤ人をチフスと同じように見ていたのか、見ていなかったのか、それについては話しません。まるで自分はそれについてはかかわりがない、そんなふうにも聞こえます。

ではゲットーでチフスが発生したとき、ドイツ人はどんな対応をしていたのか？　まずその建物を閉鎖します。そして門に「発疹チフス」と書いたプラカードを掲示します。住人全員を消毒する。マットレスやシーツは燃やしてしまいます。チフスにかかった人は入院させて、同居していた家族たちは隔離します。だけど食べものはやらない。そのため隔離しているうちに多くの人は餓死してしまったそうです。チフスの患者が出ると、このように家族はばらばらにさせられ、食べ物をもらえずに死んでしまう。ですからユダヤ人住民のなかでチフスが新たに出ても報告をしないということもあったようです。[*15] でもそうなると、ドイツ人の知らないところで病気が蔓延する。そんなことになれば、ドイツ人にとってはなおさら、ユダヤ人イコール伝染病だというふうに思えてしまう。ユダヤ人に対してさらにきびしくしなければならない、そう考えてしまうことになる。

こんな状況のなか、チェルニアコフさんはナチスからいくら無理なことを押しつけられても反抗しなかったとヒルバーグさんはいっています。だけどさすがに反論することもあったらしい。そのことが日記に書かれているといいます。

**引用9**　《ヒルバーグ：》ゲットーの囲壁を建てさせられたのは、やむをえないとしても、その費用の負担まで押しつけられた時には、さすがに議論を展開して、こう述べた。「ユダヤ人の伝染病が、外部のポーランド人やドイツ人の間に、猛威をふるうのを防ぐ衛生上の措置として、囲壁が建設されるのであれば、それならばですよ、ユダヤ人がその費用をもたなければならないのは、なぜなんですか？　医療の保護を受ける人が、その費用を負担するべきです。壁が医療処置であるなら、ドイツ人に払っていただきましょう！」と。すると、ゲットー・コミッサールのアウアースヴァルトは、こう言った。「見事な議論じゃないか。いつの日か、国際会議にもちだすといい……。が、とりあえず、払ってくれたまえ！」チェルニアコフは、アウアースヴァルトのこの答えまで含め、一部始終を、日記に書きとめている。[*16]

そうしたナチスの卑劣なやり方があったのなら、グラスラーさんの話、つまり「自分たちはゲットーを維持しようとした」という話はあまり信用できなくなる。やはりユダヤ人を虐待しているだけのように思えてくる。

このように映像では、編集によってヒルバーグさんとグラスラーさんが交互に話しています。そのやりとりによって、ユダヤ人評議会議長のチェルニアコフさんがどのようにゲットーを見ていたのかということがわかってきます。ヒルバーグさんが日記についてくわしく語るうちに、あたかもチェルニアコフさん自身が語っているかのようにも感じられてくる。ランズマンがヒルバーグさんを撮影したとき、ヒルバーグさんはチェルニアコフさんの日記の研究にのめり込んでいたようです。ヒルバーグさんは回想録で以下のように書いています。

**引用10**　クロード・ランズマンがヴァーモントにやってきて私を撮影したときは、チェルニアコフの人生に浸っていた。私は自分の研究について彼に語り、ランズマンはその人物について私に語らせ、日記の一部をカメラの前で朗読させた。最後にランズマンは私に言った。「君はチェルニアコフだったんだね[*17]」

ランズマンにとって、ヒルバーグさんはチェルニアコフさんそのものだった。ヒルバーグさんをとおして、当時のチェルニアコフさんがよみがえってくるわけです。ある研究者の言葉を借りると、ヒルバーグさんはチェルニアコフさんを受肉させており、チェルニアコフさんがまさしく死者としてよみがえるようにさせているということです[*18]。チェルニアコフさんはヒルバーグさんの声、身ぶり、目つきにやどる。こうしたヒルバーグさんのパフォーマンスによって、元ナチスのグラスラーさんとチェルニアコフさんのあいだにひとつの対話が創造されているのではないか、そんなふうに指摘する研究者もいます[*19]。

## 4　哲学とリズム

映像の最後のシーンで、グラスラーさんは次のように主張しています。

**引用11**　《グラスラー：》最後には〝絶滅〟に行き着いた政策、つまりいわゆる〈最終解決〉政策について、当時の我々は、むろん、なにも知りませんでした。我々の任務は、ゲットーを維持することであり、また、ユダヤ人を、労働力として最大限に保全することでした。つまり、我がコミッサール本部の目標は、つまるところ、のちに〝絶滅〟にまで行き着いた政策とは、まったく別物だったのです[*20]。

グラスラーさんは、「自分たちはゲットーで殺戮《さつりく》を目指していたのではなく、ゲットーを維持しようとしていた」といいます。それに対してランズマンは、「でもゲットーではたくさんの人が死んでいたではないか」と反論します。グラスラーさんはこのやりとりのなかで、むずかしい顔をしてランズマンの質問を聞いています。固い表情で、口を横にして結んでいる。緊張しているからか、下を向いてつばを飲み込んで話しているようです。ランズマンは次のように聞きます。

**引用12** 〘ランズマン：〙哲学的な質問を一つしたいのですが、あなたのご意見では、ゲットーとは何を意味するのでしょう？〘グラスラー：〙おやおや！ゲットーってものはね、私の知るかぎりでも、何世紀も前から、歴史上に、例があります。ユダヤ人迫害は、ドイツ人の発明ではありませんし、第二次世界大戦に始まるものでもありません、そうでしょ。ポーランド人だって、ユダヤ人を迫害してきましたよね。[*21]

ここでランズマンは「哲学的な質問」といっていて、「ゲットーとは何か」と聞きます。その質問に対して、グラスラーさんは歴史的な観点から答えます。これまでの歴史においてさまざまな人たちがユダヤ人を迫害してきたではないか、そう述べています。ランズマンはその答えに不満のようで、矢つぎ早に質問をします。緊迫したやりとりがつづきます。

**引用13** 〘グラスラー：〙我が機関の任務は、ゲットーを壊滅させることじゃなく、生かしつづけることでした……。さらに、また……。〘ランズマン：〙なるほど。でも、そのような状態で、〈生かす〉という意味は？〘グラスラー：〙それこそが、問題でした。〘ランズマン：〙そうですよね。〘グラスラー：〙それこそが、問題だったのです。それに、取り組むべきだったし、事実……、たしかに、取り組んでいた。〘ランズマン：〙しかし、人々は、路上で倒れて行きました。いたる所に、死体があったのです。〘グラスラー：〙まったく、まったく。いや。それこそが、歴史全体における逆説だったのですよ。〘ランズマン：〙ほう、逆説だったと、思いますか？〘グラスラー：〙ええ、間違いありませんよ。〘ランズマン：〙

でも、なぜ？　説明してもらえますか？〘グラスラー：〙できません。〘ランズマン：〙なぜ、できませんか？〘グラスラー：〙何を、説明しろと言われるのですか？　事実はですね、一方に、……。〘ランズマン：〙しかし、それは〈維持する〉話とはちがいます！　ユダヤ人たちは、毎日のようにゲットーのなかで、殺戮されていたんですよ。チェルニアコフの書いているところでは……、〘グラスラー：〙そうですね。しかし、ほんとうに、ゲットーを維持しようというのだったら、せめて、もっと実質的な食料配給が必要でしたね。それに、あんなに詰め込んでは、いけませんでした。〘ランズマン：〙けれども、人道的な配給がなかったのは、なぜですか？　なぜだったんでしょう？〘グラスラー：〙それは……。〘ランズマン：〙ドイツ側の決定があったからではないですか？〘グラスラー：〙ただし、ゲットーを、飢えさせるという決定は、この段階では、もちろん、下されてなどいませんでした。ユダヤ人絶滅の大決定が行なわれたのは、もっとずっとあとのことですから。[*22]

グラスラーさんとしては、ゲットーと絶滅をはっきり区別したいと思っているようです。「自分はゲットーを生かしつづけようとした、維持しようとした。それは絶滅とはちがうんだ」という考え方のようです。ランズマンとしては、「いや、ゲットーを維持しているといったって、実際に何万人も、何十万人も死んでいるじゃないか。その意味でゲットーの政策は、ユダヤ人をまさに死なせるためのものであって、絶滅のプロセスの一部分になっているのではないか」ということです。いいかえると、ゲットーは生きる場所、生の場所ではなく、死ぬための場所、死の場所だったのではないか、そういう根本的な問いがあるわけです。だけどグラスラーさんはどうしてもそれを認めたくない。自分としてはユダヤ人共同体を生かすように努力したんだ、そう思っていたい。自分はユダヤ人を憎んではいないし反ユダヤ主義者でもない、そういうふうに主張している。[*23]

ここで問題となるのは、グラスラーさんのいう「生かしつづける」とはいったいどういうことなのかということです。いかにして生きるようにさせるというのか。いや、むしろ、いかにして死ぬようにさせるのかということが問題となる。だってナチス・ドイツはユダヤ人たちをひとつの場所に押し込めておきながら食べものを与えないし、その一方で住民の登録はやらせる、税金を徴収する、そうして住民が死んでいくように仕向けているからです。さまざまな手つづきをとおして住民が徐々に死んでいくようにしている、あるいは勝手に死んでいくようにしているわけです。

ここで参考になるのは、フランスの思想家であるミシェル・フーコーの考えです。フーコーによれば、古いタイプの権力というのは、「死なせるか生きるままにしておく」という機能をもっていた。それに比べて新しいタイプの権力は、「生きさせるか死のなかに廃棄する」という機能をもつといいます[*24]。具体的に説明しますと、古いタイプの権力は生きること、つまり生を前提にしています。たとえば重い罪を犯した人がいれば、国王は住民への見せしめとして残酷な死刑を公開します。そして罪人の生を打ちくだく。つまり罪人を生から引き離すわけです。これに対して新しいタイプの権力というのは、死を出発点にしている。人間は何もしなければ死んでいきます。それゆえに権力は人々に食べものを与え、住むところを用意し、服を着せるわけです。ここでの権力の役割は、生きることができるようにさまざまな準備をするということです。人々が死なないようにするということです。このとき前提となっているのは、「人間は放っておけば死んでしまう」という考えです[*25]。この前提から出発して権力は機能する。このような新しいタイプの権力は、人々を「生きさせるか死のなかに廃棄する」という役割をはたします。つまり、いろんな制度をととのえて人々が生きるようにさせることもあれば、ときに反転して、必要なものを与えずに勝手に死んでいくようにすることもある。この後者のやり方がナチスのゲットー政策であって、それはまさに、人々を「死のなかに廃棄する」という機能をはたします。ナチスは「人間は放っておけば死んでしまう」という前提から出発して、まさにそのとおりに、放っておいて死なせておく、そういう場所をつくり上げたわけです。このようにゲットーでは、人々はさまざまなやり方で放置されて、次々に死がたちあらわれてくるということです。

**引用12**を見直してみましょう。ランズマンは「哲学的な質問を一つしたいのですが、あなたのご意見では、ゲットーとは何を意味するのでしょう?」といっています。では、ランズマンは「哲学的」という言葉をどういう意図でつかっているのでしょうか?

講義の第6回の**引用6**、そして第15回の**引用11**でも見ましたが、ランズマンはこんなふうにいっています。「私にとって映画の全体は、まさしく抽象的なものから具体的なものへの移行なのです。それは私にとって、哲学的な歩みそのものです[*26]」。ここから考えると、どうやらランズマンにとって「哲学的」というのは、具体的な仕方ではっきりわかるようにする、ありありと感じられるようにする、そういうことを示しているようです。でも一般的に「哲学的」というと、論理的に考えることだったり、頭のなかで思考する、思索するということだったりします。なので哲学というと、なんとなく抽象的な思考というふうに思われがちです。だけどランズマンのいう哲学は抽象的に考えることではなく、むしろ具体的にわかるということを意味しています。

**引用14** 「『ショアー』が」とランズマンはイェール大学で語っている。「歴史の映画でないことは確かです。……あの映画のなかにいくつかの知見が存在するのは事実ですが、『ショアー』の目的は知識を伝達することではありません。……ヒルバーグの本『ヨーロッパ・ユダヤ人の絶滅』は、何年にもわたってわたしの聖書そのものでした。……にもかかわらず、『ショアー』は歴史の映画ではありません。それは何か別のものです。……あの映画がわたしにとって何であるか、一言で要約するなら、わたしはこう言うでしょう。あの映画は受肉 *incarnation* であり、復活 *resurrection* であって、あの映画のプロセス全体はある哲学的なプロセスである、と[*27]」。

ランズマンにとって、ヒルバーグさんの研究書は絶滅の歴史を詳細に調査しているという意味で重要です。だけどランズマンの映画は歴史にかんするものではなく、哲学にかかわるものです。それは「受肉」とか「復活」といわれています。ランズマンの「受肉」という言葉については第6回と第15回で取り上げました。「受肉」とは、おおまかにいうと、証言することによって過去を生き直すということです。「復活」という言葉も同じような意味で、過去の出来事をもう一度現在においてよみがえらせるということです。映画にそくしていうなら、過去に起きた虐殺を、さまざまな語りによって現在においてあらわれるようにするということです。もっというなら、語りを聞いている私たちが虐殺というものをありありと想像できるようにするということです。そんなふうに具体的にはっきりとわかるようにあらわれさせること、それが「哲学的なプロセス」だというわけです。

ランズマンはショアのことを具体的にわかるようにしたい。そう思ってグラスラーさんに対して、「哲学的な質問を一つしたいのですが、あなたのご意見では、ゲットーとは何を意味するのでしょう？」と問いかけています。しかしグラスラーさんの答えはまったく具体的ではない。「ゲットーは何世紀も前からあったんだ、ポーランド人だってユダヤ人を迫害したんだ」というふうに、おおざっぱな歴史でもって答えている。これじゃあまったく抽象的です。ランズマンはこんな答えに満足できません。もっとはっきりと、具体的にわかるようにしてほしい。ゲットーでは人々はどのように死んでいったのか、人々にとってどんなふうに死がたちあらわれてきたのか、それを知りたい。

そうしたことを哲学的にあらわしてくれた人たちもいます。それはたとえば第15回のボンバさんです。私たちはボンバさんの長い沈黙を見ることで、語ることがむずかしいような出来事が起きたということがはっきりとわかる。また前回取り上げたカルスキさんもそうです。私たちはカルスキさんの涙を見ることで、ゲットーがこれ以上なく悲惨な状況にあったということ、その状況に立ち会うと恐怖にふるえてしまうということがありありと感じられる。ボンバさんやカルスキさんは、沈黙したり涙を流したりすることで、死がどういうふうにたちあらわれてくるのかを私たちに教えてくれています。私たちは彼らの身体においてショアを知ることができるわけです。

これに対してグラスラーさんは、哲学的に教えてくれることはありません。彼は、「自分たちはゲットーを生かしつづけようとした」と主張します。もしかするとそうなのかもしれませんが、そんな説明をされても、ゲットーが具体的にどういうものだったのかということは見えてこない。グラスラーさんはゲットーをその目で見ていたにもかかわらず、はっきり見えてくるように語ることはできない。グラスラーさんは、ゲットーを見ているのにまったく見ていなかったということかもしれません。ゲットーをちゃんと見るならば、生ではなく死がたちあらわれてくる場所として映るはずです。死のなかへと廃棄する、そういう場所として見えてくるはずです。

視点を変えて、『ショア』という映画全体について考えてみましょう。ランズマンは多くの人の語りをさまざまに組み合わせて、ショアという出来事を復活させています。たとえばカルスキさんの話を編集し、その語りの独特のリズムをとおして、ショアがもう一度感じられるようにしています。ショアを具体的にあらわれるようにすることで、ショアについて知ろうとするわけです。こういう知り方は、グラスラーさんのようにおおまかな歴史によって知ろうとする仕方とはまったくちがう。さらにヒルバーグさんの緻密な研究のように、こまかい事実を重ねて知ろうとするやり方ともちがいます。この意味で、ランズマンは出来事を知るための新しい方法を提示したということかもしれません。つまり、過去の出来事を今あらわれるようにさせて知る、それを今生き直すようにして知るということです。私の言葉でいうと、過去の出来事をリズムによって知る、さまざまな語りというリズムによって知るということです。それこそがランズマンの「哲学的」な方法なのではないかなと思います。このとき「哲学」という言葉は、たんに知るということではなく、さまざまな語りからなるリズムによって知るということだと思われます[*28]。

ランズマンは自分の体験を語っているわけではありませんが、自分の名義で映画のテキストを出版しており、『ショア』の脚本をつくり上げたのはまさしく自分だとみなしています[*29]。さらに、ランズマンは『ショア』のアウトテークの素材をアメリカのホロコースト記念博物館に移してその金額を受けとったあとにも、それらの素材を自由につかう権利があるのは自分だけだと考えていたようです[*30]。こうしたランズマンの主張をそのまま認めるのはちょっとむずかしいように感じます。とはいっても、ランズマンが何かをつくり出したというのはたしかです。じゃあランズマンは何をつくったのでしょうか?

私としては、ランズマンはひとつのリズムをつくったのではないかと考えています。ランズマンはさまざまな証言を引き出しそれらを組み合わせたわけですが、そのことによってショアを具体的に理解できるようにした。それはつまり、たくさんの語りからなるひとつのリズムをつくり出し、それをとおしてショアがはっきりとたちあらわれるようにしたということです。いいかえると、ショアをめぐるひとつのリズムをつくったということです。

この『ショア』という映画を監督したということは、ホロコーストを理解するためのひとつのやり方を提示したということではないかと思われます。歴史や統計とかによる理解ではなく、論理とか物語による理解でもない。むしろリズムによって理解するというやり方を示したのではないかなと思います。さまざまな語りからなるひとつのリズムをとおして出来事があらわれてくるようにする、そういうやり方を示したわけです。この意味では、ランズマンは『ショア』をとおして自分の哲学を提示したといえるかもしれません。それはまさに現代においてあらわれた思想のひとつであり、現代というものを見るための思想のひとつだといえます。さまざまな語りをつらぬくリズムにおいて絶滅と破滅があらわれてくること、これが『ショア』の現代思想だということです。*31

## 5　まとめ

①ユダヤ人評議会は、ナチス・ドイツとユダヤ人とのあいだの板ばさみになっていた。
②評議会はナチスに徹底的に悪用された。
③ナチスにいた人間は、「自分たちはゲットーを生かしつづけようとした」と述べている。
④ナチスはゲットー政策により、ユダヤ人を死のなかへと廃棄した。
⑤ランズマンはショアをめぐるひとつのリズムをつくり出した。

*1　ラカー編『ホロコースト大事典』前掲、六〇三頁。
*2　前掲、六〇四頁。
*3　ユダヤ人評議会は「すでに発せられたか、将来発せられるべき指令の正確で敏速な遂行のために、文字どおりの意味で、完全に責任があるもの」とされたという。

前掲、六〇二頁。
＊4　ヒルバーグ『ヨーロッパ・ユダヤ人の絶滅（下）』前掲、二七五頁。
＊5　ベーレンバウム『ホロコースト全史』前掲、一六三頁。
＊6　ランズマン『ショアー』前掲、三九三頁。
＊7　前掲、三九四頁。
＊8　ヒルバーグ『ヨーロッパ・ユダヤ人の絶滅（下）』前掲、二九二－二九三頁。
＊9　ランズマン『ショアー』前掲、三九六－三九七頁。
＊10　前掲、四〇〇－四〇一頁。
＊11　前掲、四〇一－四〇二頁。
＊12　前掲、四〇三頁。
＊13　ヒルバーグ『ヨーロッパ・ユダヤ人の絶滅（下）』前掲、二五三頁。
＊14　ランズマン『ショアー』前掲、四〇三－四〇四頁。
＊15　ティフ編著『ポーランドのユダヤ人』前掲、一五九頁。
＊16　ランズマン『ショアー』前掲、四〇六頁。
＊17　ラウル・ヒルバーグ『記憶』（1996）、徳留絹枝訳、柏書房、一九九八年、二二三－二二四頁。
＊18　ショシャナ・フェルマン『声の回帰』（1992）、上野成利ほか訳、太田出版、一九九五年、三一頁。
＊19　Shenker, « "The dead are not around" », *op. cit.*, p. 128. ヒルバーグさんのパフォーマンスには、慎重でありつつも明瞭な情念が威厳ある物腰と織りまぜられているという。
＊20　ランズマン『ショアー』前掲、四〇七頁。
＊21　前掲、四〇八－四〇九頁。
＊22　前掲、四〇九－四一〇頁。
＊23　ヒルバーグさんはその著作で次のように指摘する。「ドイツの官僚は、義務と個人的感情とをはっきりと区別した。彼らはユダヤ人を「憎んで」はいないと主張し、時には、ユダヤ人の友人や知人のためにわざわざ「良い行い」をすることさえあった。〔略〕「良い行い」には重要な心理的な働きがあった。彼らは、個人の感情から「義務」を切り離した。ユダヤ人を絶滅させる者は「上品さ」の感覚を保持していた。ユダヤ人を絶滅させる者は「反ユダヤ主義者」ではなかったのである」。ヒルバーグ『ヨーロッパ・ユダヤ人の絶滅（下）』前掲、二六四－二六五頁。
＊24　ミシェル・フーコー『知への意志』（1976）、渡辺守章訳、新潮社、一九八六年、一七五頁。フーコーは新しいタイプの権力を「生の権力」と表現している。前掲、一七七頁。

＊25　新しいタイプの権力、生の権力について以下のようにいわれている。「生－権力はまさに「死」を出発点とする。生－権力が前提としているのは、人間が可死的であるということ、配慮を怠ればいつでも死に至るという潜在的可能性である」。市野川『身体／生命』前掲、五七頁。
＊26　Lanzmann, « Les non-lieux de la mémoire », *op. cit.*, p. 389.
＊27　フェルマン『声の回帰』前掲、二六頁。
＊28　ボンバさんが椅子のまわりで長いあいだ黙って立っている様子や、カルスキさんが思い出すのにたえられず泣きながら中座する様子を思い起こすなら、ランズマンの哲学は、諸身体からなるリズムにおいて知るということかもしれない。
＊29　Erin McGlothlin and Brad Prager, « Introduction: Inventing According to the Truth: The Long Arc of Lanzmann's *Shoah* », in *The Construction of Testimony*, *op. cit.*, p. 19.
＊30　Longo, « Coda », *op. cit.*, p. 406. このランズマンの姿勢に対しては、映画のような共同制作的メディアにおいてはひとりだけの作者というものはいないのではないかという批判もなされている。
＊31　絶滅をたちあらわれさせるのは語りや沈黙やおえつといったものである。その場となるのはさまざまな身体であり、身ぶりである。

# 24 ひとつの措置から次の措置へ

## 1 ユダヤ人評議会への批判

前回はワルシャワ・ゲットーのユダヤ人評議会について取り上げました。評議会は、ユダヤ人を死のなかに放置したいというナチスの考えと、どうにかして生き延びたいというユダヤ人住民とのあいだで板ばさみになっていました。ユダヤ人の暮らしをよくしてあげたいが、ナチスからはもっと税金を集めるように、もっと少ない食べものでなんとかするように命令される。武力で支配されていたユダヤ人評議会は、結局ナチスに服従します。

歴史学者のラウル・ヒルバーグさんによると、この服従には理由があるといいます。ユダヤ人は二〇〇〇年のあいだ自分の国をもたず流浪の生活をしていた。そのためいつも少数派で、つねに危険にさらされていた。どうやって危険を回避するか？　ユダヤ人がとった方法は敵と戦うことではなく、敵をなだめやわらげることだったといいます。[*1] 古代ペルシアのころも、十字軍の脅威やツァーリの迫害のころも、ユダヤ人を攻める敵が圧倒的な軍事力をもっていた。となると無駄な戦いや抵抗は避けるべきだ。危機のあいだはおとなしくして敵の勢いがおさまるのを待つ。そのようにユダヤ人は歴史を生き抜いてきた。そこでナチス・ドイツの迫害についても、まずは敵の命令をおとなしく聞いておこう、まもなくその勢いもなくなるにちがいない、そういった対応をとったというわけです。しかし第10回の映像でヒルバーグさんが語っていたように、ナチスはこれまでとはまったくちがったところがあった。ナチスは最終解決という言葉をつかってあらゆる人々を巻き込み、すべてのユダヤ人の殺害を実行しようとしたわけです。

ユダヤ人評議会は「とりあえず服従する」という方針をとった。たとえば資産を登録する、労働や移送のために指定の場所に出頭する、人々のリストを提出する、こういったドイツの要請にしたがいます。こうした機械的な服従をとおして、ユダヤ人はみずから絶滅のプロセスに参加していたのではないかという指摘もされています[*2]。評議会がドイツの命令を実行すれば、当然ユダヤ人社会から反発が起こってきます[*3]。

それにユダヤ人評議会というのはゲットーにおけるもっとも上位の仕事であり、いろんな権利をもっていました。他方で一般のユダヤ人住民は仕事も食べものもない。となると反発もさらに大きくなる。「ユダヤ人評議会は税を取り立てておきながら、行政サービスをしていないじゃないか」というわけです。もちろん評議会としてもナチスをなだめて最善をつくそうとしているわけですが、そんなこと一般の人々は知りません。人々はユダヤ人評議会と一般住民とのあいだの格差に我慢できなくなってきます。そしてゲットー内のこうした社会的格差を批判するようになります。たとえばワルシャワ・ゲットーには、次のような歌があったそうです。

**引用1**　かね、かね、まずはかね。かねがなければ、おおつらい、配給券を売って、さようならと言ってしまおう。かね、かね、かね、かねが一番。／かね、かね、かねが一番、ユダヤ人評議会は税金をとっている。そのうえサッカリン入りのパンを配っている。――かね、かね、かねが一番[*4]。

ゲットーには経済的・社会的な不平等がある、ユダヤ人評議会をはじめとしたエリートたちはいい思いをしているのに大衆は貧しい、そういう批判が歌に込められています。「実際、多くの人にとって、憤激と絶望の根源にあったのが、ワルシャワ・ゲットーを特徴づけていた社会的格差なのである」といわれています[*5]。

このようにゲットーはナチスのせいで分裂してしまうことが多い。このゲットーをまとめるのがユダヤ人評議会であり、前回話題になった評議会の議長であるアダム・チェルニアコフさんです。今回もチェルニアコフさんについて見ていきます。

## 2　『ショア』を見る

前回のつづきで、歴史学者のラウル・ヒルバーグさんとナチス側だったフランツ・グラスラーさんが登場します。

映像1　『ショア』DVD 2-2、1:41:41-2:00:47（ch. 13-16）

映像ではたくさんの場所が出てきました。そのひとつはベルリンのヴァンゼーです。ヴァンゼーは、一九四二年一月二〇日にユダヤ人問題の最終解決について話し合われたところです。またベウジェッツ絶滅収容所の跡地も映されていました。さまざまなゲットーからユダヤ人がベウジェッツに移送され、六〇万人のユダヤ人が殺害されたといわれています[*6]。ドイツがすべて破壊したので、映像の跡地には何も残されていません。さらにトレブリンカも出ていたし、ワルシャワにあるチェルニアコフさんのお墓もありました。またヒルバーグさんが住むアメリカも映されている。さまざまなところをめぐりながらショアについて考察していることがわかります。第6回の**引用7**で見たように、ランズマンにとっては場所というものが大事であって、この映画は虐殺についての形而上学的考察とか神学的な考察をするのではなく、虐殺にかかわるところに実際に身をおいてその地理や地形を理解するんだということです[*7]。

## 3　チェルニアコフの自殺

映像はヒルバーグさんからはじまります。カメラがその顔をズームインしていくのが印象的です。ランズマンがタバコを吸っているのか、煙みたいなものがうっすら見えます。

**引用2**　『ラウル・ヒルバーグ（男性、歴史学者、英語）：』そう、チェス大会もあり、お芝居もあり、子供のフェスティヴァルもあった。何もかもが、最後の瞬間まで存在しつづけていた。しかし、シンボルだったという意味あいのほうが、もっと重要だった。これら外観だけの文化行事は、チェルニアコフが思い込んでいたように、ただ単に、士気を高めるための仕掛けだったのではない。むしろ、当時のワルシャワ・ゲットーの姿勢全体を象徴するものだった、といえよう。ゲットーは、遠からずガス室に送られる病人を、癒《いや》しつつあったし、少なくとも、癒そうと努力しつづけていた。また、ゲットーは、大人になるまで生きられない若者を、教育しようと努力しつづけていた。またゲットーは、滅びゆく状況の中でも、人々に仕事を見つけ、職をつくり出そうと努力しつづけていた。住民たちは、まるで、人生がこれからもつづいていくかのように、歩みつづけた。彼らは、何もかもが、その逆の可能性を示しているのに、ゲットーが生き残れるとの信念を、公けには捨てていない。[*8]

最初には「チェス大会」「お芝居」「子供のフェスティヴァル」とあって、いろんな文化活動があったことがわかります。ゲットーにはお金も食料もないしひどい衛生状態だったわけですが、それでも文化行事によって少しでも豊かな気もちになってほしい、そのようにチェルニアコフさんは考えた。それゆえ文化活動の目的とは、ナチスによる「ユダヤ人の非人間化・道徳的侮辱に対抗するための「精神的抵抗」」だったといわれています。[*9] そしてドイツ側は、そうした文化行事をあからさまに禁止することはありませんでした。というのも、文化活動によって現実の悲惨な状況から住民の目をそらせることができ、抵抗する気もちをなくすことができるからです。[*10] ドイツ側としては文化活動を利用し、ユダヤ人をだまして安心させたいというねらいがあったわけです。[*11] またユダヤ人住民としては、さまざまな活動に参加することで「自分は独自の文化をもっているのだ」という意識を再確認したし、さらに文化活動の機会を利用してユダヤ人評議会を批判することもあったといわれています。[*12] このようにゲットーでの文化行事は、ユダヤ人評議会のチェルニアコフさんにとっても、ナチス・ドイツにとっても、そして一般のユダヤ人住民にとっても大事なものだった、それぞれちがうねらいがあるけれど同じように重要だったことがわかります。ゲットーをまとめていこうとするチェルニアコフさんは、その一方では強い不安を感じています。

**引用3**《ヒルバーグ：》私の意見では、早くも、一九四一年十月には、彼《チェルニアコフ》は、終末が迫ってきたことを知っていた、感じてもいた。あるいは、そう思い込んでもいた。というのも、おそらく翌春にも、ワルシャワのユダヤ人に、襲いかかってくるにちがいない運命について、気がかりな噂を、この時期の日記に書き込んでいるからだ。[*13]

**引用4**《ヒルバーグ：》《一九四二年三月に》チェルニアコフは、ルブリン・ゲットーや、ミエレッツから、ユダヤ人が移送されたことを記録しはじめる。ついには、クラクフや、リボフからも。そして、近い将来、ここワルシャワのゲットーでも、まちがいなく何かが起こる、と考えるようになる。これ以後は、日記の一ページ、一ページが、払いのけることのできない不安のために、重苦しさを加えていく。[*14]

このころ多くのユダヤ人がさまざまなゲットーから絶滅収容所へと移送され、大量に殺害されます。ヒルバーグさんによれば、チェルニアコフさんは日記で移送先の地名を書いていないけれどおそらく知っていたのではないかといいます。[*15]

それではナチスの側にいたグラスラーさんはどう見ていたのでしょうか?

**引用5**《ランズマン：》チェルニアコフは、なぜ自殺したのですか?《フランツ・グラスラー（ドイツ人男性、ワルシャワ・ゲットーのナチ・コミッサール（司政官）の元補佐官、ドイツ語）：》ゲットーには、もはや……、生存能力さえなくなった、ということを、はっきり悟ったからです。それに、ユダヤ人が近々《ちかぢか》殺されることを、きっと、私よりも早く、悟ったからでしょう。私の思うには……、ユダヤ人は、ほんとうは、何というか、たいへん優秀な秘密情報機関を、前からもっていました。彼らは、知ってもよいはず以上に、知っていました。また、我々以上に、知っていたんですよ。〘ランズマン：〙本当にそう思いますか？〘グラスラー：〙ええ、そう思いますよ。〘ランズマン：〙ユダヤ人が、あなた方以上に知っていた、と？〘グラスラー：〙そう確信します。これは、確信ですね。〘ランズマン：〙受け入れがたい考え方ですね。*16

グラスラーさんの口調は少し早口で、これだけは伝えておきたいといった感じでした。ユダヤ人はドイツ人以上に情報をもっていたといいます。ここでいいたいのは、自分たちはユダヤ人を完全におさえつけていたわけではないということかなと思います。そう考えれば、自分たちがしたことはそれほどひどいものではないと解釈することもできるからです。こういうちょっとしたところに加害者の姿勢があらわれているように思えます。いずれにしてもチェルニアコフさんは、ゲットーの人々を助けることはできないということがわかって自殺したといわれています。

**引用6** 〘ヒルバーグ：〙彼〘チェルニアコフ〙がとりわけ心を痛めたのは、孤児たちの移送のことで、倦むことなく、繰り返し、孤児の問題を提起している。しかし、翌日になっても、孤児が免除されるという保証を得るにはいたらなかった。もはや、保護者として、孤児たちの面倒を見る立場を、まっとうできなくなったとすれば、その時、彼は、戦いに敗れたのだ。闘いに、敗れたことになる。〘ランズマン：〙でも、なぜ、とくに孤児なのですか？〘ヒルバーグ：〙共同体のなかでも、寄る辺のない、もっとも弱い立場の者だからだ。いたいけな子供たちだ……。が、未来なのだ。親を失った以上、彼らは、自分だけの力では、何ひとつできまい。もし、孤児が、免除の適用を受けられないとしたら、もしチェルニアコフが、免除の約束を、ドイツのSS将校の固い約束を得られないとしたら、しょせん、あてにならないとわかっていても、それすら得られないとしたら、チェルニアコフには、何が考えられただろう？　もし、子供たちの面倒を見られないとしたら、彼にはほかに、何ができただろう？　人の伝えるところによると、日記帳を閉じたあと、彼は、最後のメモを、こう残したということだ。「彼らは、私の手で、子供たちを殺させたいのだ」、と。[*17]

この引用のはじめあたり、チェルニアコフさんが孤児について心を痛めていたというところでは、ヒルバーグさんはかなり強い口調で話しています。子どもたちを助けてほしい、とくに孤児だけはどうか助けてほしいとナチスに頼む。でも口約束さえもらえない。子どもたちを守れないことがはっきりした。もう自分にできることは何もない。そうしてチェルニアコフさんは、子どもたちの移送の前に自殺します。つまり、子どもを殺すよりも自殺のほうを選ぶということです。

このようにチェルニアコフさんはだれも殺すことなくみずから死んでいきますが、それと対照的な人物がいます。第20回に登場したルース・エリアスさんです。エリアスさんはユダヤ人女性で、アウシュヴィッツを生き延びた人です。エリアスさんのシーンの大部分は映画で使用されていません。つかわれなかったシーンのなかで、エリアスさんはチェルニアコフさんとは反対のイメージをなしています。具体的にいうと、チェルニアコフさんは子どもたちを殺すことができず自分が死んでいったわけですが、エリアスさんがアウトテークにおいて語るのは、子どもを殺して自分が生き残ったという経験です。

どのようにしてそんなことになってしまったのか？　エリアスさんはアウシュヴィッツに着いたとき妊娠していたといいます。それがばれるとすぐに殺されるおそれがあるので、エリアスさんは必死に隠します。結局は見つかったものの、なんとか女の子を出産する。それにナチスの医師が目をつけます。その医師はアウシュヴィッツ収容所でユダヤ人をつかった人体実験をしていた。医師はエリアスさんに「子どもに食べものを与えるな」といいます。エリアスさんの子どもを利用して、赤ちゃんが食べものなしでどれくらい長く生きることができるのかということを調査しようとしたわけです。彼は毎日様子を見にくる。そしてある日、エリアスさんと赤ちゃんを翌日にガス室に送ると宣告します。その日の夜エリアスさんは泣きさけぶ。そこにひとりのユダヤ人女性医師がやってきます。女性医師がいうには、エリアスさんひとりだけなら生き残れるかもしれない、だから子どもにはモルヒネ注射をするようにとエリアスさんを説得します。エリアスさんはアウトテークで次のように語っています。

**引用7**　彼女〔ユダヤ人女性医師〕はいいました、「これを子どもに打ちなさい」。（…）私はいいました、（…）「どうして自分の子どもを殺すことができるでしょうか?」彼女はいいました、「（…）あなたは若い、私はあなたの命を助けなければならない」。（…）私はしたくなかった。彼女は私に向けて、私のなかに向けて話しはじめたんです。彼女が話せば話すほど、私はヴィーダーシュタント（抵抗）がなくなっていきました。……結局やったんです。私は自分の子どもに注射したんです。[18]

エリアスさんは子どもを殺した。それによって自分が生き延びることができたわけです。このように証言するときエリアスさんは黙って涙を流します。しかし泣きくずれるということはありません。[19] エリアスさんは冷静を保っている。このアウトテークでのエリアスさんの様子は、映画のなかでショアのことを思い出しながらむせび泣いていた男性たち、たとえばポドフレブニクさんやミュラーさんといった男性たちの様子と対照的です。エリアスさんは泣いてくずれ落ちることはない。今の自分を保ち、過去に対していくらか距離をもっているわけです。それに対してポドフレブニクさんやミュラーさんたちは、過去のことを現在のこととして生き直し、過去の場面に飲み込まれているかのように感じられます。そしてランズマンは、過去に飲み込まれている場面のほうを映画に残します。

さらに対照的なのは、エリアスさんが子どもを殺したことで生き残ったのに対して、**引用6**で見たように、チェルニアコフさんは子どもを殺すことができずに死んでいったということです。しかもその対比が、ここでもやはり女性と男性というちがいにかかわっています。ここにはランズマンにおけるジェンダー的な倫理のようなものがあるのではないか、そういう意見があります。たとえばある研究者は次のように指摘しています。

> **引用8**　《アウテークのエリアスの》周縁からの声は、ランズマンの表象の倫理の下に横たわっているジェンダー化された限界に注意をうながす。レーヴィが灰色の領域を同時代に描いたのと同じように――そしてレーヴィがユダヤ人特別労働班員を含む男性人物の物語をとおして道徳的判断をいったんやめたのと同じように――、ランズマンは戦後に《ナチスの》協力者にもたとえられた男性たちを、道徳的に救済されうるものとして描き直している。実際ランズマンは『ショア』において、過去の感情的な追体験を彼らから引き出すことで、彼らを人間化している。それと同時に、映画の完成版に彼らの証言を幅広く取り入れることで、彼らをホロコースト生存者のより広いコミュニティに再統合している。この二つの戦略の向こう側で、ランズマンのジェンダー化された編集の倫理はチェルニアコフの姿に集約されている。チェルニアコフは、エリアス自身の言葉といちじるしく共鳴するように、「自分の手で子どもたちを殺す」ことを拒否するのだ。対照的に、映画では省かれたエリアスのトラウマの語りは両立不可能なものに中心がおかれており、道徳的に容認できず同化できないものへと事実上格下げされている。それはつまり、死への接近の別の種類というもの、生き残りのジェンダー化されたヴァージョンというものなのである。[*20]

最後にあるように、ランズマンにとって生存者には、男性と女性という二つのパターンがあるのではないかという意見です。エリアスさんは女性であり、彼女は子どもを殺すことに最終的に同意した。それに対してチェルニアコフさんは男性であり、彼はどうしても子どもを殺すことに同意できなかった。そこにランズマンは女性と男性のちがいを見ている。ほかの男性も、チェルニアコフさんと同じグループに編入される。引用の真ん中より少し前にあるように、男性たちは「道徳的に救済されうるもの」として表象されている。すなわち、特別労働班として絶滅収容所ではたらいていたりユダヤ人評議会議長としてナチスの命令を実行したりしても、自分の手でだれかを殺したわけではないという意味では、男性たちは最終的に許されるものとして表現されています。反対にエリアスさんはというと、引用の最後のほうにあるとおり、「道徳的に容認できず同化できないもの」としてあつかわれる。いいかえると、いくら生き延びるためとはいってもみずからの手で子どもを殺したというのであれば、エリアスさんの行為を認めるわけにはいかないということです。そういったジェンダー的な倫理がランズマンにはあるのではないかという指摘です。だからこそランズマンは男性の証言を多く取り入れるのに対して、エリアスさんの証言を省略したのではないかといわれています。[21]

別の研究者によると、子どもを殺すというエリアスさんの行為は最終解決への抵抗なのではないかといいます。[22] というのも、子どもを殺すことでエリアスさんは生き延びたからです。それにエリアスさんが生きることでもう一度子どもを生む可能性も出てくるし、実際に彼女はのちに二人の子どもを生んだといいます。ですからエリアスさんがおこなったことは、最終解決への抵抗になっている。すべてのユダヤ人の殺害を阻止するとともに、新しい命をもたらすわけです。しかしランズマンはそうした抵抗を映画に取り入れない。むしろ最終解決への抵抗となっているからこそ、エリアスさんの証言をつかわなかったのかもしれません。ランズマンが『ショア』で表現しようとしたのは、ユダヤ人たちが最終解決の波に飲み込まれて抵抗できずに死んでいったということです。その巨大なリズムへと人々が巻き込まれ、そしてそのリズムを人々みずからつくり出してしまう、そういったところをとらえたい。ランズマンはその破滅のリズムを現在のこととしてあらわそうとしています。それに対してエリアスさんの行為は最終解決への抵抗、ショアのリズムへの抵抗であり、彼女のもたらす新しい命の可能性はショアのリズムが過ぎ去ったあとの未来へとつながっていきます。そうなると絶滅のリズムは現在のものではなくなり、過去のものとなってしまいます。これは、「過去を現在としてよみがえらせる」というランズマンのねらいと大きくずれる。それゆえランズマンは、エリアスさんの重大な証言をわきにおいて、チェルニアコフさんの自殺という話を取り入れたわけです。

## 4　理解の反復

映像の最後にあったグラスラーさんとランズマンのやりとりは少し緊迫していました。グラスラーさんが語り終えるよりも前にランズマンが話しはじめるという場面が多かったです。少し長いですが見直してみましょう。

**引用9**　〘ランズマン：〙チェルニアコフは、こう書いています、「われわれは操り人形だ、われわれには、いかなる権力もない」と。〘グラスラー：〙うん。〘ランズマン：〙「いかなる力もない」と。〘グラスラー：〙そう、確かに。確かだった、それは。〘ランズマン：〙あなた方ドイツ人は、支配者でした。〘グラスラー：〙もちろん。〘ランズマン：〙支配者であり、主人でした。〘グラスラー：〙もちろんですよ。〘ランズマン：〙そして、チェルニアコフは、道具にすぎず……。〘グラスラー：〙道具といえば、確かにそうですが……。〘ランズマン：〙あなた方が、自由に操っていた……。〘グラスラー：〙けれど、よい道具だった。つまり、ユダヤ人の自主管理は、立派に機能していた。それは間違いありませんよ。〘ランズマン：〙そう、しかし、機能していたのは、三年間ですね？　四二年まで、二年半です。そして終いに……。〘グラスラー：〙終いに、いきついたのは……。〘ランズマン：〙〈よく機能した〉のは、何のためでした？目的は何でしたか？〘グラスラー：〙それは……、もちろん、自己保存のためじゃないですか、ですから……。〘ランズマン：〙いや、ちがう、死のためでした！〘グラスラー：〙そりゃあ……、結果的には……。〘ランズマン：〙自己管理といい、自己保存といっても、それは……。〘グラスラー：〙今なら、死のためと言うのは、簡単なことですよ！〘ランズマン：〙でも、状況は非人間的だったと、あなたも認めましたね。〘グラスラー：〙確かに、そうだった……。〘ランズマン：〙耐えがたい……、ひどいものだったと……。〘グラスラー：〙ええ、ええ。〘ランズマン：〙ですから、その時期、すでに、明らかだったように……。〘グラスラー：〙いや、絶滅作戦は明らかじゃなかった……。それは……、結果としては……。〖ランズマン：〗絶滅作戦は、そんなに単純な話ではありません。というのは、まず、ある小さな措置がとられる、それから、次の措置、また次の措置、というように、一歩、また一歩と進んでいく、これが絶滅作戦なのです。[*23]

この引用の真ん中あたり、「いや、ちがう、死のためでした！」というとき、ランズマンはかなり強い口調です。ゲットーが自己保存の機能だなんてとんでもない、ゲットーの人々は死に向けて放り出されていたんだといいたいような感じです。最後のあたりでもランズマンは興奮しながら話しています。絶滅作戦はひとつの措置から次の措置へと進んでいく。第17回の**引用1**でいわれているように、定義、収容、抹殺といったステップがあるわけです。まずユダヤ人とはだれかを定義する、そしてユダヤ人とされた人たちをゲットーに収容する、最後にその人たちを絶滅収容所に送り込んで殺害する。抹殺するためには収容しなければならないし、収容するためには定義しなくちゃいけない。はじめから大量殺害するなんてことはできないわけです。[*24]

このようにランズマンは一歩ごと考えていく。絶滅作戦はいきなりポンと出てくるんじゃない。小さな手つづきが積み重なって、組み合わされて、だんだんかたちをとってくる。それに対してグラスラーさんは、**引用9**の最後のほうで、「いや、絶滅作戦は明らかじゃなかった」といっています。まるで絶滅作戦があるとき大々的に発表されたかのようですし、ゲットーの政策が絶滅とかかわりがないかのようにいっている。でもそうじゃない。少しずつ、本当に少しずつユダヤ人を追い込んでいく。そのなかでチェルニアコフさんは、ナチスのあやしい動きに気づき日記に書いているわけです。そう考えると、ゲットーを絶滅のプロセスから切り離すことはできない。ゲットーはすでに死のただなかにあり、絶滅に直接的に通じるものだということです。しかしグラスラーさんとしては、ワルシャワ・ゲットーと絶滅のプロセスを切り離したい。グラスラーさんはおそらく、自分の仕事はゲットーの維持だけにかかわるものであり、絶滅のプロセスとは無関係だということを強調したいんだろうと思います。もちろんランズマンは納得せず、グラスラーさんに問いつづけます。

**引用10**　〘グラスラー：〙そう……。〘ランズマン：〙しかし、この小さな一歩一歩のつながりを理解するのに、必要なのは……。〘グラスラー：〙ええ……。しかし、絶滅作戦は、ゲットーそのものの中で、行なわれたわけではない。――少なくとも、初めはね――それは、移送から始まるのです。それ以前でも、当時のゲットーを……。〘ランズマン：〙どの移送のことですか？〘グラスラー：〙トレブリンカへの移送です。あの頃でも、やる気になれば、武器を使って、ゲットーを壊滅させることは、できたでしょうよ。つまり、あとになってから、そうしたようにですね。蜂起のあとで、私がワルシャワにいなくなってから、ずっとあとのことですが……。でも、初めは……。ランズマンさん、こんなふうに議論しても、堂々めぐりじゃないですか。新しい結論に、いきつかないのですから。〘ランズマン：〙いやいや。別に新しい結論が見つかるなどとは思ってません[*25]……。

ランズマンは新しい結果が出てくるなんて考えていないといいます。堂々めぐりでかまわない。円をたどるようにして同じところに戻る、それでいいんだといいます。それは一言でいうと反復するということです。問いを反復することで何度も理解しようとする。それによって絶滅ということがどのように見えてくるのかをたしかめたい。この反復の作業は、絶滅についてすぐに理解してしまうのではないし、だからといって理解を放棄してしまうというのでもない。第2回で考えたように、理解可能と理解不可能のあいだに身をおくということです。

これに対してグラスラーさんは逆の態度をとっているように見えます。つまり、**引用10**の最初では、「絶滅作戦は、ゲットーそのものの中で行なわれたわけではない」といって、絶滅とゲットーをわけることで事態をすんなりと理解しようとする。その一方で、**引用10**の真ん中では、「あの頃でも、やる気になれば、武器を使って、ゲットーを壊滅させることは、できたでしょうよ」といいながら、ゲットーの詳細を見ないで済ませようとします。グラスラーさんはすぐに単純な理解にとどまるか理解を放棄するか、その両極端になってしまうわけです。

ランズマンはむしろ、ゲットーについて何度も問いかけ直します。同じところをぐるぐるまわって、すんなり理解するのでも理解をあきらめるのでもなく、理解を反復しつづける。そのように理解可能と理解不可能のあいだにとどまるということは、グラスラーさんにとって非常にいやなことだろうと思います。なぜなら自分のしたことに向き合いつづけることになるからです。グラスラーさんは向き合いたくない、理解の反復というループを断ち切りたい、そんな様子です。グラスラーさんがこういう態度をとるのは、もしかすると反復がもつ力をグラスラーさんがひそかに感じているからなのかもしれません。

哲学者のパトリス・マニグリエによると、ランズマンの反復の理解という方法、つまり結論に急ぐことなく時間をかけて細部にとどまるという方法は、ヴァリアントという考え方につながるといいます。

> **引用11**　直接的に結論に向かうのを拒否し、これこれの身ぶりや逸話や細部にこだわることは、私たちの知を受肉させる、一般的に受肉がなされる唯一のやり方である。というのも、一般的なものに特異なものがつけ加わるからではない。そうではなくて、これらのさまざまな特異性はただひとつの出来事のヴァリアント（*variante*）であり、とはいえその出来事の同一性はそれらのヴァリアントの系列からは離れられないという事実のうちにのみ、一般的なものが存在することがわかるからである。《略》いつでも同じこと（絶滅）が問題なのであるが、この「同じこと」というのは、ある特異性から別の特異性への移りゆき、これらのヴァリアントの道のりにほかならない。*26

ヴァリアントという言葉にはいくつかの意味があります。たとえば小説などの文章で、はじめに新聞で発表されたものと、のちに単行本で発表されたもので少しちがうところがあったりしますね。それがヴァリアントです。日本語でいうと「異本」です。言語学の分野では、ある言葉のちがったかたちのこと、たとえば「やはり」という言葉は「やっぱり」ともいいますし、「やっぱ」というときもありますが、これがヴァリアントで「異形」とも呼ばれるらしいです。絵画でいうと、同じ作者が同一の主題について描いた別の作品のことをヴァリアントといって「異作」というらしい。このようにヴァリアントは、大きく見れば同じだけどこまかいところではちがっているものを指しているように思えます。

それを踏まえて**引用11**を見直すと、「これらのさまざまな特異性はただひとつの出来事のヴァリアントであり」とあります。また、「いつでも同じこと（絶滅）が問題なのであるが、この「同じこと」というのは、ある特異性から別の特異性への移りゆき、これらのヴァリアントの道のりにほかならない」といわれています。普通「ユダヤ人絶滅」というと、まずはじめに、「第二次世界大戦中にナチス・ドイツが、罪のない数百万のユダヤ人を殺害した」といったような規定というか、一般的・客観的な定義が思い浮かびます。だから絶滅の映画をつくる場合、そうした一般的な「絶滅」の定義から出発して、それを補足する映像や証言がつけ加えられることになります。だけどランズマンにとってはそうではない。絶滅とは、はじめに客観的なもの、一般的なものとして存在するものではなく、むしろ絶滅にかんする具体的な言葉や身ぶりをとおしてはじめて絶滅がたちあらわれてくるということです。ランズマンが撮影している言葉や身ぶり、それらひとつひとつをたどることによって、私たちはショアがどういうものなのかということが少しずつわかってくる。その言葉や身ぶりはそれぞれ特異なものであり、ある特異な証言がほかの特異な証言へと組み合わせられて、絶滅という事態がそのつどあらわれてくるというわけです。この意味で、ひとつひとつの言葉や身ぶりは絶滅のヴァリアントだといえます。

## 5　フロイトとラカンにおける反復

こうした特異性から特異性へと進んでいくランズマンのやり方は精神分析の方法に似ているといわれています。精神分析学者であるフランソワ・ガントレという人は、ランズマンが出来事の細部に強い関心を向けていること、一般性や抽象を避けて具体的な様子が浮かび上がるようにインタビューしていることに注目しています。ガントレによれば、それはまさしく精神分析のやり方であり、特異なものから特異なものに向かうという方法だといいます[*27]。このとき理解の反復が重要になります。

> **引用12** 実際に精神分析は無意識的な反復をあらわれさせる。〔略〕しかし精神分析は特異なものを反復へと還元するというだけにとどまらない。反復の効力そのものの根拠となるのは、人が反復において反復されたものを再び知るわけではないということ、それゆえさまざまなヴァリアントのあいだの移動ということである。一方において系列は同一なものであり、他方においてその諸項のあいだに差異があるというわけではない。系列はヴァリエーションそれ自体の系列なのである。そもそもラカンが精神分析のなかに構造主義を取り入れたいと思うことができたのも、これが理由のひとつである。構造の同一性はまさにヴァリアントのシステムに共外延的であり、あるいはまたレヴィ＝ストロースが「変換群」と呼んだものに共外延的である。[*28]

ここではレヴィ＝ストロースの構造主義には立ち入らずに[*29]、精神分析における反復について考えてみます。一般的に反復というと、過去にあったことを現在において取り戻すということです。そのとき人は過去のことを再び知ることになる。そこにはひとつの起源、オリジナルとなる起源があって、その起源をもう一度認識するために反復がおこなわれるわけです。だけど精神分析の反復はそうではない。過去のことも現在のこともヴァリアントであって、それぞれに特異なものだということです。ここには起源はないし、オリジナルなものもない。いってみれば、過去から現在へという時間の流れみたいなものはないということです。一般的に考えられるような時間とはちがった種類の時間性があるということです。

反復というものの不思議さにとりわけ注目したのはフロイトです。フロイトによると二種類の反復があります。ⓐひとつ目は不気味でおそろしい反復です。[*30] たとえば神経症の患者が繰り返し見てしまう悪夢です。患者は夢のなかで繰り返し事故の状況に立ち戻り、いつも新たな驚愕とともにこの悲惨な夢から目覚めるといいます。ⓑ二つ目の反復は快さ、快感をともなう反復です。[*31] たとえば子どもは、大人が読み聞かせた話を繰り返そうとする。それもまったく同じ話を、何度も何度も聞きたがります。大人が子どもをおもしろがらせようとして少し内容を変えたりなんかすると、子どもはことごとく訂正して同一の話にしてしまう。子どもは同じことの反復に心地よさを覚えているわけです。このように反復というものには、ⓐ快とはまったく別のものとⓑ快に結びついたもの、これらの二種類があるということです。

これに関連してフロイトは、一歳六か月の子どもの遊びについて興味深い報告をしています。[*32] ひとつはおもちゃを放り投げる遊びです。子どもはおもちゃを投げると満足した表情をして、「オーオーオーオー」という音をたてたといいます。その音はドイツ語の「フォールト(fort)」、日本語でいうと「いなくなる」という意味の言葉ではないか、そのようにフロイトはいいます。もうひとつの遊びは糸巻きをつかった遊びです。子どもは、細いひもを巻きつけた木製の糸巻きをもっていた。そして細いひもの端をもって、糸巻きを見えないところへと投げ込んで遊んでいた。子どもは糸巻きが見えなくなると「オーオーオーオー」という。さらにひもを引っ張って糸巻きを見つけると、満足そうな顔で、ドイツ語の「ダー(da)」、日本語でいうと「いる」といったそうです。フロイトによれば、これは姿を消すことと姿をあらわすことの二つで成立する遊びだといいます。というのも、子どもの母親がいなくなるということがよくあったので、子どもは自分の手で母親が「いなくなる」と「いる」ということを演出して遊んでいたのだといいます。ここでおもしろいのは、「いなくなる」というひとつ目の遊びが、それだけで何度も繰り返されていたということです。それも、「いる」の場面よりも「いなくなる」の場面のほうが多く繰り返されていたといいます。これはどうしてなのでしょうか? だって子どもからすれば、母親があらわれるほうがうれしいし、母親がいなくなるのはいやなことであるはずです。なのに、子どもはいなくなる遊びのほうを反復していたというんです。これはどのように説明できるのか?

フロイトは次のようにいいます。[*33] 最初、子どもは「母親がいなくなる」ということに見舞われてしまう、つまり受動的に受けとるわけです。しかし次には能動的な役割を演じるようになる。そして不快であるはずのこの経験を、遊びとしてみずから繰り返すようになる。「母親がいなくなる」という不快な経験をあえて反復するのは、新たに反復をおこなうたびに、子どもが強い印象をしっかりと支配できるようになるからではないか、そのようにフロイトは説明しています。

先ほどの**引用12**を読み直すと、ラカンという名前が出ていますね。これはフランスの精神分析学者であるジャック・ラカンのことです。ラカンはフロイトの糸巻き遊びの分析を取り上げて、さらに考察を進めています。以下、ラカンの文章を見てみましょう。

**引用13**　反復は新しいものを要求します。反復が向かうのはこの新しいものを自らの次元とするような遊びです。〘略〙反復において変化し、変調するのはその意味からの疎外だけです。大人、そして年長の子供は、その活動や遊びの中で何か新しいものを求めます。しかしこのズレが遊びの真の秘密を、つまり反復それ自体が構成するもっと根元的な多様性を覆い隠しています。〘略〙子供は母の去った扉を見つめ、そこに彼女が再び現れるのを待っているということがまずあるのではなく、それ以前に子どもは、母親が彼を置き去りにしたその点、彼のそばを離れたその点にこそ注意を注いでいるのです。母の不在によって生じた裂け目はしっかりと開いたままであり、それこそがこの糸巻き投げという遠心運動の原因です。[*34]

わかるようでよくわからない文章です。私なりに解釈してみたいと思います。一般的に反復というと、繰り返しによって過去と同じことにたどり着くというイメージがあります。だけどラカンによれば、繰り返しによって新しい次元にいたる、それが反復の重要性なんだということです。だからといって、大人や年長の子どもがするように、はじめから新しいものを求めるというわけではありません。つまり、新しいものを目指して、ちがった仕方で繰り返してみるということではない。むしろ、まったく同じ仕方で繰り返そうとしているはずなのに、そこにちがった風景がたちあらわれてくる、新しいものが到来するということではないかなと思います。[*35]

子どもの糸巻き遊びで考えてみましょう。「母がいなくなる」というのはつらいことであり、**引用13**にいわれているように「裂け目」ともいえるようなことです。その「いなくなる」ということを子どもは繰り返します。まったく同じように繰り返します。繰り返しているうちに、もっと繰り返したくなってくる。不快な経験であったはずのものが、反復しているあいだにだんだん受け入れられるものとして感じられてくる。反復がおこなわれるからこそ、そこに新しい意味があらわれてくる。あるいは反復しないと気が済まなくなる、反復がなくなるとむしろ不快に感じられるということもあるかもしれません。このように、まったく同じように繰り返されるからこそ新しいものがわき起こるということかなとも思います。ここでは起源があるわけでもないし、オリジナルの過去の体験があるのでもありません。つまり、過去－現在－未来という時間があるわけではない。むしろここには、反復のなかでたちあらわれてくる時間があるといえます。

ちょっと前のところで、フロイトが二種類の反復を提示したということをいいましたよね。すなわち、ⓐ不気味でおそろしい反復、つまり快とは別の反復と、ⓑ快い反復、快に結びつく反復です。今取り上げている子どもの糸巻き遊びは、興味深いことに、ⓐとⓑの両方にかかわっているように見えます。つまり、母親が「いなくなる」ということは子どもにとって不快ですし、それを繰り返すことだって心地よいとは思えません。その意味ではⓐの反復です。だけど子どもはこの遊びの反復に満足していて、快く感じているようだとフロイトはいいます。結局子どもは、ⓐの不快な反復をⓑの快い反復に変えているということです。それもどのようにして変えているかというと、糸巻き遊びをまさしく反復することによってその反復の意味を変えているように見えます。

こうなると反復には二種類あるとはいえ、もともとのところではそれら二つは結びついているのではないかというふうに考えられます。**引用13**においてラカンがいっていたように、「反復それ自体が構成するもっと根元的な多様性」というものがあるわけです。反復は不快なものと快いもののどちらにもつながっていくし、それどころか不快であるものが快いものになることもあれば、快いものが不快なものに変わってしまうこともある。[*36] 反復はさまざまな意味を含みもっていて、反復するなかでその意味をひっくり返すことができるということです。

ランズマンが人々に証言してもらうとき、これまで述べたような意味での反復をしてもらっているのではないか、そんなふうに思えます。たとえばユダヤ人特別労働班員にとって、虐殺の現場を思い出して語ることはきわめて不快なことです。それは「裂け目」のようなものだと思います。ランズマンはそれを話してもらう。ボンバさんがガス室で髪を切るときにはどんな切り方だったのか、まわりには鏡があったのか、そういった細部にとどまろうとする。ランズマンは同じであることをたしかめながらインタビューします。それはまるで、証言する人に糸巻き遊びをしてもらっているかのようにも思えます。[*37]証言者はショアという裂け目をめぐって、そのときと同じことを語る。ランズマンの問いにしたがって、何度も同じことを語る。同じ話を繰り返していくうちに、もしかすると不快だったことが別の意味をもつかもしれない。そのとき別の風景が見えるかもしれない。このことは映画全体のレベルでもいうことができると思います。ランズマンは多くの人のインタビューを組み合わせています。つまりショアという同じことについて、いろんな人をとおして何度も理解しようとするわけです。この場合もやはり、同じことを繰り返していくうちにこそ、不快なことやおそろしいことがちがった意味をもつかもしれない。さまざまな人がまったく同じことについて語るたびにショアはたちあらわれ、そのつど新しいものになる。そうはいっても、ランズマンが精神分析的な療法をしているといっているのではありません。ただランズマンのやり方は、フロイトやラカンにおける反復につながっているのではないかということです。

　こう考えてくると、グラスラーさんが結論に急ぐのに対して、ランズマンは急がずに何度も理解しようとすることがきわ立ってきます。グラスラーさんは反復を拒否し、すぐに理解してしまうか、理解を放棄してしまう。だけどランズマンは理解を繰り返す、理解を反復するわけです。それは新しい結果を目指しているのではなく、むしろ「どのように事態は起こったのか」という同じ問いを何度も繰り返すことにより、ショアの裂け目を感じさせてくれるということです。それは、過去に起きたことを現在において反復するということではありません。さまざまな証言はヴァリアントとしてそのつど現在を開きつづけ、つねに新しい仕方でショアをあらわれさせるということです。[*38]

　こうして理解の反復ということを考えてくると、正直だんだんわけがわからなくなってきます。『ショア』にはユダヤ人絶滅というテーマがあるけど、それは本当に

「同じもの」といえるのか、あるいは人によって「ちがうもの」なのか、わからなくなってくる。また、『ショア』にはたくさんの証言があるわけですが、それぞれの証言は「同じもの」なのか、「ちがうもの」なのか。さらに、それぞれの証言とショアそのものというのは「同じもの」といえるのか、やっぱり「ちがうもの」なのか。わからなくなってきます。むしろこれまでの考察をへて、私たちは「同じ」と「ちがう」ということがもはや意味をなさないようなところに進んでいるのではないかと思えてきます。だって、まったく同じように繰り返すということが、まさしくちがうことにつながっているのですから。

同じともいえるしちがうともいえる。そういったことをいいあらわしている言葉があります。それが「リズム」です。第8回の講義で、音楽美学という分野におけるリズムという言葉について説明しました。音楽において拍子は同じものが繰り返すことである、それに対してリズムは似ているものが繰り返すことである。だけど音楽というのは自由なリズムだけがあればよいわけではなく、拍子にもとづきながら、しかし拍子のなかでみずから変形していくような運動が求められる。そのように同じでありながらもちがっているもの、それがリズムだということです。音楽美学の研究者でジゼール・ブルレという人がいますが、彼女がいうには、「リズム的形式とは、「同じ」と「ちがう」が対照をなすひとつの弁証法である」ということです[*39]。リズムには同じものとちがうものがどちらもあるわけです。私たちが「ある音楽にリズムがある」というとき、私たちがいおうとしているのは「その音楽が生き生きしている」「活発だ」といったことです。ある運動が繰り返されていくなかでふとちがった運動が呼び込まれている、そういった様子のことです。それはつまり、同じであることにおいてちがうものがいつの間にかたちあらわれてくる、そういう運動のことではないかと思います。

また、リズム概念の研究者でピエール・ソヴァネという人がいるのですが、彼もまた音楽のリズムの特徴として、同じでありつつもほかのものとなるということをあげています。「リズムはひとつのちがうものであるが、しかし同時につねにそれ自身である。運動は同じもののちがうものであり、それがまさしくちがいながらも同じであるようにさせる、そういうものである」[*40]。このように「同じもの」と「ちがうもの」を区別しないで考えようとするためにはリズムという概念が有効であることがわかります。このリズムという語は、ランズマンに見られる理解の反復という方法に結びつくように思えます。

## 6　まとめ

①ゲットーではユダヤ人評議会への批判があった。
②チェルニアコフさんは子どもを殺すことを拒否して自殺した。
③絶滅作戦は一挙になされるのではなく、一歩一歩進められていく。
④ランズマンは新しい結論を目指すのではなく、理解を反復しようとする。
⑤このランズマンの方法は、フロイトとラカンにおける反復につながる。

＊1　ヒルバーグ『ヨーロッパ・ユダヤ人の絶滅（下）』前掲、二七六頁。
＊2　前掲、二七四頁。
＊3　ラカー編『ホロコースト大事典』前掲、六〇四頁。しかし多くの場所でユダヤ人住民はその地方の評議会の政策を支持したといわれている。またある研究によれば、ユダヤ人評議会の態度は一様ではなく、ドイツとの協力をなんとしてでも控えようとするもの、経済にかんする命令だけ実行しようとするもの、ユダヤ人の共同的利益を無視してドイツの命令に完全にしたがうものなど、実にさまざまだったという。
＊4　シルリ・ギルバート『ホロコーストの音楽』（2005）、二階宗人訳、みすず書房、二〇一二年、四四頁。
＊5　前掲、四六頁。社会的地位によって人々が接する音楽活動は決まっていた。大多数の人々はものごいの歌や無料演奏会での音楽を聞いたが、上流階層はカフェや私的な演奏会での音楽を楽しんだという。前掲、四九頁。
＊6　ラカー編『ホロコースト大事典』前掲、三二三頁。
＊7　ランズマン「場処と言葉」前掲、八三頁。
＊8　ランズマン『ショアー』前掲、四一二－四一三頁。
＊9　ラカー編『ホロコースト大事典』前掲、一九二頁。
＊10　ギルバート『ホロコーストの音楽』前掲、六六頁。

＊11　ラカー編『ホロコースト大事典』前掲、一九二－一九三頁。とはいえドイツの政策が一貫していたというわけではなく、地域によっては文化活動が認められなかった。

＊12　前掲、一九五頁。とくにワルシャワ・ゲットーでつくられた歌は、英雄的な抵抗精神を取り上げるものがほとんどなく、ユダヤ人当局者の不正を批判するものが多いという。ギルバート『ホロコーストの音楽』前掲、六八頁。

＊13　ランズマン『ショアー』前掲、四一三－四一四頁。

＊14　前掲、四一五頁。

＊15　前掲、四一五－四一六頁。

＊16　前掲、四一六－四一七頁。

＊17　前掲、四二〇－四二二頁。

＊18　Cazenave, *An Archive of the Catastrophe*, *op. cit*, p. 149.

＊19　Sanyal, « The Gender of Testimony », *op. cit.*, p. 321.

＊20　Cazenave, *An Archive of the Catastrophe*, *op. cit*, p. 150.

＊21　「『ショア』には、ホロコーストの生存者である男性たちが媒介する死の表象の下にひとつの限界が横たわっている。男性の生存者をこそ、ランズマンは極限状態の唯一の目撃者として想定してしまっているのだ」。*Ibid*, p. 149. その目撃者はたとえばミュラーさん、ボンバさん、ザイドルさんとドゥギンさん、ポドフレブニクさんである。

＊22　Sanyal, « The Gender of Testimony », *op. cit.*, p. 323.

＊23　ランズマン『ショアー』前掲、四二三－四二四頁。

＊24　絶滅のプロセスは段階ごとに進行し、第一、第二段階を踏まないうちに第三段階を実施することはできないと指摘されている。ヒルバーグ『ヨーロッパ・ユダヤ人の絶滅（下）』前掲、三六頁。ユダヤ人問題に対処するための具体的なプロセスについても、第10回で確認したように、①ユダヤ人をドイツから追放する、②追放の場所がなくなる、③ユダヤ人をゲットーに隔離する、④ゲットーに人々があふれる、⑤最後に絶滅収容所へ送る、こういったいくつもの段階をへている。やはり一挙に絶滅作戦が実行されるわけではないということである。

＊25　ランズマン『ショアー』前掲、四二四－四二五頁。

＊26　Maniglier, « Lanzmann philosophe » *op. cit.*, p. 104.

＊27　Lanzmann, « Les non-lieux de la mémoire », *op. cit.*, pp. 388-389.

＊28　Maniglier, « Lanzmann philosophe » *op. cit.*, p. 105, n. 1.

＊29　レヴィ＝ストロースにおける変換あるいは置換については、たとえば以下を参照。クロード・レヴィ＝ストロース『構造人類学』（1958）、荒川幾男ほか訳、みすず書房、一九七二年、二四七頁。

＊30　ジークムント・フロイト『快感原則の彼岸』（1920）、『自我論集』所収、竹田青嗣編、中山元訳、ちくま学芸文庫、一九九六年、一二三頁。

＊31　前掲、一五八頁。

＊32　前掲、一二五－一二八頁。

＊33　前掲、一二八頁、一五八頁。

＊34　ジャック・ラカン『精神分析の四基本概念（上）』（1964）、ジャック＝アラン・ミレール編、小出浩之ほか訳、岩波文庫、二〇二〇年、一三六－一三八頁。

＊35　ラカンはフロイトにおける反復が回帰でもないし再生でもないということを強調している。前掲、一一〇頁、一一三頁。

＊36　フロイトは以下のように述べている。「意識された感覚としての快と不快が自我において結びついていることが、おそらく本質的なことであろう」。フロイト『快感原則の彼岸』前掲、一一一頁。

＊37　ラカンは、糸巻きこそを主体というべきだと主張している。ラカン『精神分析の四基本概念（上）』前掲、一三九頁。それを敷衍すれば、『ショア』においては証言における言葉や身ぶりこそが主体であるといえるだろうか。

＊38　マニグリエによれば、このような理解は知識の受肉であるという。「知識を受肉させるということは、抽象的なものから具体的なものへ、一般的なものから特異なものへ移行することではなく、結論からプロセスへ移行することを意味している〔略〕。知識を受肉させるということは、学ぶことの結果を引き出すことなく学ぶということ、保持することなく学ぶということ、結論することなく学ぶということ――別なふうに学び直すために学ぶということだ」。Maniglier, « Lanzmann philosophe », *op. cit.*, p. 105.

＊39　Gisèle Brelet, *Le temps musical*, PUF, 1949, p. 298.

＊40　Pierre Sauvanet, *Le rythme et la raison*, tome 1, Kimé, 2000, p. 190. この議論はさらにフロイトにつながるように思われる。「これは有機体の生命にとっては、躊躇するリズムのようなものである。一群の欲動が前方に進み、生命の目標をできるだけ早く達成しようとする。そして他の一群の欲動は、この経路のある地点から戻り、

一定の地点から再び道をたどり直し、死までの経路を延長しようとする」。フロイト『快感原則の彼岸』前掲、一六六頁。ちなみに「躊躇するリズム」は「脈動するリズム」と訳されている。

# 25 ゲットー蜂起後の夜

## 1　ワルシャワ・ゲットーの蜂起

今回もワルシャワのゲットーについて見ていきます。ゲットーのユダヤ人評議会議長のチェルニアコフさんが自殺したあと、ゲットーのほとんどのユダヤ人が絶滅収容所に移送されてしまいます。ワルシャワ・ゲットーには三八万人が住んでいましたが、三〇万人が移送されたといいます。*1 こうしたなかで、人々のあいだに抵抗しようとする気もちが生まれてくる。ユダヤ人評議会にも頼ることができずにどんどん人が連れ去られてしまうという絶望のさなかにおいて、抵抗の機運が高まってきたわけです。*2 とりわけ抵抗を強く呼びかけたのは青年組織でした。たとえば、ある青年団は次のようなスローガンを出したといわれています。

**引用1**　ユダヤ人の若者たちよ！　ヒトラーはヨーロッパの全ユダヤ人を抹殺するつもりだ。羊のようにおとなしく屠殺台に向かうのはやめよ。たしかにわれわれは弱く、無力である。だが、敵に対する答えはただ一つだ。抵抗せよ！　兄弟たちよ！　虐殺者の情けにすがって生きるより、自由な戦士として戦いに倒れた方がましだ。*3

なかなかいさましいですね。前回見ましたが、ゲットーのユダヤ人評議会の長老たちはナチスと戦うよりもしたがうことで生き延びようとしていた。だけど青年たちは、もうおとなしくなんてできない、全員が殺されてしまう前に少しでも戦わなくちゃならないと考えていたようです。でも、戦うといっても勝てるなんて思っていなかった。相手は強大なドイツ軍です。だけど抵抗しなくちゃいけない。そういった考えが住民に広がっていき、ユダヤ人評議会とかユダヤ人警察はだんだん影響力を失います。それに代わって戦闘組織のほうが住民によって支持されるようになっていったといいます。[*4]

一九四二年一月のことです。SSはいつものようにユダヤ人を集めようとします。絶滅収容所に移送するためです。だけど人々が集まらない。普段なら移送を手伝うユダヤ人警官も、このときは協力しなかった。協力しなければ今度はそのユダヤ人警官自身が移送され、さらにその家族だって移送されてしまうというのに、彼らは動かなかった。仕方なくSSは自分たちでユダヤ人を探しまわります。そこに移送の列車が到着する。すると突然、行列のなかから何人かの男たちが飛び出して、SSに向けて発砲しました。これは歴史的な瞬間だったといいます。というのもゲットーの歴史においてはじめて、ユダヤ人の抵抗によってドイツ兵が死んだからです。[*5]

三か月ほどあとの一九四二年四月に、ゲットーで戦闘がはじまります。戦闘を進めたのは、ZOBという組織です。これは日本語でいうと「ユダヤ人戦闘組織」です。ユダヤ人戦闘組織がもっている武器はわずかなもので、少しの拳銃とライフル、機関銃が数丁、手づくりの火炎瓶《びん》くらいだったといいます。[*6]もちろんそんなものでは勝ち目はない。だけど、まさかユダヤ人が攻撃してくるなんて思っていなかったのか、ナチスは攻撃されると逃げていったといいます。ユダヤ人戦闘組織に参加していたある女性は、次のように回想しています。「最高の喜びだった。明日のことなど、気にならなかった。われわれユダヤ人闘士たちは、奇跡だと小躍りしていた。手作りの火炎瓶と手榴弾に恐れおののいて、無敵の勇者だったはずのドイツ兵どもが退却したのだ」[*7]。では、ユダヤ人の攻撃を受けてナチスはどうしたのか。次の解説を見てみます。

**引用2**　ポーランドにおけるヒトラーの名代、ハンス・フランク総督は、激した様子でベルリンへこの状況を報告した。「昨日よりワルシャワ・ゲットーにおいて組織的な蜂起が起こっている。もはやこれと戦うには重砲を動員しなければならない。ドイツ軍兵士に対する殺戮《さつりく》が恐ろしい勢いで進行している」。大虐殺の共犯者のくせに、なんともちぐはぐな激昂ぶりである。ただし、彼が本気で怒っていたかどうかはわからない[*8]。

ナチスは「ドイツ軍兵士に対する殺戮が恐ろしい勢いで進行している」と報告したといいます。ゲットー鎮圧後のナチスの資料によると、ドイツ側は一六人が殺害され、八五人が負傷したとされています[*9]。自分たちは何百万ものユダヤ人を殺し、ユダヤ人の反撃によって一〇〇人以下の被害が出た、それについてあたかも大虐殺が起こったかのようにいい立てるわけです。もしかすると**引用2**の解説者がいうように、本当のところは怒っていなかったのかもしれません。しかしその場合、怒るように見せかけるというナチスの姿勢をあらわしています。この怒りが本当であってもそうであっても、自分たちのことは棚に上げてユダヤ人の行為をこれ以上ない暴挙であるかのように非難する、そういった不条理さ、おかしさがある。そこにこそナチスの特徴が見えてきます。

ユダヤ人の反乱に対してドイツ軍は作戦を変更します。どうしたかというと、ゲットーに火をつけるんです[*10]。すべての建物、すべての通りを焼きつくす。ユダヤ人たちは地下室に隠れていたのですが、みんな窒息したり、崩壊した建物の下敷きになったりして死亡したといいます。武器をもった戦士であろうと、そうでない人であろうと関係なく殺されました。

## 2　『ショア』を見る

今回の映像ではワルシャワ・ゲットーの蜂起に参加した人が登場します。

映像1　『ショア』DVD 2-2、2:02:44-2:24:42（ch. 18-21）

話していたのはイツハク・ツケルマンさんとシムハ・ロッテムさんです。はじめに博物館のなかの柵に腰かけていた人がロッテムさんです（**写真**）。この場所はイスラエルにある「〝ゲットーの戦士〟キブツの博物館」です。「キブツ」というのはイスラエルの生活共同体のことで、とりわけ農業を中心とした共同体のことです。この博物館は「ゲットーの戦士」のキブツ、つまり「ゲットーの戦士」の共同体が運営する博物館です。そこにはワルシャワ・ゲットーの展示模型がおかれており、その模型を前にしてゲットー蜂起のことが語られます。

映像の途中で、ワルシャワにあるゲットー戦士の記念碑が映されていました。そのあとに、エルサレムにある同じ記念碑のレプリカが映されていました。どちらの記念碑も大きくて威厳があります。ゲットーでの悲惨な戦いのなかに英雄的なものをあらわしているようです。しかしその画面にのせて語られるツケルマンさんとロッテムさんの話の内容は、とても英雄的とはいえないものでした。二人の表情も疲れている、憔悴しているといった感じです。二人は多くのことを語っています。だけど彼らは語るだけではなく、語っている合間にしばしば沈黙します。もちろんその沈黙はランズマンの編集によって強調されたものです。ランズマンは証言者の語りと同じくらい沈黙を重視していて、語ることよりもむしろ沈黙によって虐殺を表現しようとしているのだと思われます[*11]。そしてこの沈黙は、夜のようなイメージをもたらしているように思えます。

シムハ・ロッテム（DVD2-2, 2:03:46）

## 3　心臓にしみついた毒

では内容を見てみます。二人はヘブライ語で話しますが、ランズマンはわからないので通訳をとおして話しています。

**引用3**　『イツハク・ツケルマン（ユダヤ人男性、ワルシャワ・ゲットーのユダヤ人戦闘組織の副司令官、戦士名アンテック、ヘブライ語）：』おれが酒を飲むようになったのは、戦後のことさ。とっても、つらかったんだ……。おれの印象は？――クロード、あんたはそう尋ねたがね。もし、おれの心臓をなめることができたら、染みついている毒で、あんたは、死んじゃうだろうよ。[*12]

ここでいわれている「クロード」というのは、ランズマンのファースト・ネームです。映像ではツケルマンさんの顔が映されていますが、その口は動いていません（**写真**）。ツケルマンさんの顔の映像に、別に録音したものを重ねているわけです。ツケルマンさんは暑いのか、汗をかいています。目の焦点も合っていない感じで、遠くを見ているのか、近くを見ているのか、どこを見ているのかちょっとわかりません。うつろな表情です。「自分の心臓にしみついている毒で、あんたは死んでしまうだろう」と彼はいっていますが、これはすごい表現ですね。ゲットーの戦いによって全身が猛毒を浴びてしまった、その毒が身体のなかに深く浸透して、以前の状態には戻れないような体になってしまったということです。このときツケルマンさんは酒におぼれていたらしいです。

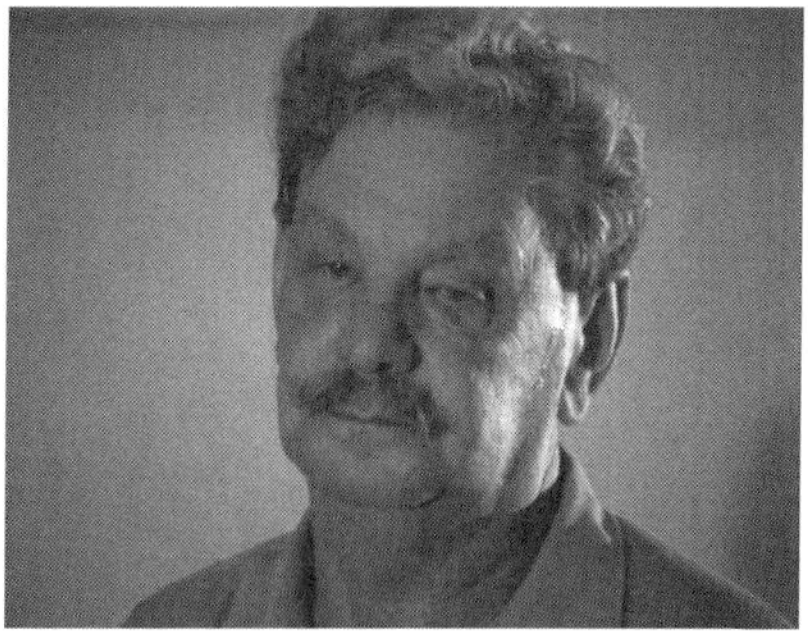

イツハク・ツケルマン（DVD2-2，2:05:38）

ランズマンの自伝によると、ツケルマンさんが語っていた部分で通訳のまちがいがあったそうです。**引用3**では、「おれが酒を飲むようになったのは、戦後のことさ。とっても、つらかったんだ……」と訳されていますが、本当はこういっていたそうです。「おれが酒を飲むようになったのは、戦後、この巨大な墓の上に乗っかってからのことだ[*13]」。ランズマンによると、これはまったく異なる意味合いをもっているといいます。だけど通訳は、**引用3**のようにフランス語に訳していた。ランズマンがこれに気づいたのは編集段階だったそうです。これまで見たように、『ショア』は通訳の話している言葉もそのまま映像のなかに取り入れています。ですからランズマンは仕方なくその方針をつらぬくことにした、つまり、通訳が語っているフランス語訳はまちがっているけれどそのまま採用したということです。

　**引用3**でのように「とてもつらかったから酒におぼれはじめた」という説明は、もちろんいいたいことはわかりますが、でもどこか抽象的ですよね。だけどツケルマンさんの本当の言葉、「この巨大な墓の上に乗ったときから酒におぼれはじめた」という説明は、より具体的であるように思います。自分は何千人が死んだことによって生きている。いや、移送されたすべての人を考えれば、何千人どころか何万人、何十万人が死んだ、そのうえで自分が生きている。あのとき自分も死ぬはずだった。今生きているけれども実は死んでいる、そんなふうに聞こえます。表情はむなしいというか、からっぽのような感じでした。ランズマンはイスラエルでのツケルマンさんの撮影について、次のように思い返しています。

**引用4**　キブツでは、私がアンテック〔ツケルマンの戦士名〕に面会することも、彼にしゃべらせることも歓迎されなかった。英雄アンテックは酒におぼれていたからだ。顔はアルコールでむくんでいた。だが、私は彼を尊敬していた。彼の表情が好きだったし、飲みたがる気持ちもわかった。忌むべきはむしろキブツの官僚主義的思考だった。真実に反しても、ゲットーの戦士たちのあるべき画一的イメージを維持しようとし、アンテックの存在を隠すためなら何でもしようとする彼らと、私は膝づめ談判におよんだ[*14]。

ツケルマンさんの疲れたうつろな表情は、お酒にやられていたということもあるようです。かつてはゲットー蜂起を指導した英雄だったけど、今や酒におぼれている。これは、イスラエルのユダヤ人の共同体からするとたしかにイメージがよくない。でもランズマンとしては、そうしたツケルマンさんをこそ映したいと考えた。ランズマンが表現したいのはナチスといさましく戦った英雄ではなく、むしろナチスに踏みにじられ、身も心もぼろぼろになった人物です。

　映画本編には取り入れられていないツケルマンさんの話によると、ゲットーの戦いがはじまるころ、彼は妻からの手紙を受けとったといいます。「これまでのところ、あんたは、これといったことをしていないのね。何の、成果もあげてない」[*15]。ゲットーの戦士は抵抗のための有効な手立てを講じることができず、まわりからそのことを指摘されているわけです。もちろんユダヤ人戦闘組織は、住民をふるい立たせて反乱を大きくするために、勇敢で勢いのあるイメージをつくろうとしています[*16]。だけど実際のところ、抵抗の動きは無力なものだった。ここからわかるのは、ゲットー蜂起の戦士たちは英雄とはほど遠いということです。彼らはほとんど何もできなかった。そして戦闘で力をつかいはたし、今やお酒におぼれている。まるで死にそこなったかのように、いわば幽霊のようになって生きているわけです。しかしそれこそがまさにゲットーで蜂起するということです。ゲットーで反乱を起こすということは、自分のすべてを毒にさらしてしまうことであり、生き残ったとしてもネガティヴにしか生きることができなくなってしまうということです。

　ツケルマンさんのなかの毒はプリーモ・レーヴィの文章にも表現されているように思えます。レーヴィはアウシュヴィッツ収容所での体験を本に書いていますが、それによるとレーヴィの友人があるときささいなことでなぐられたといいます。その友人は相手になぐり返した。収容所というものに対する理性的な蜂起を示したかったからです。段ちがいに強い相手はさらに怒り、友人をめったやたらになぐり倒した。だけど友人は少しでも反撃できたことに満足していたといいます。レーヴィは次のようにいっています。

**引用5**　私はそれを称賛する。しかしその選択は、彼のアウシュヴィッツ以降の全人生に持ち越され、彼を非常に厳しい、非妥協的な立場に導き、人生に、生きることに喜びを見出せないようにした、ということを確認せざるを得ない。世界全体と「殴り合う」ものは、人間の尊厳を見出すだろうが、非常に高い代償を払う。なぜなら打ち負かされることが確実だからだ。[*17]

この友人は一九七八年に自殺します。レーヴィは、この友人があまりに大きな相手となぐり合った、世界全体ともいえるような巨大な相手となぐり合ったということ、このことが自殺と関係しているのではないかと考えています。たしかになぐってきた相手に反撃することは望ましいことかもしれません。だけどそれによりさらにはげしい力でなぐり返されることになります。そのためにいやせないほどの傷が残ってしまう。映像でのツケルマンさんはこの友人のように、世界全体となぐり合ってしまったのではないか、そんなふうに感じられます。ゲットー蜂起に参加するということは、ユダヤ人にとっては世界そのものに反抗するということです。ナチスの支配するゲットーこそがユダヤ人の世界だったからです。だからこそツケルマンさんは深い傷を刻み込まれ、戦後何十年たってもいやされることができないままでいる。生きる喜びを味わえないでいる。仕方なくお酒に逃げ、幽霊のように生きていくしかない、そういうことではないかなと思います。

## 4　言葉では表現できない恐怖

もうひとりの証言者であるロッテムさんによると、蜂起を開始して三日間くらいはユダヤ人側が優勢だった。しかしドイツ軍はゲットーに火を放つ。どうしようもないので全員が地下に避難します。ロッテムさんは以下のようにいいます。「『ユダヤ人側が』出撃するのは、夜に限られていました。ドイツ兵は、主として昼間だけ、ゲットー内部で行動し、夜は、退却していきました。実際、夜になってから、ゲットーに立ち戻ることを、奴らは、とても怖がっていました」[*18]。ここでゲットーは夜のイメージに結びつく。

ロッテムさんによると、地下壕にはあまりにも人が多かったということです。身動きができないほどの人で、すさまじい暑さだったといいます。あまりに暑くて、息もできない。呼吸するためにはときどき体をふせて、顔を地面に近づけなくちゃいけなかったといわれています。[19]別の資料を見ると、気温は摂氏三八度に達したらしいです。そのため水はあたたまり、食料はくさる。悪臭が立ち込める。あまりにひどいので別の地下壕に移動する。だけどそこでも状況は同じだったそうです。ちなみに別の地下壕に移動するのは昼間ではなく夜です。[20]ここにも夜のイメージがあります。その後ドイツ軍は地下に向けて手りゅう弾を投げ、催涙ガスを打ち込んだといいます。多くのユダヤ人が殺され、ついに降伏して出てきます。

**引用6** 『シムハ・ロッテム（ユダヤ人男性、ワルシャワ・ゲットー蜂起の戦士、戦士名カイック、ヘブライ語）：』われわれがゲットーの中で味わった、恐怖は、人間の言葉をもってしては、とうてい、表現できないと思います。ゲットーの路上では、――〝道路〟という言葉がまだ使えるとしての話ですがね。だいたい、道路ってものが、もう形をとどめてないんですから――積み重なった、死体の山、また山を、跨がなければ、進んでいくことができません。避《よ》けて通ろうにも、そんな余地がなかったんです。それに、ドイツ軍相手の闘いに加えて、飢えと、渇きとも、闘わなければなりません。外界との連絡はいっさいなく、世界から、完全に孤立し、断ち切られていました。[21]

あの恐怖は「人間の言葉では表現できない」といわれています。「言葉で表現できない」というのは、これまでも何回か出てきたいい方ですね。焼き払われた道、死体の山、さらに食べものも何もない。この恐怖は表現できないものだし、おそらく理解することもできないものだろうと思います。引用の最後には、「世界から完全に孤立していた」といわれています。もはや世界とはいえないようなところだということです。あるいは世界が崩壊してしまったということです。

ドイツ軍の総攻撃をどうにもできない。そこでゲットーの外にあるアーリア人地区にいって何か突破口を切り開くしかない、そのようにロッテムさんたちは考えます。彼らはトンネルを抜けてゲットーの外に出ます。

引用7《ロッテム：》朝、まだ早い時間に、私たちは、突然、光もまばゆい、アーリア人地区の街路に出ました。陽がさんさんと照る、五月一日の光景を想像してください。別の惑星からでも来たように、街頭に、それも、普通の人たちのまっただ中にいる姿に、われながら、動転しました。すぐさま、私たちに飛びかかってくる、おせっかいな連中がいました。きっと服は、ボロボロだし、やせ細り、疲れきった様子だったからでしょう。ゲットーの周りには、いつも、とても疑り深い、ポーランド人がうろついていて、ユダヤ人を捕まえたものです。私たちは、奇跡的に、彼らの手を逃れることができました。ワルシャワのアーリア人地区では、昔と変わらぬ生活が、この上なく自然に、この上なく正常に、つづいていました。カフェもレストランも、通常の営業。バスも、市電も走れば、映画館も開いていています。じつに、ゲットーの方が、正常な日常生活の海に浮かぶ、孤島だったのです。[*22]

このとき画面には、撮影当時のワルシャワが映っています。日常生活がいとなまれている街です。ロッテムさんによると、朝の光がまぶしかったといいます。ここでゲットーとゲットーの外の街は対照的にとらえられます。ゲットーが夜のイメージだったのに対して、ゲットーの外は朝のイメージです。ゲットーでは人間は死にかかっていた、しかしゲットーの外では人間が活動している。戦っていたロッテムさんにとっては、ゲットーのなかのことが真実であり、世界は崩壊したと考えていた。だけどゲットーの外に出てみると、そこにはちゃんと世界があった。もはや夜だけしかないと思っていたのに、朝を発見したわけです。

しかし朝が安心だというわけではありません。引用7の真ん中にあるように、ユダヤ人をつかまえようとするポーランド人がたくさんいたからです。ユダヤ人はゲットーのなかにいなければいけないという規則がある。ゲットーの外にいると、ポーランド人が近よってきます。彼らはユダヤ人の持ちものを奪い、ときにはドイツ人に引き渡します。密告すれば、ドイツ人は砂糖やアルコールといったほうびをくれるからです。あるいはポーランド人はあえて密告しないでおく、だまっていてやるからといってゆすり、すべてをしぼりとる。こんなことがあるので、ユダヤ人はゲットーを脱出したくてもできなかったといわれています。しかしポーランド人にもそれなりの理由があった。というのもポーランド人はユダヤ人をかくまったり援助したりすると死刑にされてしまうんです。その場合、見つかったユダヤ人は殺されます。そして、かくまった人だけでなくその家族全員が殺されてしまいます。とはいえそうであっても、ユダヤ人を助けようとしたポーランド人がいたのもたしかです。[*23] もしかするとロッテムさんが街に出たときにも、ユダヤ人だとわかったけどあえて声をかけずに無視してくれた、そういうポーランド人がいたという可能性も考えられますね。

　ロッテムさんの任務は、ツケルマンさんと連絡をとることでした。それが達成できて、ロッテムさんはゲットーに戻ることにします。いつ戻るのか？　やっぱり夜です。夜のうちに地下水道をたどってゲットーに向かいます。[*24] ここでイメージが変わる。つまり、ワルシャワの街での朝の光ではなく、ゲットー内部の夜の闇になる。ロッテムさんは司令部のある地下壕にいったけど、だれもいなかったといいます。ドイツ軍に発見されてみんな殺されてしまったようです。

**引用8**　〘ロッテム：〙合言葉を叫んでも、だれもいません。そこで、やむなく、ゲットーの中を、歩きつづけることになりました。すると、突然、廃墟の中から呼ぶ、女の声が聞こえたのです。あたりは暗い。まったくの暗闇です。何の姿も見分けられず、光の当たっているものも、ありません。まわりは、廃墟、崩れた家屋ばかりで、その中から、たった一つ、声が聞こえるばかりです。瓦礫《がれき》の底から語りかける女の声。あれには、何か呪いがかけられているのじゃないか、そんな気さえしました。私は……、その廃墟を一まわりしました。もちろん、時計を見たわけじゃありませんが、一周するのに、たっぷり三十分は、かかった気がします。導くような声音をたよりに、その女を探し出そうとしたのですが、残念ながら、見つけることができませんでした。〘ランズマン：〙あたりでは、なお火事がつづいていましたか？〘ロッテム：〙火事と呼べるようなものは、ありませんでした。もう炎も立ちのぼってはいませんでしたからね。でも、煙だけは、まだ上がっていました。それから、人の肉のこげた、あの恐ろしい臭いも……。きっと、生きながら焼かれたのでしょう。[*25]

真っ暗闇の廃墟。どこかわからないけれど女性の声がする。しかしその女性は見つからない。**引用7**では、ワルシャワの街で朝の光がまぶしかった、カフェやレストランが開いて電車も走っていたといわれていました。それに対してこの**引用8**は対極的なイメージです。これがゲットーのなかの夜、あるいはむしろ夜としてのゲットーです。呪われているような声が語りかける、その声に導かれて歩く、死体の焼かれるにおいがする、煙が上がっている、だれにも会わないまま歩きつづける。これが世界とはいえないような場所なんだろうと思います。また、人間の言葉ではいいあらわすことのできない、表現することのできないところなんだと思います。だけど、表現できないにもかかわらず、ロッテムさんはなんとかして表現しようとしているように思えます。ロッテムさんは最後にこういいます。

**引用9**《ロッテム：》そして、今でも、思い出します。一種の安らぎと、平静な気持を、おぼえた瞬間のことを。「私は、最後のユダヤ人だ。朝を、待とう。ドイツ兵がやって来るのを、待つのだ」と、心に思った瞬間のことを。[*26]

世界が崩壊したあとをひとりでさまよった、そこで安らいだ気もちになった。そして「私は最後のユダヤ人だ。朝を待とう。ドイツ兵がくるのを待とう」と思った。映像のロッテムさんはかすかにわらっているように見えます。どういうふうにしてそんな気もちになったのか、私にはよく理解できません。だけど「私は最後のユダヤ人だ。朝を待とう」というところについては、少し理解できるような気もします。ゲットーの蜂起が終わり、もはやだれもいない。私だけしかいない。蜂起はユダヤ人側の完全な敗北です。それはゲットーという世界自体が終わる、世界とはいえない世界が終わるということです。夜が過ぎ、朝が戻ってくる。世界がたちあらわれてくるということです。ここでロッテムさんは、「ドイツ兵を待とう」といいます。ここでロッテムさんは、「ドイツ兵を殺してやろうと思っているのか、殺されたいと思っているのか、私にはわかりませんあるいはドイツ兵とともに自分も死のうと考えているのか、いっしょに生きようとしているのか。いずれにしても、朝がくる、世界がわき起こる、そこには敵であるドイツ兵もやってくる、そして静かでおだやかな気もちだという。これこそ、言葉では表現できないことではないかと思われます。ちなみにこれが映画の最後の言葉です。

ある研究者はロッテムさんの「私は最後のユダヤ人だ」という言葉について、『ショア』のエポック1の最後の場面、正確には最後よりも少しだけ前なんですが、その場面に出てくるユダヤ人生還者シモン・スレブニクさんの言葉につながるのではないかと述べています。それは、第13回の**引用15**で見た言葉です。「もう一つ、まるで夢のようですが、こう空想していました。もし生きていられるとしても、世界に残るのは、ぼく一人だけだろう。一人の人間も残らず、ぼくだけだろう、一人だけだろう、と。ここから出て行けるとしても、ぼくが、世界に残る唯一人の人間だろう、と」[*27]。たしかにロッテムさんと同じような言葉ですね。研究者はスレブニクさんとロッテムさんの言葉が響き合っていると考えて、以下のように論じます。

**引用10**　ロッテムとスレブニクが自分たちの脱走の感覚から引き出した結論によって、私たちはこの映画における女性性のさらに別の次元を見ることができる。つまり、女性性が再生の希望がない死へと結びつき、同じような生殖性がない破壊へと結びつくということである。ロッテムはスレブニクと同じく、「生きている最後のユダヤ人」である。ロッテムは遠くから聞こえる女性の声――つまり助けを求める女性、または彼を破滅へと誘い込む邪悪な呪文――を探しあてることができない。このことによりこだましているのは最終解決の最終性であり、ユダヤ人の存在のすべての痕跡、過去・現在・未来を消し去るためにおこなわれた絶滅のプロセスなのだ。『ショア』の証言者たちが破壊的に明らかにしているように、ホロコーストにおいて母親は子どもを守ることも養うこともできないし、生かしておくことも、もっと生むということもできない。このような絶望的な状況のなかで、ロッテムとスレブニクはそれぞれ自分が、未来から永遠に切り離された最後のユダヤ人であり、ユダヤ教の終端であると見ている。そしてランズマンは、この二人の声を映画のクライマックスに——二部構成のそれぞれの最後の部分に——配置し、『ショア』の九時間半のあいだにつくり上げられた完全な死の衝撃を、破壊的かつ決定的な効果をもって強化している。*28

自分しかユダヤ人は残っていないし、新しい命が生まれることもない、そうした破滅が描かれているのではないかといわれています。たしかにそう理解することもできると思います。実際ランズマンが関心をもっているのは、生命とか生きることではなく死のほうです。ですから徹底的な破壊、そして破滅ということがポイントであるというのはうなずけます。

しかし私としては、ロッテムさんが「朝を待とう」といっているのを見逃してはならないと思います。夜が過ぎて朝になる、つまり世界が新たに生まれてくるということです。たしかにロッテムさんは、生命とか生きるという言葉をつかっていないですし、はっきりとした希望や未来を語っているのでもありません。しかし徹底的な破壊のあとには、ポジティヴなものとはいえないけれど破壊とはちがったもの、何か別のものがやってくるように感じられます。興味深いことに、その後ロッテムさんは「ドイツ兵を待とう」といっている。この「ドイツ兵」というのは、もしかすると完全な敵としてのドイツ兵ではないのかもしれません。でもだからといって、ユダヤ人の味方でもないと思います。世界が新しくたちあらわれてくるわけですから、ひょっとするとドイツ兵も、それまでとはちがった別の仕方で存在するようになるかもしれない。だけどさっきもいったように、この新しい世界というのは、希望に満ちた未来といったポジティヴなものではないように思えます。**引用10**の研究者は、ここで描かれているのは「最終解決の最終性」とか「完全な死」ではないかといっていますが、私としては少しちがう考えです。つまり、「最終解決の最終性」のあとに、そして「完全な死」のあとに、何もかもすべてが終わったあと、それでも何ものかがやってくる、よいものか悪いものかわからないけど、まったくの終わりのあとにも何かしらのものがあらわれてくる、そうしたことが表現されているのではないかと感じます。この部分がどのような意味をもっているのか、ぜひみなさんにも考えていただけるとうれしいです。[*29]

ロッテムさんの話のあと、動いている列車が映されて映画は終わります。うす暗いなかでの汽笛の音、屋根のない車両、ガチャガチャという音、屋根のある車両、きしむ音。こうした列車の映像は、ホロコーストをあらわすものとして映画に何度も出てきました。証言のなかでも、ユダヤ人を連れていく列車について繰り返し言及されていましたよね。ここからある人は、「『ショア』は列車の映画である」といっています。[*30] 列車の姿、動き、音、これらはひとつのリズムをなしていますが、それがそのままで『ショア』という映画全体のリズムにもなっているといえるかもしれません。

## 5　破壊のなかに「ある」こと

ここまで見たようにツケルマンさんは世界となぐり合い、ロッテムさんは世界の崩壊に立ち会った。この世界の崩壊ということについて、哲学の視点から考えてみたいと思います。「世界が崩壊したらどうなるのか?」「世界が崩壊しても何かが存在する、たとえば戦争によってすべてが破壊されたときにも残るものがあるのではないか?」こんなふうに考えたのが、フランスの哲学者であるエマニュエル・レヴィナスという人です。[*31] レヴィナスがいうには、世界が崩落して何もなくなるというのではなく、世界の崩落のさなかに存在するということがあらわになる。これは不思議な考え方です。普通に考えると、戦争が起こって人も事物も破壊されてしまうのであれば、そのあとには無、つまり何もないということしか残らないはずですよね。だけどレヴィナスによると、そのように破壊のさなかにこそ存在するということが見えてくるというわけです。

そのさいレヴィナスは「ある」という概念を打ち出します。「ある」という言葉は、フランス語でいうと il y a「イリア」という言葉です。il「イル」というフランス語は、英語の he あるいは it にあたる代名詞で、人であれば「彼は」ということを示し、事物であれば「それは」ということを示します。y「イ」という言葉は、「そこに」

とか「そこへ」とかいった意味で、英語の there にあたるものです。a「ア」というのは「……をもつ」「……を所持している」という意味の言葉で、英語でいうと have です。ですから il y a というのは、「彼がそこで……をもっている」「それがそこに……をもつ」ということを示します。ですが il y a というのは決まった表現で、そのあとに名詞をともなうことで、「……がある」ということを意味します。英語でいうと there is や there are という表現が近いかなと思います。なので il といっても「彼は」とか「それは」ということを指しているのではなく、むしろだれでもないもの、なんでもないものを意味している。人称をもたない文、つまり非人称の文です。この il y a「イリア」という言葉、「ある」という言葉を、レヴィナスは哲学の概念にしています。[*32]レヴィナスの文章を見てみましょう。

**引用11**　あらゆる存在が、事物も人もことごとく無に帰したと想像してみよう。この無への回帰をあらゆる出来事の外に置くことはできないが、しかしこの無そのものはどうだろうか。たとえ無の夜や沈黙にすぎないとしても、何ごとかは起こっている。この「何ごとかが起こっている」の不確かさは、主語が不確かだということではなく、実詞に関係することではない。この不確かさは、行為のなし手が誰かよく判らないということではなく、非人称構文における三人称の代名詞のようなもの、いわばなし手をもたない無名の行為そのものの性格を示している。非人称で無名の、しかし鎮めがたい存在のこの「焼尽」、無の奥底でざわめきたてるこの焼尽を、私たちは〈ある〉という言葉で書き留める。〈ある〉は人称的形態をとるのを拒むという点において、「存在一般」である。／この概念は何らかの「存在者」――外的事物や内的世界――から借り受けたものではない。〈ある〉はじっさい、外在性と内面性をともに超越しており、その区別を不可能にしてしまう。存在の無名の流れが侵入し、人であれ事物であれあらゆる主語を沈めてしまうのだ。[*33]

この引用のはじめのほうでいわれていますが、夜や沈黙であっても何もないというわけではありません。明確な主体とかはっきりした発言内容はないけれども、しかし何かがある。そのことをレヴィナスは、「無名の行為」といったり、「非人称で無名の、しかし鎮めがたい存在のこの「焼尽」」といっています。このことは、ロッテムさんが話していたことに通じているように思われます。ロッテムさんは破壊しつくされたゲットーを歩きます。だれもいない。道路も建物もない。見えるのは煙、死体、がれきです。女性の声が聞こえる。しかしその女性がだれなのかはわからないし、探してもあらわれない。このときロッテムさんにとってすべてがなくなったわけですが、だけどやっぱり何かがある。何があるというのでもないし、だれがいるというわけでもないのですが、それでもざわざわと聞こえる。「彼女」とも「それ」ともいいがたいような声が聞こえる。**引用8**のロッテムさんの言葉を読み直すと、女性の声は「導くような声音」だったといいます。ロッテムさんはその声に導かれて長いあいだ歩きつづけたわけですが、このとき意志をもって歩いたとか、主体的に歩いたというのではないように思われます。おそらくロッテムさんは声につつみ込まれ、まわりの状態に溶け合うようにして歩いたのではないか、自分が知らないうちに歩いていたのではないか、そんなふうに思えます。**引用11**の最後にあるように、「存在の無名の流れが侵入し、人であれ事物であれあらゆる主語を沈めてしまう」、そういう状態にあったのではないかと思います。そう考えるとロッテムさんがいるのでもないし、女性の声があるのでもなく、がれきや死体があるのでもない。世界が崩壊するとき、そこには何があるともいえないけれど、それでも「ある」、いやむしろ、何があるともいえないという仕方でこそ「ある」、そのように感じられます。

このイリア、「ある」ということは、被害者が収容所で体験したことを語るときのむずかしさにつながるといわれています。[*34] 被害者は語ろうとするが、うまく伝わらない。というのも収容所にいたときのその人は、今のその人とはまったくちがった存在だからです。つまり、現在その人はひとりの個人、責任や人格をそなえた個人だといえますが、収容所にいたときには何者でもないような存在、非人称的な存在だったということです。今その人は「私」という存在ですし、「私」という資格で語るわけですが、収容所のなかでは名前を奪われて番号で認識され、いつ死んでもかまわないようなものとしてあつかわれていた。「私」という資格も、「私」という意識もなかったわけです。そう考えると収容所を体験したのは私ではなくて、だれでもない人です。被害者としては、私は体験していないのに、まさに私の体験として語らなくちゃいけない。そこに証言することのむずかしさがあります。世界が崩壊したとき、私は私ではなくなり、だれというわけでもなくなってしまう。だけど世界が新たに立ち上がってそこで証言する場合、私は私として語ることになる。だれのものでもない体験を、私の体験として語らなくてはならない。

この「だれのものでもない体験」、これこそがイリアであり、「ある」ということです。世界が崩落するとき、それまで存在していたすべての人や事物が消え去る。そこにだれのものでもない体験、「ある」という体験が出てくる。そして戦後に証言する人は、そのだれのものでもない「ある」という体験を語らなければならない。ですが、戦争が終われば「ある」ということはなくなり、それに代わって「彼は」「彼女は」という主体、「私は」という主体が登場してくる。そこに困難が生じるわけです。このようにレヴィナスのイリアの概念を考えることによって、世界の崩壊がどのようなものなのかについて垣間見ることができます。そして、その世界の崩壊を語ることがいかにむずかしいものなのかということがわかります。

レヴィナスはイリアということ、「ある」ということを考えるのにあたって、不眠、すなわち眠れないという状態をあげています。

**引用12**　あたりいちめんに広がる避けようもない無名の実存のざわめきは、引き裂こうにも引き裂けない。そのことはとりわけ、眠りが私たちの求めをかすめて逃れ去るそんな時に明らかになる。もはや夜通し見張るべきものなどないときに、目醒めている理由など何もないのに夜通し眠らずにいる。すると、厳然という裸の現実が圧迫する。ひとには存在の義務がある、存在する義務があるのだと。ひとはあらゆる対象やあらゆる内容から離脱してはいるが、それでも現前がある。無の背後に浮かび上がるこの現前は、一個の存在でもなければ空を切る意識の作用のなせるものでもなく、事物や意識をともどもに抱擁する〈ある〉という普遍の事実なのだ。[*35]

**引用13**　〈ある〉という出来事はまさしく、眠りが不可能だということ——諸々の可能性に対する妨害としての不可能性——、くつろぎやまどろみや放心が不可能だということのうちに起こっているのだ。[*36]

不眠のとき、みなさんはどんな感じがしますか？　夜の闇のなか、眠ろうとしても眠れないとき、あるいは眠っていたのになぜか目が覚めてしまい、闇につつまれたまま眠ることができないというとき、どういう気もちでしょうか？　私の個人的な感覚を申し上げると、自分が自分でいられないような、そんな感じがします。眠れないときには居心地が悪く、どうにか心地よくなれるようにもぞもぞ動きます。手足を動かすことはできるけど、でもこの手足はどこかよそよそしいというか、しっくりこないというか、自分の身体が自分にうまく合っていないように思います。私の身体は、私のものでありながら私のものではないような、そんな奇妙な印象をもたらします。このとき自分の意識があるのかというと、あるようでないような、どちらともわからない状態です。夜につつまれて、ぼんやりと見えるものとの距離もわからない。自分と事物といった区別、主体と対象といった区別があいまいなのかもしれません。私はもはやひとりの個人だとか、ひとりの主体だとはいえない。暗闇に巻き込まれて、私は非人称のものになっているようです。[*37]

眠れないとき、今何時なのかわからなくなります。どのくらいのあいだ眠れないでいるのかわからない。このときひとつの瞬間が別の瞬間と同じものとなってしまう。そこには過去・現在・未来といった時間的な区別はなくなります。むしろあるのは眠ることのできない現在、過ぎ去ることのない現在です。このことからレヴィナスは、不眠にはリズムがない、そして「ある」にはリズムがないといいます。

**引用14**　この不在のなかの現前の回帰は、潮の満ち干のようにはっきりした瞬間に起こるわけではない。暗闇にひしめく点の群に遠近法がないように、〈ある〉にはリズムがない。瞬間が存在のなかに不意に現れるためには、そして存在の永続性のごときこの不眠が止むためには、主体の定位が必要なのだろう。[*38]

ここでリズムという言葉は、「潮の満ち干」「遠近法」といったものと同じようなものとしてとらえられています。これらはいずれも、私がはっきりとした意識をもつ主体として存在しているということ、その明瞭な意識で過去・現在・未来という時間的な区別を認識し、ある瞬間を別の瞬間とは異なるものとしてとらえるということを示しています。リズムがあるとは、私というものがはっきり立てられていて、明確な瞬間があるということです。不眠とはまさにそれとは逆の状況です。すなわち私はあいまいで非人称的なものになっているし、たしかな瞬間というもの、時間的な識別というものがない。つまり不眠にはリズムがないわけです。[*39]

夜に眠ろうとしても眠れないとき、不快な気分になります。あの不快な気もちは、起きて生活しているときにはなかなか感じることができません。不眠におちいったとき、普段の生活にはないものが存在している、つまり「ある」ということです。はっきりと何かがあるというわけではないのですが、それでも何かしらのものが「ある」。そしてその「ある」ということが不快に思われる。それはおそらく、**引用12**の最初にあるように、「無名の実存のざわめき」なのだろうと思います。無名のざわめきが私を取り囲み、私はそのざわめきに溶け込んで、いなくなってしまう。ですからこの体験は、私の体験ではなくだれのものでもない体験です。その体験は、だれかがいるともだれもいないともいえないけれど、どこかにだれかがいるように感じられる、そういった幽霊や亡霊のようなものに通じる体験です。実際レヴィナスも次のように述べています。

**引用15**　夜は、なおもそれを満たしている対象たちに、亡霊じみた気配を与える。[*40]

このように見てくるとレヴィナスのいう不眠は、**映像1**のツケルマンさんやロッテムさんの体験と重なるように思えます。ロッテムさんが語っていたのは、ゲットー蜂起後の夜です。ロッテムさんは暗闇のなかで呪われたような女性の声を聞いたといっていましたが、その声はまさに、あるようなないようなもの、亡霊のようなものだと思われます。最後にロッテムさんは、安らいだ気もちでドイツ兵を待とうといっていました。これはもしかすると、一見すると戦闘が終わっておだやかに感じられるけれども、やはりどこかに異質なもの、不穏なものがひそんでいるということかもしれません。ゲットーの戦いは終わったにもかかわらず、安心して眠れないということかもしれない。眠れるはずなのに眠れない。戦い疲れて、まわりは安らかである、自分も安らかである、なのになぜか眠ることができない、そういった状況です。不眠の症状が何日もつづいてしまうことがあるように、ロッテムさんとツケルマンさんのつらい状況も際限なくつづきます。二人の体験はけっして過ぎ去ることがない。そのためにツケルマンさんは何十年たっても自分の体験を過去のものにすることができず、酒におぼれてしまう。いってみれば、ツケルマンさんはずっと不眠でいなければならない、ずっと「ある」に向き合いつづけなければならないということです。

　以上のようにツケルマンさんとロッテムさんは、破壊のさなかに「ある」ことを経験したわけです。そのためなのか、二人の表情や話し方を見ると、あたかも不眠におちいっているかのような疲れというか、あきらめのようなものが感じられます。その疲れとあきらめは、ワルシャワ・ゲットーを生き抜いたほかの人にも見られるようです。

**引用16**　ワルシャワ・ゲットーを生きのびたマレク・エーデルマンは、自分の体験をこのように懐疑的に記している。「人間というものは、戦わずに死ぬよりも戦って死ぬ方が美しいと思いがちだ。だからわれわれもその慣習に従ったまでだ。そもそもあれを蜂起と呼ぶことができるだろうか。われわれは自分の番がまわってきたときに、ただむざむざと殺されるのを避けただけだ」。自分たちのとった行動よりも、無抵抗のまま死んでいった圧倒的多数の人々の行動に、エーデルマンはより多くの敬意を捧げずにはいられない。「この人たちは静かで落ち着いていた。じつに立派に死んでいった。あれほど落ち着いて死に赴くのはなんと恐ろしいことだろう。どんな銃撃戦よりもずっと辛いことだ。戦って死ぬ方がよほどたやすい。家畜列車に乗り込み、そのなかで旅をともにし、自分の墓穴を掘り、素裸にされて死んでいった人たち。わたしたちの死は、あの人たちの死の何倍楽だったことか」。[41]

ここには、生き残ったにもかかわらずうつろでむなしいといった印象があります。それは、ツケルマンさんとロッテムさんが疲れた様子だったのと似ています。このようにゲットーの蜂起に参加して生き延びた人々の話を聞くと、絶滅を体験するとはどういうことなのかがわかってくる。このことは、レヴィナスのイリア、つまり「ある」の概念と結び合わせることでさらにわかってくるように思います。

## 6　まとめ

① ユダヤ人はワルシャワ・ゲットーで蜂起したが、ほとんど全員が殺された。
② 戦後のゲットー蜂起の戦士は英雄というより幽霊のようになっている。
③ ゲットーの蜂起は言葉では表現できないもの、世界の崩壊である。
④ 世界の崩壊のなかにこそ存在するということがあらわになる。
⑤ レヴィナスの「ある」という概念をもちいて、絶滅について考えることができる。

＊1　ヒルバーグ『ヨーロッパ・ユダヤ人の絶滅（上）』前掲、三八一－三八二頁。
＊2　ベーレンバウム『ホロコースト全史』前掲、二三九頁。
＊3　クノップ『ホロコースト全証言』前掲、三〇二頁。
＊4　ラカー編『ホロコースト大事典』前掲、六六九頁。
＊5　クノップ『ホロコースト全証言』前掲、三〇一頁。
＊6　ベーレンバウム『ホロコースト全史』前掲、二三四頁。ユダヤ人とドイツ人の戦力比較については、ヒルバーグ『ヨーロッパ・ユダヤ人の絶滅（上）』前掲、三八九頁を参照。
＊7　ベーレンバウム『ホロコースト全史』前掲、二三四－二三五頁。
＊8　クノップ『ホロコースト全証言』前掲、三〇四－三〇五頁。

＊9　ラカー編『ホロコースト大事典』前掲、六七〇頁。
＊10　クノップ『ホロコースト全証言』前掲、三〇五頁。
＊11　ランズマンはホロコーストの表現にかんして次のようにいう。「語ると同時に沈黙しなければならない。ここでは沈黙がもっとも真正な語りの様式であることを知らなければならない」。Lanzmann, « De l'Holocauste à *Holocauste* ou comment s'en débarrasser », *op. cit.*, p. 431.
＊12　ランズマン『ショアー』前掲、四三〇頁。
＊13　ランズマン『パタゴニアの野兎（下）』前掲、二五一頁。
＊14　前掲、二五〇－二五一頁。
＊15　ランズマン『ショアー』前掲、四三一頁。この部分は映画本編とフランス語テキストにはないが、英語・ドイツ語・日本語訳のテキストには含まれている。
＊16　ユダヤ人戦闘組織はゲットー蜂起のさなかに以下のような力強い報告をしている。「戦闘開始から一週間、われわれはすでに生か死かの瀬戸際に立っている。…犠牲者の数は甚大である。…しかしこの手に銃を握っているかぎり、われわれは抵抗し、戦いつづける。ドイツ軍が勧告する降伏の最後通牒をわれわれは拒否する。最後の日々を目の前にして、われわれは諸君に要求する。何一つ忘れるな！」。クノップ『ホロコースト全証言』前掲、三〇五頁。
＊17　レーヴィ『溺れるものと救われるもの』前掲、一七五頁。
＊18　ランズマン『ショアー』前掲、四三四－四三五頁。テキストの異同については注15と同様。
＊19　前掲、四三五頁。テキストの異同については注15と同様。
＊20　ラカー編『ホロコースト大事典』前掲、六六九－六七〇頁。
＊21　ランズマン『ショアー』前掲、四三六－四三七頁。
＊22　前掲、四三七－四三九頁。
＊23　ティフ編『ポーランドのユダヤ人』前掲、二三三－二三四頁。
＊24　ランズマン『ショアー』前掲、四三九－四四〇頁。
＊25　前掲、四四一－四四二頁。
＊26　前掲、四四三－四四四頁。
＊27　前掲、二三〇頁。
＊28　Hirsch and Spitzer, « Gendered Translations », *op. cit.*, p.183.
＊29　別の研究者によると、ロッテムさんの「私は最後のユダヤ人だ」という言葉は、エポック2の最初に登場する元SSのフランツ・ズーホメルさんの言葉、講義で

いうと第14回の**引用4**の言葉と響き合っているという。ズーホメルさんは勤務していたトレブリンカ絶滅収容所の歌を歌ったあとに、「ご満足かね？ これは〝オリジナル〟だからね。知ってるユダヤ人は、もう一人もいないんだ！」と発言する。ロッテムさんの「最後の」という言葉とズーホメルさんの「もう一人も」という言葉、この二つが絡み合って歴史的弁証法、あるいは終わりなきらせんをなしている、そこにこそ『ショア』があるという。Marty, *Sur Shoah de Claude Lanzmann*, *op. cit.*, pp. 22-23.

＊30 Michel Deguy, « Une œuvre après Auschwitz », in *Au sujet de Shoah*, *op. cit.*, p. 35.

＊31 西谷『夜の鼓動にふれる』前掲、二二八－二二九頁。

＊32 il y a「イリア」の概念は、ハイデガーの es gibt「エス・ギプト」という考えから出発している。es gibt というドイツ語は、il y a と同様に「……がある」という意味の言葉であるが、字義どおりには「それが(es)……を与える(gibt)」ということを示しており、贈与のニュアンスをもっているという。エマニュエル・レヴィナス『実存から実存者へ』(1947)、西谷修訳、ちくま学芸文庫、二〇〇五年、一七頁、訳注4を参照。ハイデガーはこのニュアンスを重視し、存在とは豊饒で惜しみないものだと述べる。それに対してレヴィナスは、フランス語の il y a「それがそこに……をもつ」という含意を援用することで、たんに「ある」しかないという非人称的で非情な状況について強調し、それがあらゆる存在者を飲み込んでしまうと考えている。西谷『夜の鼓動にふれる』前掲、二二九頁。

＊33 レヴィナス『実存から実存者へ』前掲、一二二－一二三頁。

＊34 西谷『夜の鼓動にふれる』前掲、二四八－二四九頁。

＊35 レヴィナス『実存から実存者へ』前掲、一四一頁。

＊36 前掲、一四二－一四三頁。

＊37 ある研究者は以下のようにいう。「私は、いつまでも眠りにつけないじぶんの存在を余計なものと感じている。眠れないという意識そのものが、だが、私の存在をあかしつづけている。私には身のおきどころがなく、かといって私はみずからの存在から逃れ出ることもできない」。熊野純彦『レヴィナス』(1999)、岩波現代文庫、二〇一七年、四頁。

＊38 レヴィナス『実存から実存者へ』前掲、一四三頁。

＊39 不眠や「ある」とリズムとの関係はさらに深める

べき問題である。レヴィナスは、「ある」を感じさせる文章としてエドガー・ポーを引き合いに出し、そこでの言葉の反復が「リズム、というよりもリズムの欠如からなるリズム」を生むと述べている。エマニュエル・レヴィナス「ある」(1946)、『レヴィナス・コレクション』合田正人編訳、ちくま学芸文庫、一九九九年、二二〇頁。これを敷衍すると、不眠はリズムがないというよりも、リズムがないようなリズムだといえる。

＊40　レヴィナス『実存から実存者へ』前掲、一三〇頁。

＊41　クノップ『ホロコースト全証言』前掲、三一四－三一五頁。

# 26 コンクルージョン

## 1　終わりとはじまり

ここまで『ショア』を見てきました。最後の数回はとくにゲットーが話題になっていました。時間的な観点から見ると、ユダヤ人はゲットーから絶滅収容所に連れていかれます。その最終的な段階については、映画のはじまりから描かれていました。第2回の映像です。このように『ショア』は時間にそって少しずつユダヤ人の死を描いていくのではなく、はじめから最終的な死に焦点をあてている。ランズマンも以下のように述べています。

**引用1**　〘ランズマン：〙同じように、死の根源性を知ってもらったあとで最後にゲットーの場面を持ってくることが重要でした。殲滅《せんめつ》というものが、人が飢えて死にそうになっているゲットーの論理のなかにもすでに組み入れられていることを示すためです。これにはもうひとつ訳がありました。悲劇とサスペンスが同時に存在するためには、結末は最初から分かっていなければなりません。そうはならないんじゃないかという感情を抱きながらも、そうなるんだろうなということが分かっていなければならないわけです。*1

根源において死があること、人々はみんな死んでしまうこと、こういう結末は最初からわかっていなければならないといわれています。『ショア』が表現しようとするのは、何人かの人が奇跡的に生き延びたということではなく、すべての人が死へと打ち捨てられたということです。第25回では、ゲットー蜂起後の夜の廃墟のなかであらゆる人が死んでしまったところを歩き回るという話を見ました。これはまさに、すべてが死にたえたという印象を与えています。

　ランズマンは映画制作に没頭するあまり、まるであらゆる人が死んでしまったかのように感じたことがあるといいます。彼はこう書いています。「私は次第に突き詰めて考えるようになり、ついには犠牲者も殺人者も全員が死んでしまったみたいに思いこむようになった。だから私は、生存者を見つけるたびに心底驚き、考古学の遺体発掘のような気持ちにとらわれた。私の発見は、あの巨大な災厄の表徴であり、残滓であるかに思えたのである」[*2]。そんな気もちでいたとき、ランズマンはちょうどホロコーストについての国際シンポジウムに参加したといいます。討論の場は生き生きとしており、おたがいに言葉をかけ合ったり笑い合ったりしているのを見てランズマンはすごくとまどった。自分は破滅のリズムを表現しようとしている、それなのにシンポジウムは明るい雰囲気で進んでいる、そのちがいにショックを受けたということです。ランズマンは以下のようにいいます。

**引用2**　『ショア』のテーマは、一斉検挙でも逮捕でもなく《略》また出身地でもなかった。テーマは最後の鉄路、最後の分岐点、もはや完全に遅すぎて、取り返しのつかない事態が遂行されようとする瞬間だった。[*3]

　ランズマンにとって大事なのは最後の瞬間であり、『ショア』における証言者たちが語っているのは最終的な瞬間についてです。第3回や第5回で見たように、その内容はすべての人が納得するような客観的真理ではありません。それはむしろ個人的な真理であって、もしかすると証言者にとってだけしかあてはまらないかもしれない、そういう真理です。最終的な瞬間はただひとつではなく、それぞれの視点によっていろいろなかたちをとります。たくさんの人の証言をとおして、いくつもの最後の瞬間を少しずつ積み重ねていくこと、それが『ショア』という映画です。映画には列車の映像が繰り返し登場します。この列車の音とリズムこそが、それぞれの最終的な瞬間を結び合わせているひとつの象徴となっているように感じられます。[*4]

　このように『ショア』は最後の瞬間を反復します。最終的な死について繰り返し表現して映画は終わる。しかし映画の終わりに描かれていたゲットーから絶滅収容所に向けて、ユダヤ人はまたもや移送されていく。つまり、映画の最初にあった絶滅収容所の場面へとつながっていくわけです。こうして『ショア』は、終わったと同時にまたはじまってしまう。[*5]終わったとたんにもう一度はじまるということは、ドイツの哲学者ニーチェのいう永遠回帰の思想と重なるように思われます。なぜなら永遠回帰とは、生きることが終わったとたんにもう一度その生を欲するということだからです。ニーチェの登場人物はこういいます。「「これが——生だったのか」わたしは死にむかって言おう。「よし！　それならもう一度」と」。[*6]生きることを終えたまさにその瞬間にまったく同じように生きはじめようとする。どんなにみにくい人であっても、どんなにつらい体験をしても、その生涯を何度も反復するわけです。このことは、『ショア』の映画全体についてもいえるように思えます。つまり、『ショア』はショアが終わるまさしくその瞬間に、まったく同じショアを開始しようとするということです。どれほど残酷であっても、ホロコーストの表現を何度でも繰り返すということです。

　もちろんショアの回帰は、ニーチェの文章に感じられるようなポジティヴな性格をもっていません。ショアの反復は徹底的にネガティヴなものです。第25回において、ゲットー蜂起を指導したユダヤ人戦士であるツケルマンさんが話していました。彼は自分の心臓には毒がしみついていると語っていました。それと同じようなことを、ナチス収容所からのユダヤ人生還者であるレーヴィが述べています。「私たちは血管に、疲れ切った血液とともに、アウシュヴィッツの毒が流れているのを感じていた」。[*7]ここでも毒といわれています。この毒はずっと残る。何十年も残りつづける。レーヴィによると、戦後になっても収容所での習慣が自分から消え去ることはないし、収容所こそが現実だと感じるような夢を見つづけるといいます。長いですが読んでみましょう。

**引用3** 何か食べ物を探したり、売ってパンを得られるものをポケットに押し込むために、地面を見つめながら歩く習慣は、何カ月もなくならなかった。そして時にはひんぱんで、時にはまばらだったが、恐怖でいっぱいの夢が現れるのは止まなかった。／それは夢の中の夢という、二重の形を取っていた。細かい部分はそのつど違ったが、本質は同じだった。私は家族や友人と食卓についていたり、仕事をしていたり、緑の野原にいる。要するに穏やかで、くつろいだ雰囲気で、うわべは緊張や苦悩の影もない。だが私は深いところにかすかだが不安を感じている。迫りくる脅威をはっきりと感じ取っている。事実、夢が進んでいくと、少しずつか、急激にか、そのつど違うのだが、背景、周囲の状況、人物がみな消え失せ、溶解し、不安だけがより強く、明確になる。今ではすべてが混沌に向かっていて、私は濁った灰色の無の中にただ一人でいる。するとこれが何を意味するか分かる。いつも知っていたことが分かる。私はまたラーゲル《収容所》にいて、ラーゲル以外は何ものも真実ではないのだ。それ以外のものは短い休暇、錯覚、夢でしかない。家庭も、花咲く自然も、家も。こうして夢全体が、平和の夢が終わってしまう。するとまだ冷たく続いている、それを包む別の夢の中で、よく知っている、ある声が響くのが聞こえる。尊大さなどない、短くて、静かな、ただ一つの言葉。それはアウシュヴィッツの朝を告げる命令の言葉、びくびくと待っていなければならない、外国の言葉だ。「フスターヴァチ」、さあ、起きるのだ。*8

フスターヴァチというのはポーランド語で「起床」という意味だそうです。収容所から戻って何年、何十年たってもその声が聞こえてくる。もちろん夢なのですが、それでもやはり現実の声のように聞こえてくるわけです。引用の真ん中より少しうしろあたりに、「いつも知っていたことが分かる。私はまたラーゲルにいて、ラーゲル以外は何ものも真実ではないのだ」といわれています。収容所を体験した人にとっては、収容所だけが真理になってしまう。家に戻ってきても、自然のなかを歩いたり仕事に没頭したりしても、そうしたおだやかな生活が何十年つづいても、真実はそこにはない。真実はふと思い出されてしまう。収容所でなぐられ、まわりの人が殺されていき、なんとかその一日を生き延びたけれど、次の朝になって「フスターヴァチ」という命令で起こされる、これこそが本当なんだというのです。ショアの体験はいつまでたってもリズムをもって繰り返します。終わったはずなのにずっとつづいてしまう。このようにネガティヴなものがリズミカルに反復するところにこそ、ショアの真理があるように思えます。

## 2　ショアはリズムである

第1回の講義で、「ショアはひとつのリズムである」という仮説を提示しました。ここまでの考察によると、ショアをめぐって四つのリズムをあげることができます。

ⓐ歴史的出来事としてのショアのリズム
ⓑ映画『ショア』のリズム
ⓒ私たちの生活のリズム
ⓓ破滅のリズムに巻き込まれたときの私たちのリズム

まず第1回では二つのリズムを区別しました。

ⓐ歴史的出来事としてのショアのリズム。一方で私たちはいつの間にか絶滅の過程に巻き込まれていきます。それは加害者でも被害者でも、あるいは傍観者であっても同様です。しかし他方で、私たちはこのリズムに巻き込まれるなかで、そのリズムをみずからつくり上げてしまう。しかも自分では気づかないうちにつくっていきます。そのようにショアのリズムに巻き込まれつつみずからそれを再生産してしまうということは、これまで見てきた証言からもわかるだろうと思います。[9]

ⓑ映画『ショア』のリズム。私たちは映画をとおしてショアを理解するということからすると、ⓑ『ショア』のリズムはⓐ歴史的出来事としてのショアのリズムを表現しています。この映画はたくさんの人の証言からなっています。過去を思い出して語るという行為によって、ⓐの歴史的出来事のリズムとⓑの映画のリズムが重なり合うわけです。このⓑのリズムは、とりわけ汽車のイメージに集約されるように思われます。

考察を進めるうちに、第14回において、ⓐとⓑのリズムが私たちの生活にどのように影響するのかということが問題になりました。そこで授業では三つ目のリズムを提示しました。

ⓒ私たちの生活のリズム。ⓐ歴史的出来事であるショアのリズムとⓑ映画『ショア』のリズムは、ⓒ私たちの生活のリズムに侵入します。『ショア』は非常に長い作品ですから、二日や一日で鑑賞しようとすると、生活のあり方に大きな影響を与えるということです。しかし、このⓒ私たちのリズムはさらに重大な問題を含んでいるように思えます。つまり、ⓐのショアのリズムに実際に巻き込まれるとき、私たちの生活はどのようなものになるのかということです。ですからⓒは以下のようにもいいかえられます。

ⓓ破滅のリズムに巻き込まれたときの私たちのリズム。これまでの講義において、ⓐの絶滅のリズムに押し流されそうになったとき、私たちはどのような態度をとるのかということを見てきました。たとえば第8回や第14回で取り上げたズーホメルさんは、絶滅収容所では死体のものすごい悪臭があったといいながらも親衛隊員としてそこに勤務しつづけることができた。第18回で登場したシュティールさんは、トレブリンカという小さな駅に数十両の列車が一日に何度も向かうことに疑問をもたずに列車の運行指令書を作成しつづけることができた。もちろん二人が絶滅作戦にかかわった度合いはちがいます。しかし、自分がおこなっていることについて自分自身と話し合う必要性を感じなかったということは同じです。「こんなことをしている自分と今後も暮らしていくことはできるのか」、そんなふうに疑問に思うことは二人ともまったくなかったわけです。このようにナチスに加担した人は、絶滅のプロセスに巻き込まれるとき、そのリズムに流されると同時にそれをみずからつくり上げていくことになった。いいかえると、絶滅のリズムに押し流されるままであって、自分と話し合い、自分自身のリズムを立ち上げることができなかったということです。ここには、ⓐのショアのリズムに巻き込まれるときの私たちのリズムという問題があります。

## 3　殺人者にならないことはできるか

今述べた、ⓓ破滅のリズムに巻き込まれたときの私たちのリズムという問題はとても重要だと思います。その問題は、ナチス・ドイツのように殺人を奨励するような国家において殺人者にならないことはできるのかというような問いにつながります。この問いに対して、私たちは「できる」と答えたいところなんですが、残念ながらそうはいきません。これまでの考察にしたがえば、私たちは自分の知らないうちに殺人のリズムに流されてしまうし、そうした自分と話をせずに済ませてしまう、そういう傾向があります。なので「殺人者にならないことはできる」とは、どうしても答えられないのです。そして殺人を防ぐ有効な方法も見あたりません。とはいえ、ヒントも何もないということではありません。たとえば殺人を許した人たちの言葉を取り上げ、そのひとつの傾向を考察することができます。加害者側にいた人の話を見てみましょう。

**引用4**　〘ランズマン：〙で、戦後は、何をなさったのです？〘フランツ・グラスラー（ドイツ人男性、ワルシャワ・ゲットーのナチ・コミッサール（司政官）の元補佐官、ドイツ語）：〙登山関係の出版社にいましてね。山の本とか、山の雑誌をつくってました。〘ランズマン：〙あっ、そうでしたか？〘グラスラー：〙ええ、そうですよ。登山ガイドを書いて、出版したわけです。登山雑誌の編集もしました。〘ランズマン：〙一番のご趣味なんですね、山が？〘グラスラー：〙ええ、そうですとも。〘ランズマン：〙山と、空気と……。〘グラスラー：〙そう。〘ランズマン：〙……太陽と、澄んだ空気。〘グラスラー：〙〘少しわらいながら〙ゲットーの空気じゃなくって。*10

グラスラーさんは以前ナチスにいた人です。彼はゲットーの管理をしていたわけですから、自分でユダヤ人を殺したことはないのだろうと思います。ですが、ゲットーにおいてたくさんのユダヤ人が死んでいくのを知りながら仕事をつづけていた。グラスラーさんは登山が好

きなので、戦後に山の雑誌を出版したといいます。山を歩き、さわやかな空気を吸う。自然の美しさに感動する。ここから、ナチスにいた人であっても美しいものを判断しているということがわかります。彼らは一方で自然や芸術のような美しいものを好みつつ、もう一方では身近に殺害があることを許しています。ここで美と殺害は両立しているようです。

これについて哲学者のハンナ・アーレントは次のように述べています。

**引用5**　最後に、第三帝国の殺人者たちのことを思い出していただきたいのです。彼らは非難の余地のない家庭生活を送っていただけではなく、余暇にはヘルダーリンの詩を読み、バッハの音楽に耳を傾けるのを好んでいました。《略》思考は活動として、詩、音楽、絵画などの作品を作りだすことができます。《略》高い教養のある殺人者たちで注目されるのは、記憶に値するただ一つの詩を書いた人も、耳を傾けるに値するただ一つの音楽を作曲した人も、誰もが部屋に飾っておきたくなるようなただ一枚の絵を描いた人もいないということです。優れた詩を書き、音楽作品を作曲し、絵を描くには、たんなる〈考え深さ〉では足りないのです。それには特別な才能が必要なのです。そして道徳的な健全性を失った場合には、才能も失われるのです。[*11]

殺人者たちは美しい芸術作品を好んでいた。それが美しいかどうかを判断し、好みを選ぶことができたということです。[*12] だけど作品をつくり出すことはできなかった。受け入れることはできたけれど、生み出すことはできなかったわけです。アーレントによれば、美しいものを生み出すためには思考しなければならないといいます。しかしまさしくその思考することこそが、殺人者たちには欠如していた。思考によって私たちは、殺人に加担する自分というものについて考えはじめるわけですが、それとともに、ひとつの芸術作品をつくり出すべく考えはじめるわけです。ここからひとつの仮説を提出できるかもしれません。つまり、「人は殺人者であるとき芸術家になることはできない」ということです。しかしだからといって、その逆が成り立つかどうかはわかりません。す

なわち、芸術家であれば殺人者にならなくて済むかというと、それはわからない。アーレントの議論からいえるのは、殺人者は芸術家のように美しいものを制作することができなかったということだけです。

このことは、まさにヒトラーにつながるように思えます。というのもヒトラーは若いころ芸術家になることを夢見ていたからです。けっこう本気でなろうとしていたようで、ウィーン芸術アカデミーの美術学科の試験を二度も受けています。[*13] 結局受験は失敗し、そのあとに何か努力をしたというわけでもなかったので、芸術家になることはできなかった。ちなみにヒトラーはヴァーグナーの音楽がとても好きだったらしく、友人と何度も見にいったといいます。ヒトラーの伝記では以下のようにいわれています。「取るに足りない月並みな落伍者ヒトラーは、ヴァーグナーの英雄のように生きたかった。哲学の王、天才、思考の芸術家たるヴァーグナーにあやかり、自分自身が第二のヴァーグナーになりたかった」[*14]。このようにナチスにいた人は自分の好みの芸術作品を受け入れることはできるけれど、みずから表現して作品を創造することはできないわけです。ヒトラーは政治家にはなったものの、芸術家にはなれなかった。つまり演説をして人々を動かすことができたが、人々が飾ってみたいと思えるものをつくることはできなかった。

それでは政治と芸術のあいだには、どんな共通点とちがいがあるのでしょうか？　アーレントによると、政治と芸術は公共的な世界の現象という点で似ているといいます。[*15] 別の言葉でいうと、さまざまな人たちのあいだに一般的な伝達可能性をもたらすということです。[*16] たしかに政治の演説も芸術的作品も、公共の領域において多くの人々が受けとるものです。そのようにアーレントは政治と芸術に通底する能力としての判断力について考察を深めています。ちなみに彼女は、一八世紀の哲学者カントの思想から出発しています。そのアーレントの議論はとても興味深いのですが、私たちとしてはむしろここで、政治と芸術のちがいを強調してみたいと思います。

ヒトラーの政治的な演説に注目すると、芸術作品とは決定的にちがうところがあります。ヒトラーの演説はただひとつの解釈だけしか許さないものであり、ただひとつの方向だけにしか導くことはありません。それに対して芸術作品、たとえばバッハの音楽はさまざまな解釈を

許します。バッハの音楽をめぐって人々はいろいろ考えはじめます。さまざまな視点から作品を分析したり、別の仕方で演奏をおこなったりします。そこから新たな音楽作品が生まれることだってあります。それとは逆に、ヒトラーの言葉はたったひとつの意味しかもたない。ヒトラー自身も、そのたったひとつの意味だけ受け入れるということを人々に強制する。その演説から出発して、人々が何かを考えはじめるということは不可能です。その演説にしたがうのか、したがわないのか、そのどちらかしかないからです。こう考えると芸術作品をつくるとは、そこから人々が思考を開始してさまざまな方向へ動き出していく、そういった何ものかを創造するということです。それは、政治的な言説が特定の方向性をもっているのとは根本的にちがっているように思えます。ヒトラーや彼に追従した人たちは政治をおこなうことはできたけれども、芸術作品をつくることはできなかった。しかし先ほどもいったように、芸術家であれば殺人者にならなくて済むということではありません。そうではあっても、やはり、殺人者であるときに芸術家にはなれないということはいえるように思われます。

殺人者にならないようにするためには、絶滅のリズムに巻き込まれそうになったときにそれに流されることなく自分のリズムを立ち上げることが必要です。しかしそれは知識によるものではありません。実際に多くの知識人がナチスを支持していたからです。むしろ無名の人たちこそが自分のリズムを生み出し、巨大な破滅のリズムを再生産しないでおくことができたといえます。そのときその人は自分自身に語りかけ、自分がそのようにナチスに加担することを許せるかどうかを自分自身に問いかけます。それによって絶滅のリズムをみずから再生産しないままでいる、みずから反復しないままでいることができる。巨大で力強いリズムとは別の小さなリズムを導入し、それを反復することになります。このようにリズムを築き上げる作業というのは、私たち自身が知らないうちにおこなわれるように思えます。あるとき私たちは無意識のうちに絶滅の巨大なリズムを反復してしまうし、あるときは知らないうちにそのリズムの反復を中止することもできるということです。このリズムが反復しはじめる瞬間というのは、うまくとらえることができない。しかし殺人者にならないためには、このとらえがたいリズムの反復の瞬間をとらえなければならないわけです。

さらに、絶滅のリズムに巻き込まれないためには、自分自身に語りかけるとともに他人に語りかけるということが重要だと思われます。アーレントの議論にしたがうと、それは「批判的思考」とか「共通感覚」という能力であり、他人の立場に立って思考することです。「批判的思考は、すべての他者の立場が検査に対して開かれている場合にのみ、可能になります。したがって批判的思考は、孤独な営みでありながら、自己を「すべての他者」から遮断したりしないのです[*17]」。「共通感覚について言えば、カントは非常に早くから、最も私的（private）で主観的な感覚のように見えるものの内にも、非主観的なものがあるということに気づいていました。〔略〕非客観的な感覚の内の非主観的要素とは、間主観性です（思索するには一人にならねばなりませんが、食事を楽しむには仲間が必要です）[*18]」。

このとき自分と他人は、重なりつつもずれているということができます。もちろん私は他人ではありません。でも他人であればどう判断するのかを考えるかぎりにおいて、私自身のなかに他人を取り入れます。そうでなければ、ある行為をおこなってもよいかどうかといった判断はできません。とはいえやはり私はその他人として考えるのではなく、私自身として考えています。そのように私は私であると同時に他人であって、そのうえでなお他人とは異なるものとして他人と話しているわけです。殺害に加担するような自分を許せるのかどうかについて私が自分自身と話し合うということは、それはそのままで、他人と話し合うことでもあるように思えます。ここでは、自分と他人が重なりながらもちがったものとしておたがいに話し合っています。この自分と他人の奇妙な関係からこそ、私自身のリズムがたちあらわれてくるのではないかなと思います。アーレントはこれを「間主観性」といっている。そしてそのあとのカッコのなかで、思考するにはひとりでいなければならないし、食事を楽しむには他人が必要だといいます。そりゃそうです。あたり前のことですよね？　でもそうしたあたり前のことによってこそ、自分のリズムが立ち上がってくるのかもしれません[*19]。

## 4 『ショア』のメッセージ

映画をつくっている途中で、ランズマンは制作のためのお金がたりなくなったといいます。そこで制作費をもらえるように、アメリカのビジネスマンたちに対して映画のプレゼンをしたようです。ランズマンは回想録で以下のように述べています。

**引用6** 聴衆に向かって、私はこの映画を撮らなければならないと信じる理由を述べ、これまでに知ることのできたすべてを話し、現在までの進捗状況を説明した。私の説明のあと質疑応答が始まるのだが、訪問先のどこでも一様に同じ反応が返ってきた。異口同音に発せられた質問はこうだ。拝聴しました、では実際問題として、「ミスター・ランズマン、あなたのメッセージは何ですか?」わたしは茫然として立ちつくす。こんな質問に答えることはできなかったし、今だってできない。『ショア』のメッセージは何なのか、私にはわからない。こんな問題の立て方をしたことはなかったからだ。もし「私のメッセージは〝二度と繰返してはならない!〟ということです」とか、「お互いを愛しなさい」とか答えていたら、彼らは財布のひもを緩めたかもしれない。だが私はへぼで情けない資金調達係《ファンドレイザー》だった。だから、『ショア』の予算には、アメリカドルは一ドルとして入らなかったのである。[*20]

この映画をとおして伝えたいメッセージは何か、そんな問いには答えられない。映画制作中の一九七〇年代にも答えられなかったし、この回想録が出版された二〇〇九年でも答えられないといいます。一言でいえば「この映画によって伝えるべきメッセージはない」ということです。もちろんそんなことではだれも注目しないし、制作費を獲得できない。そのためランズマンは資金集めに苦労したわけです。

ひるがえって私たち自身のことを考えてみましょう。私たちはつねにメッセージを探しているように思えます。自己紹介をするとき、自分の仕事を説明するとき、自分の好きなものを伝えたいとき。こんなとき私たちはポジティヴなメッセージ、みんなに届くわかりやすいメッセージを発して多くの人に注目してもらおうとします。この私たちの態度は、ランズマンとはまったく逆です。そこでふと疑問が浮かんでくる。私たちはメッセージをいろんな場面でたくさん伝えているつもりですが、そのなかのたったひとつでも、『ショア』のなかの言葉に匹敵するような表現となっているでしょうか？　また、ランズマンは「自分にはポジティヴなメッセージなどない」と断言していますが、しかし彼は私たちのメッセージをはるかに上回るような表現をいくつも生み出しているのではないでしょうか？　そう考えると、私たちのまわりでいわれている「伝えたいメッセージ」とはいったいなんなのだろうか、それははたして意味があるのだろうか、と少し思ってしまいます。そして「表現する」とはどういうことなのかとあらためて考えてしまいます。

ここまで私たちは現代思想という観点からいくつかの問題を見てきました。それはリズムとか他者理解とかいった問題です。こうした観点から現代について考える、現代について思考することが、ある程度はできたのではないかと思っています。もちろん論じていないことはたくさんあります。私はいくつかの文章を読んでいくつかの論点をあげたつもりですが、『ショア』を理解できたとは思っていませんし、今後において理解できるという見とおしもありません。そのことは歴史的出来事としてのショアについても同様です。とはいえ、ここまでの考察をもとに、さらに議論を深めていくことができるのではないかと思います。私たちが生きているこの現在について考える、今私たちはどんなふうに生きているのかということを考える、こうしたことをひきつづきみなさんといっしょにできればいいなと思っています。

## 5　まとめ

①『ショア』は最終的な死の瞬間を何度も繰り返す。
②破滅のリズムに巻き込まれたときに私たちのリズムを立ち上げることが大事である。
③人は殺人者であるとき芸術家になることはできない。
④殺人者にならないためには、リズムの反復の瞬間をとらえなければならない。

⑤ランズマンは「映画によって伝えるべきメッセージはない」と断言している。

＊1　ランズマン「場処と言葉」前掲、九二頁。
＊2　ランズマン『パタゴニアの野兎（下）』前掲、一八七頁。
＊3　前掲、二八五－二八六頁。
＊4　『ショア』の編集を担当したスタッフは、インタビューを構成しているのは映画的とはいえない素材であり、その未加工のラッシュは映画とまったく似ていないと述べている。いいかえると、インタビューは心を強くとらえるもののそれだけでは芸術作品にはならず、風景や列車のショットを加えることによってのみ映画が完成したということである。Vice, *Shoah, op. cit.*, pp. 35-36.
＊5　ランズマンによると映画の編集は「しばしば循環的であり交響曲的である」という。Claude Lanzmann, « Un art à part entière », in *Le cinéma vers son deuxième siècle*, sous la direction de Jean-Michel Frondon, Marc Nicolas et Serge Toubiana, Le Monde Edition, 1995, p. 48.
＊6　ニーチェ『ツァラトゥストラ』前掲、七一五頁。
＊7　レーヴィ『休戦』前掲、三五三頁。
＊8　前掲、三五五－三五六頁。
＊9　リズム論の展開に向けてつけ加えておくと、この考えは音楽にもあてはまる。音楽を聞くとき、同調化＝引き込み（entrainment）が起こる。これは私たちのリズムが次第に音楽のリズムに合っていくこと、いわばリズムに乗っていくことである。大串健吾ほか監修『音楽知覚認知ハンドブック』北大路書房、二〇二〇年、一〇一頁。脳神経学的研究によると、このリズムの同調化は意識的に気づくよりも下位のレベルで私たちの運動生成に絶大な影響を与えているという。マイケル・タウト『新版　リズム、音楽、脳』(2005)、三好恒明ほか訳、協同医書出版社、二〇一一年、四〇頁。つまり私たちは音楽のリズムに取り込まれながら、それを知らないうちにみずから再生産しているということである。
＊10　ランズマン『ショアー』前掲、四二六－四二七頁。
＊11　アレント「道徳哲学のいくつかの問題」前掲、一六〇－一六一頁。
＊12　アーレントの議論に厳密にしたがうと、たんに受容するだけでは判断とはいえない。なぜなら判断とは、ほかの人の判断を考慮に入れることで、美的なものを考量するとともに道徳的な問題についても検討する能力のことだからである。前掲、二三〇頁。こう考えると、殺

人者はただ感受性があるというだけであり、判断していないといえる。
＊13　イアン・カーショー『ヒトラー（上）1889－1936傲慢』（1998）、川喜田敦子訳、白水社、二〇一六年、五一頁。
＊14　前掲、七一頁。ほかの作曲家としてはベートーヴェン、ブルックナー、リスト、ブラームスを好んだという。また建築や美術では一九世紀の新古典派やリアリズムといった壮大で壮観なものを追い求め、ユーゲントシュティール建築やクリムトにはまったく興味を示さなかったという。前掲、七〇頁、六八頁。
＊15　ハンナ・アーレント『過去と未来の間』（1968）、引田隆也・齋藤純一訳、みすず書房、一九九四年、二九五頁。
＊16　ハンナ・アーレント『完訳カント政治哲学講義録』（1982）、仲正昌樹訳、名月堂書店、二〇〇九年、一一七頁、一三七頁。
＊17　前掲、八〇頁。
＊18　前掲、一二四－一二五頁。
＊19　ただしアーレントは次のようにいう。「カントが教えてくれるのは、いかにして他者を考慮に入れるのかということです。活動するためにいかに他者と結合するかについては、カントは教えてくれません」。前掲、八二頁。つまり、どのようにして自分のリズムをつくるのかという具体的な方法についてはわからないということである。
＊20　ランズマン『パタゴニアの野兎（下）』前掲、二一二頁。

# あとがき

本書はフランスの映画監督クロード・ランズマンが発表した映画『ショア』(1985)を考察したものです。そして現代社会の問題、とりわけ戦争やホロコーストの問題に取り組みました。考察にあたっては現代思想の視点を導入し、リズムという概念を使用することで議論を深めたつもりです。

なお本書の構成や特徴については「まえがき」で述べています。ひとつだけ繰り返しておくと、本書は参照文献をなるべくそのまま引用しており、二重キッコウ〘 〙のみ著者によるものです。

ランズマンの『ショア』についていろいろと考えてきましたが、この映画はもっと別の考察にも開かれています。たとえばゲルハルト・リヒターの絵画《ビルケナウ》(2014)に結びつけて考えることができるのではないかと思います。この絵画は、一九四三年にアウシュヴィッツ収容所の囚人によってひそかに撮影されたという四枚の写真から出発しています。はじめリヒターは四枚の写真を大きなキャンバスに描き写そうとしますが、しかし描き写したものがもとの小さな写真にまったくかなわないことに気づきます。そこで描いた絵を塗りつぶす。こうして四枚からなる抽象画《ビルケナウ》ができ上がったといいます。そこには、表現できないものを表現できないものとして提示するという姿勢があります。この姿勢はランズマンと近いように思えます。もちろん両者の表現は、媒体も方法もちがっている。しかしリヒターとランズマンは、表現できないものを表現するということについて考えさせてくれるという点でつながるように思えます。

さらに興味深いことに、リヒターの出発点となった写真は、本書の第6回注3で参照されているジョルジュ・ディディ＝ユベルマンが提示したものです。ディディ＝ユベルマンは「アウシュヴィッツでひそかに撮影された写真は私たちを考えるようにうながす」といっていますが、それに対してランズマンは、「絶滅についてはいかなる写真も取り上げるべきではない」と反論しています。これはなかなか交錯していますね。こうした議論を重ね合わせることにより、目に見えるとはいったいどういうことなのかというイメージ論がさらに深まっていくようにも思われます。このように、『ショア』を考察し理解しようとすることは多様な方向に広がっていきます。

私が『ショア』をはじめて見たのは大学生のときだったと思います。筑波大学の比較文化学類に所属していたとき、廣瀬浩司先生の講義で紹介されたと記憶しています。おそらく第15回で取り上げたボンバさんの沈黙の場面だったように思います。そのときは証言者が黙るときのあのはりつめた雰囲気、その沈黙についていくときのあの居心地の悪さ、そうした表現できないものの表現に衝撃を受けました。それを見た私は、何をいったらいいのかよくわかりませんでした。

映画全体を鑑賞したのは大学院生のころです。私は研究室の数人の仲間とともに、筑波大学近くのレンタルビデオ店で『ショア』を借りました。たしか夏休みの期間に数日間かけて、私のアパートの部屋で見たように記憶しています。全体を見たものの、やっぱり何をいえばよいのかわからないままでした。見終わったあと、まわりのみんなも、あまり言葉を発しなかったように覚えています。

その後フランス留学をへて駿河台大学に勤務するようになり、「現代思想」の科目を担当することになりました。その科目の内容としては、「『ショア』を見て考える」というのがちょうどよいのではないかと思いました。そこで『ショア』を論じようと決めたものの、あらためて鑑賞しても、それをどう伝えたらよいのかよくわかりません。とりあえず関連文献を読んでいくことにしました。そして映画を見せつつ、私の考えをお話ししました。それが本書の原型になったわけです。

本書を書き終えて正直申し上げますと、『ショア』について何をいったらいいのか、実はまだよくわかっていないままです。この映画を見ていると、たしかに考えるべき問題がいくつも出てくるのですが、結局のところ、だれかがなんらかの言葉を発するとはどういうことなのか、その言葉を理解するとはどういうことなのか、だんだんわからなくなってくるのです。もちろん私たちは毎日、いろんな言葉を聞いて理解しています。ちゃんとできているんです。だけど『ショア』で人々が話しているのをあらためて見ると、何かを話す、そしてそれを理解するということは、なんだかとんでもなく深いことなのではないか、そんなふうに思えてきます。この証言者はどんなふうにしてこの一言を話しているのか、私はそれをどんなふうに理解しているのか、わからなくなってくる。それはすでにみんなが乗り越えているように一見簡単なものでありながら、しかしよく考えてみるとどうにも説明できない、そんなふうにも感じられるのです。だけど、もしかすると、それこそがリズムというものなのではないか、そういう思いが私にはあります。

こうした思考の出発点を準備してくださったのは廣瀬先生の講義です。そしてこれまでご指導いただいた先生方のたくさんの言葉です。この場をお借りして、先生方にあらためて感謝を申し上げます。

ここで、駿河台大学でいっしょに勤務している教職員のみなさまに謝意を表します。なかでもドイツ文学をご専門になさっている小林将輝先生には深くお礼を申し上げます。私はこれまで、小林先生の研究室をいきなりノックして『ショア』に出てくるドイツ語について質問をぶつけるという失礼なことを複数回いたしましたが、先生はそのたびに丁寧に教えてくださいました。ありがとうございます。また大学内では、研究内容を紹介し合う勉強会や研究会があったり、あるいは授業合間でのちょっとした立ち話だったり、最近はあまり機会にめぐまれませんがふらりと連れ立ってお酒を飲みにいったり、そういったときに信頼して話し合える方々がいてくださることをとてもうれしく思っています。みなさま、ありがとうございます。

また、ナカニシヤ出版の石崎雄高様にお礼申し上げます。けっこうな大部となってしまった本書を引き受けてくださったこと、さらにはタイトルの決まっていなかった本書に見事なタイトルをつけてくださったことなど、心より感謝いたします。

家族には深い感謝を申し上げます。いつも支えてくれて本当にありがとう。

最後に読者のみなさまに感謝の意を表します。読んでくださり、ありがとうございました。不勉強なところやまちがいがたくさんあることと思います。ご教示いただけると幸いです。

# 索　　引

■著者紹介
山下尚一（やました・しょういち）
1979年栃木県生まれ。筑波大学大学院人文社会科学研究科博士課程修了。博士（文学）。駿河台大学グローバル教育センター准教授。著書に『ジゼール・ブルレ研究——音楽的時間・身体・リズム』（ナカニシヤ出版，2012年），『メルロ=ポンティ読本』〔共著〕（法政大学出版局，2018年）など。

ショアあるいは破滅のリズム
——現代思想の視角——（エポック2）

2023年3月28日　初版第1刷発行

著　者　山下尚一
発行者　中西　良

発行所　株式会社　ナカニシヤ出版
〒606-8161　京都府左京区一乗寺木ノ本町15
TEL（075）723-0111
FAX（075）723-0095
http://www.nakanishiya.co.jp/


印刷／製本・モリモト印刷
＊乱丁本・落丁本はお取り替え致します。
ISBN978-4-7795-1711-2　Printed in japan

## バイオグラフィーの哲学
――「私」という制度、そして愛――
入谷秀一

人はいつ、自分について物語ることを始めるのか。古今のバイオグラフィーの構造を検証することを通じて、「自分を愛し語ることを強いられる現代」の一歩先に進む、「自分語り」の系譜学。

二四〇〇円＋税

## 言葉に出会う現在
宮野真生子

九鬼周造を出発点にオリジナルに発展・深化した、恋愛論、押韻論、共食論、母性論等論考に加え、書評・エッセイも多数収録。早逝が惜しまれる著者の珠玉の哲学論考集。

三〇〇〇円＋税

## キリギリスの哲学
――ゲームプレイと理想の人生――
バーナード・スーツ／川谷茂樹・山田貴裕 訳

寓話「アリとキリギリス」の〝主人公〟たるキリギリスが、その弟子達と縦横無尽に繰り広げる、とびきりユニークで超本格の哲学問答！「ゲームの哲学」の名著、待望の初訳。

二六〇〇円＋税

## ベジタリアン哲学者の動物倫理入門
浅野幸治

畜産、動物実験、ペット、動物園、競馬、介助動物など、いま身近にある動物の境遇を倫理的に問いながら、「種差別」を乗り越え、人間をも対象に含み込む「動物倫理」の構築を目指す入門書。

二三〇〇円＋税

＊表示は二〇二三年三月現在の価格です。